중3-1

시작은

하루
수학

하루 수학의 구성과 특징

시작하며

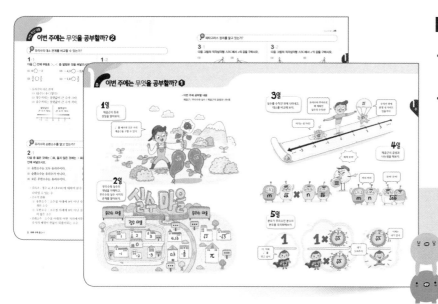

▌이번 주에는 무엇을 공부할까? ❶, ❷

- 한 주에 공부할 내용을 삽화로 재미있게 구성하였습니다.
- 한 주의 공부를 시작하기 전에 꼭 알아야 할 이전 학년 내용을 짚고 넘어갈 수 있도록 구성하였습니다.

1일 공부를 하기 전에
잠깐 시간을 내서
공부해봐.

한 주를 마무리 하며

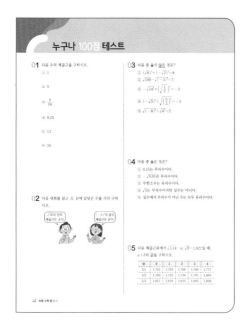

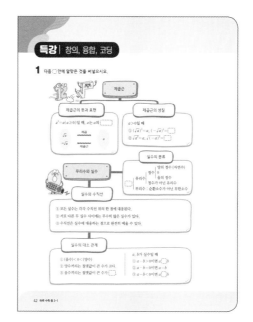

▌누구나 100점 테스트

한 주를 마무리하며 한 주 동안 공부한 개념을 얼마나 잘 이해했는지 테스트할 수 있도록 하였습니다.

▌특강 창의, 융합, 코딩

창의, 융합, 코딩 문제를 풀면서 한 주 동안 공부한 내용이 어떻게 이용되는지 알고 문제 해결력을 기를 수 있도록 하였습니다.

#교재검토
#선생님들
#감사합니다

Chunjae
Maketh
Chunjae

▼

저자	최용준, 해법수학연구회
편집개발	박유영, 조영옥, 민지영, 정광혜, 원진희,
	민경아, 김주리, 김근희, 서진원, 마영희
디자인총괄	긴희정
표지디자인	윤순미, 장미
내지디자인	박희춘, 우혜림
제작	황성진, 조규영
발행일	2020년 12월 1일 초판 2020년 12월 1일 1쇄
발행인	(주)천재교육
주소	서울시 금천구 가산로9길 54
신고번호	제2001-000018호
고객센터	1577-0902
교재 내용문의	(02)3282-1721

5일 동안

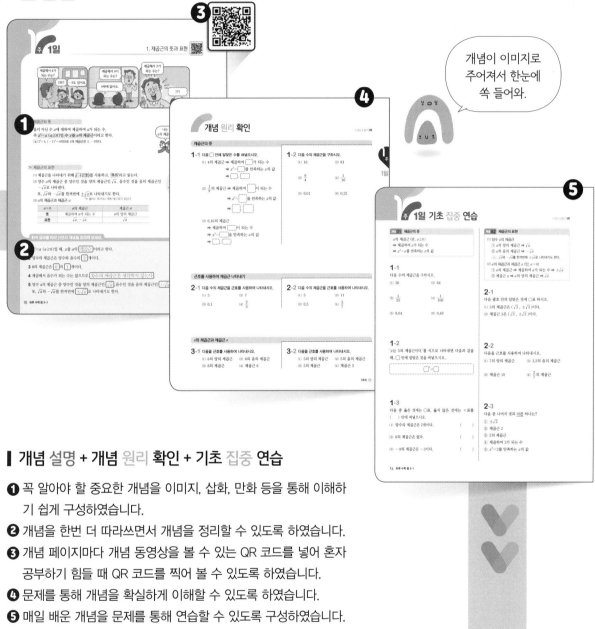

> 개념이 이미지로
> 주어져서 한눈에
> 쏙 들어와.

개념 설명 + 개념 원리 확인 + 기초 집중 연습

❶ 꼭 알아야 할 중요한 개념을 이미지, 삽화, 만화 등을 통해 이해하기 쉽게 구성하였습니다.

❷ 개념을 한번 더 따라쓰면서 개념을 정리할 수 있도록 하였습니다.

❸ 개념 페이지마다 개념 동영상을 볼 수 있는 QR 코드를 넣어 혼자 공부하기 힘들 때 QR 코드를 찍어 볼 수 있도록 하였습니다.

❹ 문제를 통해 개념을 확실하게 이해할 수 있도록 하였습니다.

❺ 매일 배운 개념을 문제를 통해 연습할 수 있도록 구성하였습니다.

- 이번 주에 공부할 내용
  제곱근 / 무리수와 실수 / 제곱근의 곱셈과 나눗셈

1일
제곱근의 뜻과
성질을 알아보자.

$\sqrt{}$ 를 배우면 모든 수의
제곱근을 구할 수 있어.

a

$\sqrt{a}$ $-\sqrt{a}$

2일
무리수와 실수의
개념을 이해하고,
무리수와 실수 사이의
관계를 알아보자.

실수마을

유리수 마을

무리수 마을

정수 마을

1 2 3

0

-1 -2 -3

4.13

$0.\dot{3}$ $-\dfrac{2}{5}$

$\sqrt{2}$ $-\sqrt{3}$

π

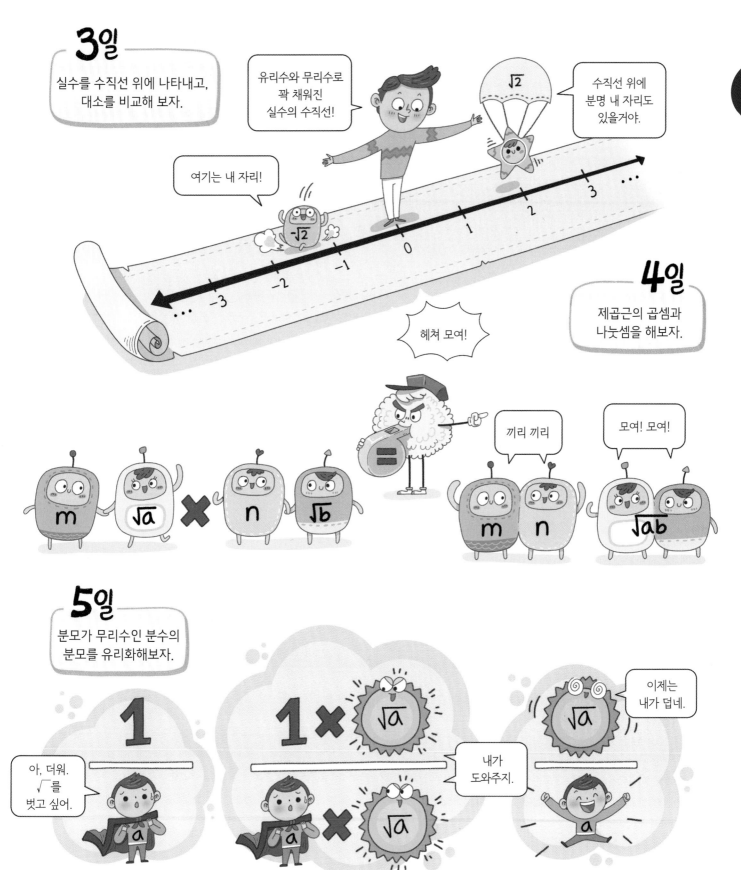

3일

실수를 수직선 위에 나타내고, 대소를 비교해 보자.

유리수와 무리수로 꽉 채워진 실수의 수직선!

수직선 위에 분명 내 자리도 있을거야.

여기는 내 자리!

헤쳐 모여!

4일

제곱근의 곱셈과 나눗셈을 해보자.

끼리 끼리

모여! 모여!

5일

분모가 무리수인 분수의 분모를 유리화해보자.

아, 더워. √를 벗고 싶어.

내가 도와주지.

이제는 내가 덥네.

이번 주에는 무엇을 공부할까? ②

🔍 유리수의 대소 관계를 비교할 수 있는가?

1-1

다음 ○ 안에 부등호 >, < 중 알맞은 것을 써넣으시오.

(1) $0 \bigcirc -2$ (2) $-4.3 \bigcirc -2.8$

(3) $\dfrac{3}{4} \bigcirc \dfrac{2}{5}$ (4) $-1.8 \bigcirc \dfrac{3}{2}$

• 유리수의 대소 관계
 ⑴ (음수) < 0 < (양수)
 ⑵ 양수끼리는 절댓값이 큰 수가 크다.
 ⑶ 음수끼리는 절댓값이 큰 수가 작다.

절댓값이   절댓값이
큰 수가 작다.   큰 수가 크다.

-2   -1   0   1   2

1-2

다음 ○ 안에 부등호 >, < 중 알맞은 것을 써넣으시오.

(1) $0.4 \bigcirc 0$ (2) $0.5 \bigcirc -\dfrac{2}{3}$

(3) $\dfrac{4}{3} \bigcirc \dfrac{5}{4}$ (4) $-1 \bigcirc -\dfrac{4}{5}$

🔍 유리수와 순환소수를 알고 있는가?

2-1

다음 중 옳은 것에는 ○표, 옳지 않은 것에는 ×표를 ( ) 안에 써넣으시오.

(1) 유한소수는 모두 유리수이다. ( )

(2) 순환소수는 유리수가 아니다. ( )

(3) 모든 무한소수는 유리수이다. ( )

• 유리수 : 정수 a, b ($b \neq 0$)에 대하여 분수 $\dfrac{a}{b}$의 꼴로 나타낼 수 있는 수
• 소수의 분류
 ① 유한소수 : 소수점 아래에 0이 아닌 숫자가 유한 개인 소수
 ② 무한소수 : 소수점 아래에 0이 아닌 숫자가 무한히 많은 소수
• 순환소수 : 소수점 아래의 어떤 자리에서부터 일정한 숫자의 배열이 한없이 되풀이되는 소수

2-2

다음 중 유리수가 <u>아닌</u> 것을 모두 고르면? (정답 2개)

① $\dfrac{1}{4}$ ② 3.141592

③ $2.9\dot{4}$ ④ $0.23514\cdots$

⑤ $3.010010001\cdots$

피타고라스 정리를 알고 있는가?

3-1
다음 그림의 직각삼각형 ABC에서 x의 값을 구하시오.

(1)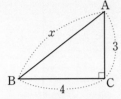

(2)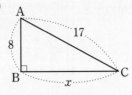

3-2
다음 그림의 직각삼각형 ABC에서 x의 값을 구하시오.

(1)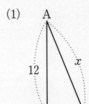

(2)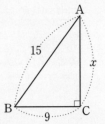

- 피타고라스 정리
  오른쪽 그림과 같이 직각삼각형 ABC에서 직각을 낀 두 변의 길이를 각각 a, b라 하고 빗변의 길이를 c라고 하면
  ➡ $a^2 + b^2 = c^2$

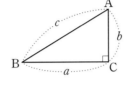

 정수와 유리수의 곱셈, 나눗셈을 할 수 있는가?

4-1
다음을 계산하시오.

(1) $5 \times (-3)$

(2) $(-16) \div \left(-\dfrac{1}{4}\right)$

(3) $\left(-\dfrac{9}{2}\right) \times \left(-\dfrac{8}{5}\right) \div (-12)$

(4) $2 \div \left(-\dfrac{1}{3}\right) \times \left(-\dfrac{5}{2}\right)$

- 정수와 유리수의 곱셈
  ① 부호가 같은 두 수의 곱셈 : 두 수의 절댓값의 곱에 양의 부호 +를 붙인다.
  ② 부호가 다른 두 수의 곱셈 : 두 수의 절댓값의 곱에 음의 부호 −를 붙인다.
- 정수와 유리수의 나눗셈
  나눗셈은 역수의 곱셈으로 고쳐서 계산한다.

4-2
다음을 계산하시오.

(1) $\left(-\dfrac{3}{5}\right) \times 15$

(2) $\left(-\dfrac{5}{18}\right) \div \left(-\dfrac{5}{8}\right)$

(3) $\left(-\dfrac{5}{6}\right) \times 4 \div \left(-\dfrac{5}{3}\right)$

(4) $\dfrac{4}{3} \div \dfrac{7}{6} \times \left(-\dfrac{21}{8}\right)$

제곱근의 뜻

음이 아닌 수 a에 대하여 제곱하여 a가 되는 수,
즉 $x^2 = a \; (a \geq 0)$인 수 x를 a의 제곱근이라고 한다.

〔예〕 $2^2 = 4$, $(-2)^2 = 4$이므로 4의 제곱근은 2, -2이다.

제곱근의 표현

(1) 제곱근을 나타내기 위해 $\sqrt{}$ (근호)를 사용하고, '루트'라고 읽는다.

(2) 양수 a의 제곱근 중 양수인 것을 양의 제곱근인 $\sqrt{a}$, 음수인 것을 음의 제곱근인 $-\sqrt{a}$로 나타낸다.

또, $\sqrt{a}$와 $-\sqrt{a}$를 한꺼번에 $\pm\sqrt{a}$로 나타내기도 한다.
↳ '플러스 마이너스 루트 에이'라고 읽는다.

(3) a의 제곱근과 제곱근 a

$a > 0$	a의 제곱근	제곱근 a
뜻	제곱하여 a가 되는 수	a의 양의 제곱근
표현	$\sqrt{a}$, $-\sqrt{a}$	$\sqrt{a}$

회색 글씨를 따라 쓰면서 개념을 정리해 보세요.

1 $x^2 = a \; (a \geq 0)$일 때, x를 a의 보기 제곱근 이라고 한다.

2 양수의 제곱근은 양수와 음수의 보기 2 개이다.

3 0의 제곱근은 보기 0 의 보기 1 개이다.

4 제곱해서 음수가 되는 수는 없으므로 보기 음수의 제곱근은 생각하지 않는다 .

5 양수 a의 제곱근 중 양수인 것을 양의 제곱근인 보기 $\sqrt{a}$,음수인 것을 음의 제곱근인 보기 $-\sqrt{a}$ 로 나타낸다.

또, $\sqrt{a}$와 $-\sqrt{a}$를 한꺼번에 보기 $\pm\sqrt{a}$ 로 나타내기도 한다.

개념 원리 확인

○정답과 풀이 **2쪽**

제곱근의 뜻

1-1 다음 ◯ 안에 알맞은 수를 써넣으시오.

(1) 4의 제곱근 ➡ 제곱하여 ◻가 되는 수

➡ $x^2 = $ ◻ 를 만족하는 x의 값

➡ ◻, ◻

(2) $\dfrac{1}{9}$의 제곱근 ➡ 제곱하여 ◻이 되는 수

➡ $x^2 = $ ◻ 을 만족하는 x의 값

➡ ◻, ◻

(3) 0.16의 제곱근

➡ 제곱하여 ◻이 되는 수

➡ $x^2 = $ ◻ 을 만족하는 x의 값

➡ ◻, ◻

1-2 다음 수의 제곱근을 구하시오.

(1) 16 (2) 81

(3) $\dfrac{9}{4}$ (4) $\dfrac{1}{16}$

(5) 0.01 (6) 0.25

근호를 사용하여 제곱근 나타내기

2-1 다음 수의 제곱근을 근호를 사용하여 나타내시오.

(1) 3 (2) 7

(3) 0.1 (4) $\dfrac{2}{5}$

2-2 다음 수의 제곱근을 근호를 사용하여 나타내시오.

(1) 5 (2) 11

(3) 0.3 (4) $\dfrac{3}{7}$

a의 제곱근과 제곱근 a

3-1 다음을 근호를 사용하여 나타내시오.

(1) 6의 양의 제곱근 (2) 6의 음의 제곱근

(3) 6의 제곱근 (4) 제곱근 6

3-2 다음을 근호를 사용하여 나타내시오.

(1) 5의 양의 제곱근 (2) 5의 음의 제곱근

(3) 5의 제곱근 (4) 제곱근 5

근호를 사용하지 않고 제곱근 나타내기

근호 안의 수가 어떤 수의 제곱이면 근호를 사용하지 않고 제곱근을 나타낼 수 있어.

9의 제곱근을 근호를 사용하여 나타내면
① 양의 제곱근 : $\sqrt{9}$
② 음의 제곱근 : $-\sqrt{9}$

$3^2=9$, $(-3)^2=9$이므로 9의 제곱근은
① 양의 제곱근 : 3
② 음의 제곱근 : -3

$\therefore \sqrt{9}=3, \ -\sqrt{9}=-3$

제곱근의 성질(1)

$\sqrt{}$ 와 제곱이 만나면 둘 다 사라져!

$-$가 제곱을 만나면 양수가 돼!

$(\sqrt{2})^2=2$

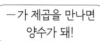

$(-\sqrt{2})^2=2$

$a>0$일 때
① $(\sqrt{a})^2=a$
② $(-\sqrt{a})^2=a$

제곱근의 성질(2)

$\sqrt{}$ 와 제곱이 만나면 둘 다 사라져!

$-$가 제곱을 만나면 양수가 돼!

$\sqrt{2^2}=2$

$\sqrt{(-2)^2}=2$

$a>0$일 때
① $\sqrt{a^2}=a$
② $\sqrt{(-a)^2}=a$

회색 글씨를 따라 쓰면서 개념을 정리해 보세요.

$a>0$일 때

1 $(\sqrt{a})^2=\boxed{a}$, $(-\sqrt{a})^2=\boxed{a}$

2 $\sqrt{a^2}=\boxed{a}$, $\sqrt{(-a)^2}=\boxed{a}$

개념 원리 확인

○ 정답과 풀이 **2**쪽

근호를 사용하지 않고 제곱근 나타내기

4-1 다음 수를 근호를 사용하지 않고 나타내시오.

(1) $\sqrt{9}$　　　　　　(2) $\sqrt{\dfrac{4}{25}}$

(3) $-\sqrt{16}$　　　　(4) $-\sqrt{0.64}$

4-2 다음 수를 근호를 사용하지 않고 나타내시오.

(1) $\sqrt{100}$　　　　(2) $\sqrt{\dfrac{1}{49}}$

(3) $-\sqrt{36}$　　　　(4) $-\sqrt{1.21}$

제곱근의 성질

5-1 다음 ☐ 안에 알맞은 수를 써넣으시오.

(1) $(\sqrt{6})^2=$ ☐ 이므로 $-(\sqrt{6})^2=$ ☐

(2) $(-\sqrt{6})^2=$ ☐ 이므로 $-(-\sqrt{6})^2=$ ☐

(3) $\sqrt{6^2}=$ ☐ 이므로 $-\sqrt{6^2}=$ ☐

(4) $\sqrt{(-6)^2}=$ ☐ 이므로 $-\sqrt{(-6)^2}=$ ☐

5-2 다음 값을 구하시오.

(1) $(\sqrt{5})^2$　　　　(2) $(-\sqrt{5})^2$

(3) $-(\sqrt{5})^2$　　　(4) $-(-\sqrt{5})^2$

(5) $\sqrt{5^2}$　　　　　(6) $\sqrt{(-5)^2}$

(7) $-\sqrt{5^2}$　　　　(8) $-\sqrt{(-5)^2}$

제곱근의 성질을 이용한 계산

6-1 다음 ☐ 안에 알맞은 수를 써넣으시오.

(1) $(\sqrt{6})^2+(-\sqrt{3})^2=$ ☐ $+3=$ ☐

(2) $\sqrt{(-2)^2}-\sqrt{5^2}=2-$ ☐ $=$ ☐

(3) $(\sqrt{5})^2\times\sqrt{(-3)^2}=5\times$ ☐ $=$ ☐

(4) $(-\sqrt{12})^2\div\sqrt{3^2}=$ ☐ $\div3=$ ☐

6-2 다음을 계산하시오.

(1) $(-\sqrt{8})^2+(-\sqrt{2})^2$

(2) $\sqrt{100}-\sqrt{(-2)^2}$

(3) $(-\sqrt{7})^2\times\sqrt{(-3)^2}$

(4) $-\sqrt{9^2}\div(-\sqrt{3})^2$

개념 01 제곱근의 뜻

a의 제곱근 (단, $a \geq 0$)
➡ 제곱하여 a가 되는 수
➡ $x^2 = a$를 만족하는 x의 값

1-1

다음 수의 제곱근을 구하시오.

(1) 36

(2) 64

(3) $\dfrac{1}{25}$

(4) $\dfrac{1}{100}$

(5) 0.04

(6) 0.49

1-2

'x는 5의 제곱근이다.'를 식으로 나타내면 다음과 같을 때, ☐ 안에 알맞은 것을 써넣으시오.

$$\boxed{}^2 = \boxed{}$$

1-3

다음 중 옳은 것에는 ○표, 옳지 않은 것에는 ×표를 ( ) 안에 써넣으시오.

(1) 양수의 제곱근은 2개이다. ( )

(2) 0의 제곱근은 없다. ( )

(3) -9의 제곱근은 -3이다. ( )

개념 02 제곱근의 표현

(1) 양수 a의 제곱근
　① a의 양의 제곱근 ➡ $\sqrt{a}$
　② a의 음의 제곱근 ➡ $-\sqrt{a}$
　참고 $\sqrt{a}$와 $-\sqrt{a}$를 한꺼번에 $\pm\sqrt{a}$로 나타내기도 한다.
(2) a의 제곱근과 제곱근 a (단, $a > 0$)
　① a의 제곱근 ➡ 제곱하여 a가 되는 수 ➡ $\pm\sqrt{a}$
　② 제곱근 a ➡ a의 양의 제곱근 ➡ $\sqrt{a}$

2-1

다음 괄호 안의 알맞은 것에 ○표 하시오.

(1) 3의 제곱근은 ($\sqrt{3}$, $\pm\sqrt{3}$)이다.

(2) 제곱근 3은 ($\sqrt{3}$, $\pm\sqrt{3}$)이다.

2-2

다음을 근호를 사용하여 나타내시오.

(1) 7의 양의 제곱근

(2) 3.2의 음의 제곱근

(3) 제곱근 10

(4) $\dfrac{2}{7}$의 제곱근

2-3

다음 중 나머지 넷과 다른 하나는?

① $\pm\sqrt{2}$

② 제곱근 2

③ 2의 제곱근

④ 제곱하여 2가 되는 수

⑤ $x^2 = 2$를 만족하는 x의 값

개념 03 제곱근의 성질

$a>0$일 때
(1) a의 제곱근을 제곱하면 a가 된다.
➡ $(\sqrt{a})^2=a$, $(-\sqrt{a})^2=a$
(2) 근호 안의 수가 어떤 수의 제곱이면 근호를 사용하지 않고 나타낼 수 있다.
➡ $\sqrt{a^2}=a$, $\sqrt{(-a)^2}=a$

3-1

다음 수를 근호를 사용하지 않고 나타내시오.

(1) $\sqrt{25}$

(2) $-\sqrt{144}$

(3) $-\sqrt{\dfrac{1}{4}}$

(4) $\sqrt{1.96}$

3-2

다음 값을 구하시오.

(1) $(\sqrt{2})^2$

(2) $(-\sqrt{3})^2$

(3) $\sqrt{7^2}$

(4) $\sqrt{(-11)^2}$

(5) $-\sqrt{13^2}$

(6) $-\sqrt{(-15)^2}$

3-3

다음 중 나머지 넷과 값이 <u>다른</u> 하나는?

① $-\sqrt{3^2}$

② $-(\sqrt{3})^2$

③ $(-\sqrt{3})^2$

④ $-(-\sqrt{3})^2$

⑤ $-\sqrt{(-3)^2}$

3-4

다음을 계산하시오.

(1) $-\sqrt{6^2}+\sqrt{(-8)^2}$

(2) $\sqrt{25}-(-\sqrt{7})^2$

(3) $\sqrt{9}\times\sqrt{(-5)^2}$

(4) $\sqrt{(-30)^2}\div\sqrt{(-6)^2}$

3-5

다음 ☐ 안에 알맞은 수를 써넣고, 주어진 수의 제곱근을 구하시오.

(1) $\sqrt{16}=$ ☐ 이므로 $\sqrt{16}$의 제곱근은 ☐, ☐ 이다.

(2) $(\sqrt{9})^2$

(3) $\sqrt{(-1)^2}$

(4) $(-\sqrt{25})^2$

(5) $\sqrt{121}$

3-6

36의 양의 제곱근을 a, $\sqrt{(-4)^2}$의 음의 제곱근을 b라고 할 때, 다음 물음에 답하시오.

(1) a의 값을 구하시오.

(2) b의 값을 구하시오.

(3) $a+b$의 값을 구하시오.

❧ 제곱근의 대소 관계

정사각형의 넓이가 넓을수록 한 변의 길이도 길어.

$a>0$, $b>0$일 때
① $a<b$이면 $\sqrt{a}<\sqrt{b}$
② $\sqrt{a}<\sqrt{b}$이면 $a<b$

[참고] $a<b$이면 $\sqrt{a}<\sqrt{b}$이므로 $-\sqrt{a}>-\sqrt{b}$

❧ 근호가 있는 수와 근호가 없는 수의 대소 관계

근호가 없는 수를 근호가 있는 수로 바꾼 후 대소를 비교할 수 있다.

[예] 2와 $\sqrt{3}$의 대소를 비교해 보자.

$2=\sqrt{2^2}=\sqrt{4}$이므로 $\sqrt{4}>\sqrt{3}$　　∴ $2>\sqrt{3}$

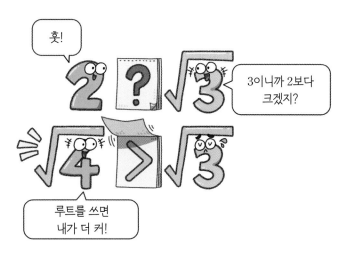

훗!

3이니까 2보다 크겠지?

루트를 쓰면 내가 더 커!

회색 글씨를 따라 쓰면서 개념을 정리해 보세요.

$a>0$, $b>0$일 때

1 $a<b$이면 $\sqrt{a}$ $\boxed{<}$ $\sqrt{b}$

2 $\sqrt{a}<\sqrt{b}$이면 a $\boxed{<}$ b

개념 원리 확인

제곱근의 대소 관계

1-1 다음 ☐ 안에 알맞은 수를 써넣고, ◯ 안에 부등호 >, < 중 알맞은 것을 써넣으시오.

(1) $\sqrt{3}$ ◯ $\sqrt{5}$

(2) $\sqrt{8}$ ◯ $\sqrt{6}$

(3) $\dfrac{1}{6} = \dfrac{☐}{30}$, $\dfrac{1}{5} = \dfrac{☐}{30}$ 이므로 $\dfrac{1}{6}$ ◯ $\dfrac{1}{5}$

∴ $\sqrt{\dfrac{1}{6}}$ ◯ $\sqrt{\dfrac{1}{5}}$

1-2 다음 ◯ 안에 부등호 >, < 중 알맞은 것을 써넣으시오.

(1) $\sqrt{5}$ ◯ $\sqrt{10}$

(2) $\sqrt{0.6}$ ◯ $\sqrt{0.2}$

(3) $\sqrt{\dfrac{1}{7}}$ ◯ $\sqrt{\dfrac{1}{6}}$

근호가 있는 수와 근호가 없는 수의 대소 관계

2-1 다음 ☐ 안에 알맞은 수를 써넣고, ◯ 안에 부등호 >, < 중 알맞은 것을 써넣으시오.

(1) $3 = \sqrt{☐}$ 이므로 $\sqrt{8}$ ◯ 3

(2) 8 ◯ $\sqrt{60}$

(3) $\sqrt{\dfrac{5}{9}}$ ◯ $\dfrac{2}{3}$

2-2 다음 ◯ 안에 부등호 >, < 중 알맞은 것을 써넣으시오.

(1) $\sqrt{15}$ ◯ 4

(2) 7 ◯ $\sqrt{48}$

(3) $\sqrt{\dfrac{1}{5}}$ ◯ $\dfrac{1}{2}$

제곱근의 대소 관계 + 부등식의 성질

3-1 다음 ◯ 안에 부등호 >, < 중 알맞은 것을 써넣으시오.

(1) $\sqrt{11}$ ◯ $\sqrt{7}$ 이므로 $-\sqrt{11}$ ◯ $-\sqrt{7}$

부등호의 방향이 바뀐다.

(2) $-\sqrt{35}$ ◯ -6

(3) -5 ◯ $-\sqrt{24}$

3-2 다음 ◯ 안에 부등호 >, < 중 알맞은 것을 써넣으시오.

(1) $-\sqrt{15}$ ◯ $-\sqrt{17}$

(2) $-\sqrt{12}$ ◯ -3

(3) -8 ◯ $-\sqrt{65}$

무리수와 실수

제곱근표

제곱근표 : 1.00부터 99.9까지의 수에 대하여 양의 제곱근의 값을 반올림하여 소수점 아래 셋째 자리까지 나타낸 표

예 제곱근표를 이용하여 $\sqrt{3.42}$의 값을 구하시오.

$\sqrt{3.42}$의 값은 제곱근표에서 3.4의 가로줄과 2의 세로줄이 만나는 수인 1.849이다.

$\therefore \sqrt{3.42} = 1.849$

수	0	1	2	...	9
3.2	1.789	1.792	1.794	...	1.814
3.3	1.817	1.819	1.822	...	1.841
3.4	1.844	1.847	1.849	...	1.868
3.5	1.871	1.873	1.876	...	1.895

회색 글씨를 따라 쓰면서 개념을 정리해 보세요.

1 유리수가 아닌 수, 즉 순환소수가 아닌 무한소수를 무리수 라고 한다.

2 유리수와 무리수를 통틀어 실수 라고 한다.

개념 원리 확인

○ 정답과 풀이 **4**쪽

유리수와 무리수

4-1 다음 ☐ 안에 알맞은 수를 써넣고, 유리수인지 무리수인지 판단하여 ○표 하시오.

(1) $\sqrt{49}=$ ☐ 이므로 (유리수 , 무리수)이다.

(2) $-\sqrt{10}$은 (유리수 , 무리수)이다.

(3) $0.\dot{2}$는 (유리수 , 무리수)이다.

(4) $\sqrt{2.5}$는 (유리수 , 무리수)이다.

4-2 다음 수가 유리수이면 '유', 무리수이면 '무'를 ( ) 안에 써넣으시오.

(1) 10 ( )　(2) $-\dfrac{1}{2}$ ( )

(3) $\sqrt{3}$ ( )　(4) $0.\dot{5}$ ( )

(5) π ( )　(6) $\sqrt{16}$ ( )

무리수와 실수

5-1 다음 수에 해당하는 것에는 ○표, 해당하지 않는 것에는 ×표를 하시오.

	정수	유리수	무리수	실수
(1) $\sqrt{3}$				
(2) $-\sqrt{64}$				
(3) $\sqrt{\dfrac{4}{9}}$				
(4) $2-\sqrt{3}$				

5-2 아래 보기 의 수에 대하여 다음을 모두 구하시오.

보기
$$\sqrt{8},\quad -2,\quad 0.\dot{4},\quad \sqrt{25},\quad \pi,\quad -\sqrt{0.02}$$

(1) 정수

(2) 유리수

(3) 무리수

(4) 실수

제곱근표

6-1 아래 제곱근표를 보고 다음 제곱근의 값을 구하시오.

수	0	1	2	3	4
4.1	2.025	2.027	2.030	2.032	2.035
4.2	2.049	2.052	2.054	2.057	2.059
4.3	2.074	2.076	2.078	2.081	2.083
4.4	2.098	2.100	2.102	2.105	2.107

(1) $\sqrt{4.12}$　　　(2) $\sqrt{4.34}$

(3) $\sqrt{4.23}$　　　(4) $\sqrt{4.40}$

6-2 아래 제곱근표를 보고 다음 제곱근의 값을 구하시오.

수	5	6	7	8	9
10	3.240	3.256	3.271	3.286	3.302
11	3.391	3.406	3.421	3.435	3.450
12	3.536	3.550	3.564	3.578	3.592
13	3.674	3.688	3.701	3.715	3.728

(1) $\sqrt{10.6}$　　　(2) $\sqrt{11.9}$

(3) $\sqrt{12.7}$　　　(4) $\sqrt{13.8}$

개념 01 제곱근의 대소 관계

$a>0$, $b>0$일 때
(1) $a<b$이면 $\sqrt{a}<\sqrt{b}$
(2) $\sqrt{a}<\sqrt{b}$이면 $a<b$
참고 $a<b$이면 $\sqrt{a}<\sqrt{b}$이므로 $-\sqrt{a}>-\sqrt{b}$

1-1

다음 ◯ 안에 부등호 >, < 중 알맞은 것을 써넣으시오.

(1) $\sqrt{0.2}$ ◯ 0.2

(2) $\sqrt{\dfrac{3}{4}}$ ◯ $\sqrt{\dfrac{2}{3}}$

(3) $-\dfrac{1}{2}$ ◯ $\sqrt{\dfrac{1}{5}}$

(4) $-\sqrt{7}$ ◯ $-\sqrt{6}$

1-2

다음 ◯ 안에 부등호 >, < 중 알맞은 것을 써넣고, 물음에 답하시오.

(1) $\sqrt{\dfrac{1}{5}}$ ◯ $\dfrac{1}{3}$

(2) -3 ◯ $-\sqrt{8}$

(3) 다음 수를 큰 수부터 차례대로 나열하시오.

$$\sqrt{\dfrac{1}{5}}, \quad \dfrac{1}{3}, \quad -3, \quad -\sqrt{8}$$

1-3

다음 중 두 수의 대소 관계가 옳은 것은?

① $2<\sqrt{3}$　　　　② $-\sqrt{8}>-\sqrt{7}$

③ $\sqrt{\dfrac{1}{2}}<\sqrt{\dfrac{1}{3}}$　　　④ $-\sqrt{11}>-4$

⑤ $\sqrt{0.1}<0.1$

개념 02 무리수와 실수

(1) 무리수 : 유리수가 아닌 수, 즉 순환소수가 아닌 무한소수
(2) 실수 : 유리수와 무리수를 통틀어 실수라고 한다.

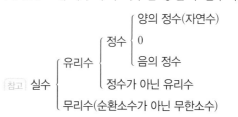

참고 실수 $\begin{cases} \text{유리수} \begin{cases} \text{정수} \begin{cases} \text{양의 정수(자연수)} \\ 0 \\ \text{음의 정수} \end{cases} \\ \text{정수가 아닌 유리수} \end{cases} \\ \text{무리수(순환소수가 아닌 무한소수)} \end{cases}$

2-1

다음 수가 유리수이면 '유', 무리수이면 '무'를 ( ) 안에 써넣으시오.

(1) $\sqrt{36}$　　　　　　　　　　　(　)

(2) $\sqrt{(-5)^2}$　　　　　　　　　(　)

(3) π　　　　　　　　　　　　(　)

(4) $2.\dot{1}\dot{4}$　　　　　　　　　　(　)

(5) $\sqrt{6.4}$　　　　　　　　　　(　)

2-2

다음 중 무리수인 것을 모두 고르면? (정답 2개)

① $\sqrt{9}$ ② $\sqrt{0.\dot{4}}$ ③ $-\sqrt{3}$

④ 3.6 ⑤ $\sqrt{5}-1$

2-3

다음 중 옳은 것에는 ○표, 옳지 않은 것에는 ×표를 ( ) 안에 써넣으시오.

(1) 무한소수는 무리수이다.   ( )

(2) 유리수와 무리수를 통틀어 실수라고 한다. ( )

(3) 순환소수가 아닌 무한소수는 무리수이다. ( )

(4) 근호가 있는 수는 모두 무리수이다.   ( )

(5) 실수에서 무리수가 아닌 수는 모두 유리수이다.
     ( )

2-4

다음 중 옳은 것은?

① $\sqrt{\dfrac{12}{3}}$ 는 무리수이다.

② $\sqrt{8}-4$ 는 유리수이다.

③ $\sqrt{2}$ 는 무리수이지만 실수는 아니다.

④ 0은 유리수도 아니고 무리수도 아니다.

⑤ 넓이가 9인 정사각형의 한 변의 길이는 유리수이다.

개념 03 제곱근표

(1) 제곱근표 : 1.00부터 99.9까지의 수에 대하여 양의 제곱근의 값을 반올림하여 소수점 아래 셋째 자리까지 나타낸 표

(2) 제곱근표에서 제곱근의 값을 읽는 방법
$\sqrt{4.71}$ 의 값은 제곱근표에서 4.7의 가로줄과 1의 세로줄이 만나는 수인 2.170이다.
∴ $\sqrt{4.71}=2.170$

수	0	1	2	3
⋮	⋮	⋮	⋮	⋮
4.6	2.145	2.147	2.149	2.152
4.7	2.168	2.170	2.173	2.175
4.8	2.191	2.193	2.195	2.198
⋮	⋮	⋮	⋮	⋮

3-1

아래 제곱근표를 보고 다음 제곱근의 값을 구하시오.

수	0	1	2	3	4
5.5	2.345	2.347	2.349	2.352	2.354
5.6	2.366	2.369	2.371	2.373	2.375
5.7	2.387	2.390	2.392	2.394	2.396
5.8	2.408	2.410	2.412	2.415	2.417
5.9	2.429	2.431	2.433	2.435	2.437

(1) $\sqrt{5.5}$ (2) $\sqrt{5.63}$

(3) $\sqrt{5.82}$ (4) $\sqrt{5.91}$

3-2

다음 제곱근표에서 $\sqrt{8.61}=a$, $\sqrt{b}=2.955$ 일 때, $a+b$ 의 값을 구하시오.

수	0	1	2	3	4
8.5	2.915	2.917	2.919	2.921	2.922
8.6	2.933	2.934	2.936	2.938	2.939
8.7	2.950	2.951	2.953	2.955	2.956

무리수를 수직선 위에 나타내기

직각삼각형의 빗변의 길이를 이용하면 무리수를 수직선 위에 나타낼 수 있다.

예 수직선 위에 무리수 $\sqrt{2}$, $-\sqrt{2}$ 나타내기

① 한 눈금의 길이가 1인 모눈종이 위에 $\angle B = 90°$, $\overline{AB} = \overline{OB} = 1$인 직각삼각형 AOB 를 그린다.

피타고라스 정리를 이용하여 직각삼각형 AOB의 빗변의 길이를 구한다.

➡ $\overline{OA} = \sqrt{1^2 + 1^2} = \sqrt{2}$

② 컴퍼스를 이용하여 원점 O를 중심으로 하고 $\overline{OA}$를 반지름으로 하는 원을 그려 원이 수직선과 만나는 두 점을 각각 P, Q라고 하자.

이때 점 P에 대응하는 수는 $-\sqrt{2}$, 점 Q에 대응하는 수는 $\sqrt{2}$이다.

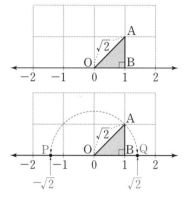

참고 k를 나타내는 점을 중심으로 하고 반지름이 $\sqrt{a}$인 원이 수직선과 만나는 점의 좌표는

(1) 점이 기준점의 왼쪽에 있다.

➡ $k - \sqrt{a}$

(2) 점이 기준점의 오른쪽에 있다.

➡ $k + \sqrt{a}$

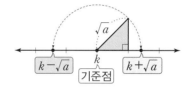

실수와 수직선

(1) 모든 실수는 각각 수직선 위의 한 점에 대응된다.

(2) 서로 다른 두 실수 사이에는 무수히 많은 실수가 있다.

(3) 수직선은 실수에 대응하는 점으로 완전히 메울 수 있다.

주의 유리수(또는 무리수)에 대응하는 점만으로는 수직선을 완전히 메울 수 없다.

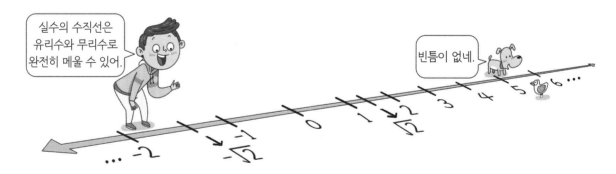

실수의 수직선은 유리수와 무리수로 완전히 메울 수 있어.

빈틈이 없네.

회색 글씨를 따라 쓰면서 개념을 정리해 보세요.

1 모든 실수 는 각각 수직선 위의 한 점에 대응 된다.

2 서로 다른 두 실수 사이에는 무수히 많은 실수 가 있다.

3 수직선은 실수에 대응 하는 점으로 완전히 메울 수 있다.

개념 원리 확인

무리수를 수직선 위에 나타내기(1)

1-1 다음 그림은 수직선 위에 한 변의 길이가 1인 정사각형 ABCD를 그린 것이다. 점 P에 대응하는 수를 구하시오.

(1)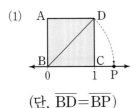

(2)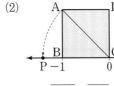

(단, $\overline{BD}=\overline{BP}$)　　(단, $\overline{CA}=\overline{CP}$)

1-2 다음 그림은 수직선 위에 한 변의 길이가 1인 정사각형 ABCD를 그린 것이다. 점 P에 대응하는 수를 구하시오.

(1)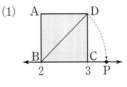

(2)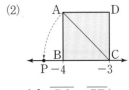

(단, $\overline{BD}=\overline{BP}$)　　(단, $\overline{CA}=\overline{CP}$)

무리수를 수직선 위에 나타내기(2)

2-1 다음 그림은 한 눈금의 길이가 1인 모눈종이 위에 직각삼각형 ABC와 수직선을 그린 것이다. 점 A를 중심으로 하고 $\overline{AC}$를 반지름으로 하는 원을 그려 수직선과 만나는 두 점을 각각 P, Q라고 할 때, 두 점 P, Q에 대응하는 수를 각각 구하시오.

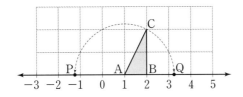

2-2 다음 그림은 한 눈금의 길이가 1인 모눈종이 위에 직각삼각형 ABC와 수직선을 그린 것이다. 점 C를 중심으로 하고 $\overline{CA}$를 반지름으로 하는 원을 그려 수직선과 만나는 두 점을 각각 P, Q라고 할 때, 두 점 P, Q에 대응하는 수를 각각 구하시오.

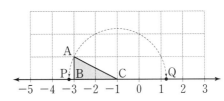

실수와 수직선

3-1 다음 중 옳은 것에는 ○표, 옳지 않은 것에는 ×표를 ( ) 안에 써넣으시오.

(1) 0과 1 사이에는 무수히 많은 유리수가 있다.

( )

(2) 서로 다른 두 유리수 사이에는 무리수가 없다.

( )

(3) 수직선은 실수에 대응하는 점들로 완전히 메울 수 있다.

( )

3-2 다음 중 옳은 것에는 ○표, 옳지 않은 것에는 ×표를 ( ) 안에 써넣으시오.

(1) −1과 1 사이에는 유리수가 0뿐이다.

( )

(2) 서로 다른 두 무리수 사이에는 유리수가 없다.

( )

(3) 모든 무리수를 수직선 위의 점에 대응시킬 수 있다.

( )

❱ 실수의 대소 관계 (1)

(1) 양수는 0보다 크고, 음수는 0보다 작다.

➡ (음수) < 0 < (양수)

(2) 양수끼리는 절댓값이 큰 수가 크다.

(3) 음수끼리는 절댓값이 큰 수가 작다.

오른쪽으로 갈수록 커진다.

절댓값이 클수록 작다.　　　절댓값이 클수록 크다.

❱ 실수의 대소 관계 (2)

두 실수 a, b의 대소 관계는 $a-b$의 값의 부호에 따라 정할 수 있다.

[예] $2-\sqrt{3}$과 $2-\sqrt{2}$의 대소를 비교해 보자.

$$2-\sqrt{3}-(2-\sqrt{2})=2-\sqrt{3}-2+\sqrt{2}$$
$$=-\sqrt{3}+\sqrt{2}$$

이때 $-\sqrt{3}+\sqrt{2}<0$이므로

$$2-\sqrt{3}<2-\sqrt{2}$$

> a, b가 실수일 때
> ① $a-b>0$이면 $a>b$
> ② $a-b=0$이면 $a=b$
> ③ $a-b<0$이면 $a<b$

누가 더 큰지 비교해 볼까?

$a-b>0$ 이면 $a>b$

$a-b=0$ 이면 $a=b$

$a-b<0$ 이면 $a<b$

회색 글씨를 따라 쓰면서 개념을 정리해 보세요.

1 실수의 대소 관계 (1)

① 양수는 0보다 크고, 음수는 0보다 작다. ➡ (음수) < 0 < (양수)

② 양수끼리는 절댓값이 큰 수가 크다 .

③ 음수끼리는 절댓값이 큰 수가 작다 .

2 실수의 대소 관계 (2)

a, b가 실수일 때

① $a-b>0$이면 a > b　　　② $a-b=0$이면 a = b　　　③ $a-b<0$이면 a < b

개념 원리 확인

◦ 정답과 풀이 **5**쪽

실수의 대소 관계(1)

4-1 다음 수직선을 이용하여 ◯ 안에 부등호 >, < 중 알맞은 것을 써넣으시오.

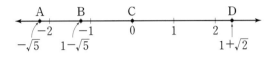

(1) 0 ◯ $-\sqrt{5}$

(2) 0 ◯ $1+\sqrt{2}$

(3) $1-\sqrt{5}$ ◯ $1+\sqrt{2}$

(4) $1-\sqrt{5}$ ◯ $-\sqrt{5}$

4-2 다음 ◯ 안에 부등호 >, < 중 알맞은 것을 써넣으시오.

(1) $\sqrt{\dfrac{1}{5}}$ ◯ 0

(2) -3 ◯ $\sqrt{\dfrac{1}{2}}$

(3) $\sqrt{0.3}$ ◯ 0.4

(4) $-\sqrt{\dfrac{1}{3}}$ ◯ -2

실수의 대소 관계(2)

5-1 다음은 두 실수 3과 $\sqrt{5}+1$의 대소를 비교하는 과정이다. ▢ 안에 알맞은 수를 써넣고, ◯ 안에 부등호 >, < 중 알맞은 것을 써넣으시오.

$$3-(\sqrt{5}+1)=3-\sqrt{5}-▢$$
$$=▢-\sqrt{5}$$
$$=\sqrt{▢}-\sqrt{5}$$

이때 $\sqrt{4}$ ◯ $\sqrt{5}$이므로 $\sqrt{4}-\sqrt{5}$ ◯ 0

∴ 3 ◯ $\sqrt{5}+1$

5-2 다음 ◯ 안에 부등호 >, < 중 알맞은 것을 써넣으시오.

(1) $2-\sqrt{3}$ ◯ $2-\sqrt{6}$

(2) $\sqrt{2}+3$ ◯ 5

(3) $\sqrt{5}-3$ ◯ $-3+\sqrt{2}$

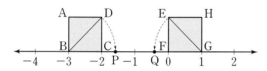

개념 01 무리수를 수직선 위에 나타내기

오른쪽 그림에서
① (점 P에 대응하는 수)
$=k-\sqrt{a}$
② (점 Q에 대응하는 수)
$=k+\sqrt{a}$

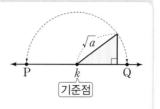

1-1

아래 그림에서 □ABCD와 □EFGH는 모두 한 변의 길이가 1인 정사각형일 때, 다음을 구하시오.

(단, $\overline{BD}=\overline{BP}$, $\overline{GE}=\overline{GQ}$)

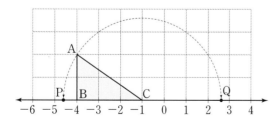

(1) 점 P에 대응하는 수

(2) 점 Q에 대응하는 수

1-2

아래 그림은 한 눈금의 길이가 1인 모눈종이 위에 직각삼각형 ABC와 수직선을 그린 것이다. 점 C를 중심으로 하고 $\overline{CA}$를 반지름으로 하는 원을 그려 수직선과 만나는 두 점을 각각 P, Q라고 할 때, 다음을 구하시오.

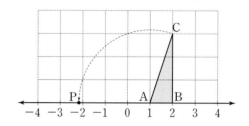

(1) $\overline{AC}$의 길이

(2) 점 P에 대응하는 수

(3) 점 Q에 대응하는 수

1-3

아래 그림은 한 눈금의 길이가 1인 모눈종이 위에 직각삼각형 ABC와 수직선을 그린 것이다. 점 A를 중심으로 하고 $\overline{AC}$를 반지름으로 하는 원을 그려 수직선과 만나는 점을 P라고 할 때, 점 P에 대응하는 수는 $a-\sqrt{b}$이다. 이때 $a+b$의 값을 구하시오. (단, a, b는 유리수)

개념 02 실수와 수직선

(1) 모든 실수는 각각 수직선 위의 한 점에 대응된다.
(2) 서로 다른 두 실수 사이에는 무수히 많은 실수가 있다.
(3) 수직선은 실수에 대응하는 점으로 완전히 메울 수 있다.

2-1

다음 중 옳은 것에는 ○표, 옳지 않은 것에는 ×표를 ( ) 안에 써넣으시오.

(1) $\sqrt{2}$와 $\sqrt{3}$ 사이에는 유리수가 있다. ( )

(2) 수직선은 유리수에 대응하는 점으로 완전히 메울 수 있다. ( )

(3) 서로 다른 두 무리수 사이에는 무수히 많은 무리수가 있다. ( )

(4) $\sqrt{10}$에 대응하는 점은 수직선 위에 나타낼 수 없다. ( )

2-2

다음 중 옳은 것은?

① π에 대응하는 점은 수직선 위에 나타낼 수 없다.

② 두 유리수 사이에는 무수히 많은 유리수가 있다.

③ 수직선 위의 점 중에는 무리수에 대응되지 않는 점이 있다.

④ 순환소수가 아닌 무한소수는 수직선 위의 점에 대응시킬 수 없다.

⑤ 무리수에 대응하는 모든 점들로 수직선을 완전히 메울 수 있다.

개념 03 실수의 대소 관계(1)

① 양수는 0보다 크고, 음수는 0보다 작다.

➡ (음수) $<0<$ (양수)

② 양수끼리는 절댓값이 큰 수가 크다.

③ 음수끼리는 절댓값이 큰 수가 작다.

3-1

다음 ◯ 안에 부등호 $>$, $<$ 중 알맞은 것을 써넣으시오.

(1) $0 \bigcirc -\sqrt{3}$

(2) $-\sqrt{7} \bigcirc \sqrt{2}$

(3) $-\sqrt{2} \bigcirc -\dfrac{5}{2}$

3-2

다음 수직선 위의 네 점 A, B, C, D 중에서 보기 의 수에 대응하는 점을 각각 찾으시오.

보기
ㄱ $-\dfrac{3}{2}$　　ㄴ $-\sqrt{5}$　　ㄷ $\sqrt{3}$　　ㄹ -1

```
        A  B C        D
  ←─┬──┬──┬──┬──┬──┬──┬─→
   -3 -2 -1  0  1  2  3
```

개념 04 실수의 대소 관계(2)

a, b가 실수일 때

① $a-b>0$이면 $a>b$

② $a-b=0$이면 $a=b$

③ $a-b<0$이면 $a<b$

4-1

다음 ◯ 안에 부등호 $>$, $<$ 중 알맞은 것을 써넣으시오.

(1) $3-\sqrt{2} \bigcirc 3-\sqrt{5}$

(2) $\sqrt{3}+1 \bigcirc \sqrt{5}+1$

(3) $\sqrt{10}-2 \bigcirc 1$

(4) $\sqrt{3}+3 \bigcirc 5$

4-2

다음 중 두 실수의 대소 관계가 옳은 것은?

① $2+\sqrt{2}>4$　　　　② $4<3-\sqrt{2}$

③ $\sqrt{7}-3<-3+\sqrt{3}$　　④ $1-\sqrt{2}>-\sqrt{5}+1$

⑤ $\sqrt{2}-1>-1+\sqrt{3}$

제곱근의 곱셈

(1) $\sqrt{2}\sqrt{3} = \sqrt{2 \times 3} = \sqrt{6}$

근호 안의 수끼리 곱한다.

> $a > 0$, $b > 0$일 때
> $\sqrt{a}\sqrt{b} = \sqrt{a \times b} = \sqrt{ab}$

근호 밖의 수끼리 곱한다.

(2) $2\sqrt{3} \times 4\sqrt{5} = (2 \times 4) \times \sqrt{3 \times 5}$

근호 안의 수끼리 곱한다.

$= 8\sqrt{15}$

> $a > 0$, $b > 0$이고 m, n이 유리수일 때
> $m\sqrt{a} \times n\sqrt{b} = (m \times n) \times \sqrt{a \times b}$
> $\qquad = mn\sqrt{ab}$

제곱근의 나눗셈

(1) $\dfrac{\sqrt{2}}{\sqrt{3}} = \sqrt{\dfrac{2}{3}}$

근호 안의 수끼리 나눈다.

> $a > 0$, $b > 0$일 때
> $\dfrac{\sqrt{a}}{\sqrt{b}} = \sqrt{\dfrac{a}{b}}$

근호 밖의 수끼리 나눈다.

(2) $\dfrac{3\sqrt{2}}{2\sqrt{3}} = \dfrac{3}{2}\sqrt{\dfrac{2}{3}}$

근호 안의 수끼리 나눈다.

> $a > 0$, $b > 0$이고 m, n이 유리수일 때
> $\dfrac{m\sqrt{a}}{n\sqrt{b}} = \dfrac{m}{n}\sqrt{\dfrac{a}{b}}$ (단, $n \neq 0$)

회색 글씨를 따라 쓰면서 개념을 정리해 보세요.

1 제곱근의 곱셈 : $a > 0$, $b > 0$이고 m, n이 유리수일 때

(1) $\sqrt{a}\sqrt{b} = \boxed{\sqrt{ab}}$

(2) $m\sqrt{a} \times n\sqrt{b} = \boxed{mn\sqrt{ab}}$

2 제곱근의 나눗셈 : $a > 0$, $b > 0$이고 m, n이 유리수일 때

(1) $\dfrac{\sqrt{a}}{\sqrt{b}} = \boxed{\sqrt{\dfrac{a}{b}}}$

(2) $\dfrac{m\sqrt{a}}{n\sqrt{b}} = \boxed{\dfrac{m}{n}\sqrt{\dfrac{a}{b}}}$ (단, $n \neq 0$)

제곱근의 곱셈

1-1 다음 식을 간단히 하시오.

(1) $\sqrt{3}\sqrt{5}$

(2) $\sqrt{\dfrac{1}{2}} \times (-\sqrt{10})$

(3) $2\sqrt{3} \times 3\sqrt{7}$

(4) $(-2\sqrt{6}) \times (-4\sqrt{5})$

(5) $3\sqrt{6} \times \sqrt{\dfrac{5}{6}}$

1-2 다음 식을 간단히 하시오.

(1) $\sqrt{15}\sqrt{\dfrac{2}{15}}$

(2) $(-\sqrt{6}) \times \sqrt{11}$

(3) $\sqrt{3} \times 4\sqrt{5}$

(4) $\dfrac{2}{3}\sqrt{2} \times 3\sqrt{5}$

(5) $10\sqrt{2} \times \left(-\dfrac{1}{5}\sqrt{3}\right)$

제곱근의 나눗셈

2-1 다음 식을 간단히 하시오.

(1) $\dfrac{\sqrt{10}}{\sqrt{2}}$

(2) $(-\sqrt{21}) \div \sqrt{7}$

(3) $3\sqrt{2} \div (-\sqrt{2})$

(4) $9\sqrt{24} \div 3\sqrt{8}$

(5) $(-4\sqrt{15}) \div (-2\sqrt{5})$

2-2 다음 식을 간단히 하시오.

(1) $\dfrac{\sqrt{15}}{\sqrt{3}}$

(2) $(-2\sqrt{6}) \div \sqrt{2}$

(3) $4\sqrt{30} \div (-\sqrt{6})$

(4) $12\sqrt{14} \div 3\sqrt{7}$

(5) $(-3\sqrt{21}) \div (-2\sqrt{3})$

▶ $\sqrt{a^2b}=a\sqrt{b}$로 변형

$$\sqrt{12}=\sqrt{2^2\times3}=2\sqrt{3}$$

근호 안의 제곱인 인수는
근호 밖으로 꺼낸다.

$a>0$, $b>0$일 때
$$\sqrt{a^2b}=\sqrt{a^2\times b}=\sqrt{a^2}\sqrt{b}=a\sqrt{b}$$

▶ $a\sqrt{b}=\sqrt{a^2b}$로 변형

$$2\sqrt{3}=\sqrt{2^2\times3}=\sqrt{12}$$

근호 밖의 양수는 제곱하여
근호 안으로 넣는다.

$a>0$, $b>0$일 때
$$a\sqrt{b}=\sqrt{a^2}\sqrt{b}=\sqrt{a^2\times b}=\sqrt{a^2b}$$

주의 근호 밖의 음수는 근호 안으로 넣을 수 없다.

　➡ 음의 부호 $-$는 그대로 둔다.

예 $-2\sqrt{3}=\sqrt{(-2)^2\times3}=\sqrt{12}$ ($\times$)

　　$-2\sqrt{3}=-\sqrt{2^2\times3}=-\sqrt{12}$ ($\bigcirc$)

회색 글씨를 따라 쓰면서 개념을 정리해 보세요.

1 근호 안의 수가 제곱인 인수를 가지면 근호 밖으로 꺼낼 수 있다.

　➡ $a>0$, $b>0$일 때

　　$\sqrt{a^2b}=\sqrt{a^2\times b}=\sqrt{a^2}\sqrt{b}=\boxed{a\sqrt{b}}$

2 근호 밖의 양수는 제곱하여 근호 안으로 넣을 수 있다.

　➡ $a>0$, $b>0$일 때

　　$a\sqrt{b}=\sqrt{a^2}\sqrt{b}=\sqrt{a^2\times b}=\boxed{\sqrt{a^2b}}$

개념 원리 확인

○정답과 풀이 **7**쪽

근호가 있는 식의 변형(1)

3-1 다음 수를 $a\sqrt{b}$ 또는 $\dfrac{\sqrt{b}}{a}$ 의 꼴로 나타내시오.

(단, b는 가장 작은 자연수)

(1) $\sqrt{18}$　　　　(2) $\sqrt{40}$

(3) $\sqrt{\dfrac{2}{9}}$　　　　(4) $\sqrt{\dfrac{11}{25}}$

3-2 다음 수를 $a\sqrt{b}$ 또는 $\dfrac{\sqrt{b}}{a}$ 의 꼴로 나타내시오.

(단, b는 가장 작은 자연수)

(1) $\sqrt{20}$　　　　(2) $\sqrt{50}$

(3) $\sqrt{\dfrac{3}{4}}$　　　　(4) $\sqrt{\dfrac{5}{49}}$

근호가 있는 식의 변형(2)

4-1 다음 수를 $\sqrt{a}$ 또는 $\sqrt{\dfrac{b}{a}}$ 의 꼴로 나타내시오.

(1) $2\sqrt{3}$　　　　(2) $-2\sqrt{7}$

(3) $-\dfrac{\sqrt{7}}{2}$　　　　(4) $\dfrac{2\sqrt{5}}{3}$

4-2 다음 수를 $\sqrt{a}$ 또는 $\sqrt{\dfrac{b}{a}}$ 의 꼴로 나타내시오.

(1) $4\sqrt{2}$　　　　(2) $-3\sqrt{6}$

(3) $\dfrac{\sqrt{7}}{3}$　　　　(4) $\dfrac{3\sqrt{3}}{2}$

근호가 있는 식의 변형을 이용한 제곱근의 곱셈

5-1 다음 식을 간단히 하시오.

(1) $2\sqrt{3} \times \sqrt{8}$

(2) $\sqrt{12} \times \sqrt{18}$

(3) $\sqrt{3} \times \sqrt{45}$

(4) $\sqrt{27} \times \sqrt{50}$

5-2 다음 식을 간단히 하시오.

(1) $5\sqrt{2} \times \sqrt{12}$

(2) $\sqrt{20} \times \sqrt{24}$

(3) $\sqrt{63} \times 2\sqrt{5}$

(4) $\sqrt{48} \times \sqrt{52}$

개념 01 제곱근의 곱셈

$a > 0$, $b > 0$이고 m, n이 유리수일 때
(1) $\sqrt{a}\sqrt{b} = \sqrt{a \times b} = \sqrt{ab}$
(2) $m\sqrt{a} \times n\sqrt{b} = (m \times n) \times \sqrt{a \times b} = mn\sqrt{ab}$

1-1

다음 식을 간단히 하시오.

(1) $\sqrt{2} \times \sqrt{7}$

(2) $\sqrt{\dfrac{3}{7}} \times \sqrt{\dfrac{14}{3}}$

(3) $(-3\sqrt{2}) \times 5\sqrt{5}$

(4) $(-7\sqrt{2}) \times (-2\sqrt{3})$

1-2

다음 중 옳지 <u>않은</u> 것은?

① $\sqrt{2}\sqrt{3} = \sqrt{6}$ ② $-3\sqrt{5} \times \sqrt{2} = -3\sqrt{10}$
③ $\sqrt{\dfrac{1}{3}} \times \sqrt{15} = \sqrt{5}$ ④ $\sqrt{\dfrac{5}{4}} \times \sqrt{\dfrac{12}{5}} = \sqrt{3}$
⑤ $5\sqrt{2} \times 2\sqrt{2} = 10\sqrt{2}$

1-3

다음을 만족하는 유리수 a, b에 대하여 $a + b$의 값을 구하시오.

$$\sqrt{\dfrac{1}{5}} \times \sqrt{20} = a, \quad -\sqrt{39} \times \sqrt{\dfrac{3}{13}} = b$$

개념 02 제곱근의 나눗셈

$a > 0$, $b > 0$이고 m, n이 유리수일 때
(1) $\dfrac{\sqrt{a}}{\sqrt{b}} = \sqrt{\dfrac{a}{b}}$
(2) $\dfrac{m\sqrt{a}}{n\sqrt{b}} = \dfrac{m}{n}\sqrt{\dfrac{a}{b}}$ (단, $n \neq 0$)

2-1

다음 식을 간단히 하시오.

(1) $\sqrt{10} \div \sqrt{2}$

(2) $\dfrac{\sqrt{36}}{\sqrt{6}}$

(3) $(-6\sqrt{15}) \div 2\sqrt{3}$

(4) $(-8\sqrt{14}) \div (-4\sqrt{2})$

2-2

다음 중 계산 결과가 무리수인 것은?

① $\sqrt{28} \div \sqrt{7}$ ② $\dfrac{\sqrt{63}}{\sqrt{7}}$

③ $3\sqrt{2} \div (-\sqrt{2})$ ④ $2\sqrt{12} \div \sqrt{3}$

⑤ $6\sqrt{15} \div 3\sqrt{5}$

개념 03   근호가 있는 식의 변형

$a > 0$, $b > 0$일 때

(1) $\sqrt{a^2 b} = \sqrt{a^2 \times b} = \sqrt{a^2}\sqrt{b} = a\sqrt{b}$

(2) $a\sqrt{b} = \sqrt{a^2}\sqrt{b} = \sqrt{a^2 \times b} = \sqrt{a^2 b}$

3-1

다음 수를 $a\sqrt{b}$ 또는 $\dfrac{\sqrt{b}}{a}$의 꼴로 나타내시오.

(단, b는 가장 작은 자연수)

(1) $\sqrt{27}$ (2) $\sqrt{32}$

(3) $\sqrt{\dfrac{6}{25}}$ (4) $-\sqrt{\dfrac{15}{49}}$

3-2

다음 수를 $\sqrt{a}$ 또는 $\sqrt{\dfrac{b}{a}}$의 꼴로 나타내시오.

(1) $2\sqrt{5}$ (2) $-3\sqrt{2}$

(3) $\dfrac{\sqrt{7}}{4}$ (4) $-\dfrac{\sqrt{11}}{6}$

3-3

$\sqrt{48} = a\sqrt{3}$, $\sqrt{72} = b\sqrt{2}$일 때, $\sqrt{ab}$의 값은?

(단, a, b는 유리수)

① $2\sqrt{3}$ ② $2\sqrt{6}$ ③ 6

④ $4\sqrt{3}$ ⑤ $3\sqrt{6}$

3-4

다음 보기 중 옳은 것을 모두 고르시오.

보기

㉠ $\sqrt{45} = 3\sqrt{5}$ ㉡ $-4\sqrt{6} = -\sqrt{24}$

㉢ $\sqrt{\dfrac{4}{121}} = \dfrac{2}{11}$ ㉣ $2\sqrt{\dfrac{5}{2}} = \sqrt{5}$

3-5

다음 식을 간단히 하시오.

(1) $\sqrt{3} \times \sqrt{15}$

(2) $4\sqrt{6} \times \sqrt{18}$

(3) $(-\sqrt{27}) \times \sqrt{6}$

(4) $\sqrt{48} \times \sqrt{54}$

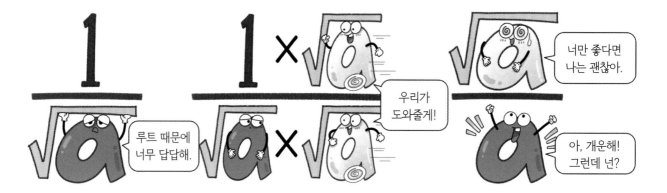

분모의 유리화

분수의 분모가 근호가 있는 무리수일 때, 분모와 분자에 0이 아닌 같은 수를 각각 곱하여 분모를 유리수로 고치는 것을 분모의 유리화라고 한다.

$$a>0, \ b>0일\ 때$$
$$\frac{\sqrt{a}}{\sqrt{b}} = \frac{\sqrt{a}\sqrt{b}}{\sqrt{b}\sqrt{b}} = \frac{\sqrt{ab}}{b}$$
$$\boxed{무리수} \xrightarrow{\ 유리화\ } \boxed{유리수}$$

예 ① $\dfrac{\sqrt{2}}{\sqrt{3}} = \dfrac{\sqrt{2}\times\sqrt{3}}{\sqrt{3}\times\sqrt{3}} = \dfrac{\sqrt{6}}{3}$

② $\dfrac{\sqrt{2}}{2\sqrt{3}} = \dfrac{\sqrt{2}\times\sqrt{3}}{2\sqrt{3}\times\sqrt{3}} = \dfrac{\sqrt{6}}{6}$

③ $\dfrac{5}{\sqrt{8}} = \dfrac{5}{2\sqrt{2}} = \dfrac{5\times\sqrt{2}}{2\sqrt{2}\times\sqrt{2}} = \dfrac{5\sqrt{2}}{4}$

$\sqrt{a^2b} = a\sqrt{b}$로 변형

회색 글씨를 따라 쓰면서 개념을 정리해 보세요.

1 분수의 분모가 근호가 있는 무리수일 때, 분모와 분자에 0이 아닌 같은 수를 각각 곱하여 분모를 유리수로 고치는 것을 분모의 유리화 라고 한다.

개념 원리 확인

정답과 풀이 9쪽

분모의 유리화 (1)

1-1 다음은 분모를 유리화하는 과정이다. ☐ 안에 알맞은 수를 써넣으시오.

(1) $\dfrac{3}{\sqrt{2}} = \dfrac{3 \times \boxed{}}{\sqrt{2} \times \boxed{}} = \boxed{}$

(2) $\dfrac{\sqrt{2}}{\sqrt{5}} = \dfrac{\sqrt{2} \times \boxed{}}{\sqrt{5} \times \boxed{}} = \boxed{}$

1-2 다음 수의 분모를 유리화하시오.

(1) $\dfrac{2}{\sqrt{7}}$

(2) $-\dfrac{\sqrt{2}}{\sqrt{11}}$

(3) $\dfrac{\sqrt{5}}{\sqrt{13}}$

(4) $\dfrac{3}{\sqrt{15}}$

분모의 유리화 (2)

2-1 다음은 분모를 유리화하는 과정이다. ☐ 안에 알맞은 수를 써넣으시오.

(1) $\dfrac{1}{2\sqrt{2}} = \dfrac{1 \times \boxed{}}{2\sqrt{2} \times \boxed{}} = \boxed{}$

(2) $\dfrac{\sqrt{5}}{3\sqrt{3}} = \dfrac{\sqrt{5} \times \boxed{}}{3\sqrt{3} \times \boxed{}} = \boxed{}$

2-2 다음 수의 분모를 유리화하시오.

(1) $\dfrac{1}{3\sqrt{2}}$

(2) $-\dfrac{3}{2\sqrt{5}}$

(3) $\dfrac{\sqrt{5}}{4\sqrt{6}}$

(4) $\dfrac{5}{3\sqrt{5}}$

분모의 유리화 (3)

3-1 다음은 분모를 유리화하는 과정이다. ☐ 안에 알맞은 수를 써넣으시오.

(1) $\dfrac{1}{\sqrt{12}} = \dfrac{1}{\boxed{}\sqrt{3}} = \dfrac{1 \times \boxed{}}{\boxed{}\sqrt{3} \times \boxed{}} = \boxed{}$

(2) $\dfrac{\sqrt{5}}{\sqrt{24}} = \dfrac{\sqrt{5}}{2\sqrt{\boxed{}}} = \dfrac{\sqrt{5} \times \boxed{}}{2\sqrt{\boxed{}} \times \boxed{}} = \boxed{}$

3-2 다음 수의 분모를 유리화하시오.

(1) $\dfrac{5}{\sqrt{18}}$

(2) $-\dfrac{2}{\sqrt{27}}$

(3) $\dfrac{\sqrt{3}}{\sqrt{32}}$

(4) $\dfrac{3\sqrt{3}}{\sqrt{20}}$

▶ 제곱근의 곱셈과 나눗셈의 혼합 계산(1)

$$\sqrt{2} \times \sqrt{5} \div \frac{\sqrt{7}}{2} = \sqrt{10} \div \frac{\sqrt{7}}{2}$$

나눗셈은 나누는 수의 역수를 곱하여 계산한다.

$$= \sqrt{10} \times \frac{2}{\sqrt{7}}$$

$$= \frac{2\sqrt{10}}{\sqrt{7}}$$

분모를 유리화한다.

앞에서부터 차례대로 계산한다.

$$= \frac{2\sqrt{10} \times \sqrt{7}}{\sqrt{7} \times \sqrt{7}}$$

$$= \frac{2\sqrt{70}}{7}$$

▶ 제곱근의 곱셈과 나눗셈의 혼합 계산(2)

$$3\sqrt{2} \div \frac{\sqrt{3}}{\sqrt{5}} \times \frac{2}{\sqrt{10}} = 3\sqrt{2} \times \frac{\sqrt{5}}{\sqrt{3}} \times \frac{2}{\sqrt{10}}$$

앞에서부터 차례대로 계산한다.

$$= \frac{3\sqrt{10}}{\sqrt{3}} \times \frac{2}{\sqrt{10}}$$

$$= \frac{6}{\sqrt{3}}$$

나눗셈은 나누는 수의 역수를 곱하여 계산한다.

$$= \frac{6 \times \sqrt{3}}{\sqrt{3} \times \sqrt{3}}$$

분모를 유리화한다.

$$= \frac{6\sqrt{3}}{3} = 2\sqrt{3}$$

회색 글씨를 따라 쓰면서 개념을 정리해 보세요.

근호를 포함한 식의 계산에서 곱셈과 나눗셈이 섞여 있을 때에는

1 앞에서부터 차례대로 계산한다.

2 나눗셈은 분수 꼴로 바꾸어 계산하거나 나누는 수의 역수를 곱하여 계산한다.

개념 원리 확인

○ 정답과 풀이 **9쪽**

제곱근의 곱셈

4-1 다음 식을 간단히 하시오.

(1) $\sqrt{\dfrac{2}{3}} \times \sqrt{\dfrac{3}{5}}$

(2) $\dfrac{6}{\sqrt{3}} \times \dfrac{2}{3\sqrt{2}}$

4-2 다음 식을 간단히 하시오.

(1) $\sqrt{\dfrac{1}{6}} \times \sqrt{8}$

(2) $4\sqrt{5} \times \dfrac{3\sqrt{2}}{\sqrt{15}}$

제곱근의 나눗셈

5-1 다음 식을 간단히 하시오.

(1) $2\sqrt{5} \div \sqrt{10}$

(2) $\sqrt{3} \div \dfrac{\sqrt{15}}{\sqrt{8}}$

5-2 다음 식을 간단히 하시오.

(1) $2\sqrt{3} \div 3\sqrt{2}$

(2) $\dfrac{\sqrt{6}}{4\sqrt{5}} \div 2\sqrt{3}$

제곱근의 곱셈과 나눗셈의 혼합 계산

6-1 다음 식을 간단히 하시오.

(1) $\dfrac{\sqrt{2}}{3} \times \dfrac{\sqrt{10}}{\sqrt{3}} \div \sqrt{\dfrac{2}{15}}$

(2) $\dfrac{6}{\sqrt{3}} \div \dfrac{\sqrt{2}}{\sqrt{5}} \times \dfrac{\sqrt{6}}{\sqrt{15}}$

6-2 다음 식을 간단히 하시오.

(1) $\dfrac{3}{\sqrt{5}} \times \dfrac{\sqrt{2}}{\sqrt{3}} \div \sqrt{6}$

(2) $\dfrac{\sqrt{2}}{\sqrt{15}} \div \dfrac{\sqrt{6}}{\sqrt{5}} \times \dfrac{2}{\sqrt{3}}$

개념 01 분모의 유리화

분모의 유리화 : 분수의 분모가 근호가 있는 무리수일 때, 분모와 분자에 0이 아닌 같은 수를 각각 곱하여 분모를 유리수로 고치는 것

➡ $a>0$, $b>0$일 때, $\dfrac{\sqrt{a}}{\sqrt{b}}=\dfrac{\sqrt{a}\sqrt{b}}{\sqrt{b}\sqrt{b}}=\dfrac{\sqrt{ab}}{b}$

1-1

다음 수의 분모를 유리화하시오.

(1) $\dfrac{1}{\sqrt{2}}$

(2) $\dfrac{6}{\sqrt{5}}$

(3) $\dfrac{\sqrt{5}}{\sqrt{11}}$

(4) $\dfrac{3\sqrt{2}}{\sqrt{15}}$

(5) $\dfrac{1}{5\sqrt{3}}$

(6) $\dfrac{10}{3\sqrt{5}}$

(7) $\dfrac{1}{\sqrt{18}}$

(8) $\dfrac{4}{\sqrt{27}}$

(9) $\dfrac{\sqrt{3}}{\sqrt{50}}$

(10) $\dfrac{2}{\sqrt{45}}$

1-2

다음 중 분모를 유리화한 것으로 옳지 <u>않은</u> 것은?

① $\dfrac{1}{\sqrt{3}}=\dfrac{\sqrt{3}}{3}$

② $\dfrac{\sqrt{11}}{\sqrt{3}}=\dfrac{\sqrt{33}}{3}$

③ $\dfrac{6}{\sqrt{2}}=\dfrac{3\sqrt{2}}{2}$

④ $\dfrac{\sqrt{5}}{\sqrt{18}}=\dfrac{\sqrt{10}}{6}$

⑤ $\dfrac{3}{2\sqrt{5}}=\dfrac{3\sqrt{5}}{10}$

1-3

$\dfrac{\sqrt{5}}{\sqrt{12}}$ 의 분모를 유리화하면 $\dfrac{\sqrt{a}}{6}$ 일 때, 유리수 a의 값을 구하시오.

1-4

$\dfrac{1}{2\sqrt{5}}=\dfrac{\sqrt{5}}{a}$, $\dfrac{5}{\sqrt{27}}=b\sqrt{3}$일 때, $a\div b$의 값을 구하려고 한다. 다음 물음에 답하시오.

(1) a의 값을 구하시오.

(2) b의 값을 구하시오.

(3) $a\div b$의 값을 구하시오.

개념 02 제곱근의 곱셈과 나눗셈의 혼합 계산

근호를 포함한 식의 계산에서 곱셈과 나눗셈이 섞여 있을 때에는 앞에서부터 차례대로 계산한다. 이때 나눗셈은 분수 꼴로 바꾸어 계산하거나 나누는 수의 역수를 곱하여 계산한다.

참고 근호를 포함한 식의 계산에서 계산 결과의 분모가 근호가 있는 무리수이면 분모를 유리화한다.

2-1

다음 식을 간단히 하시오.

(1) $\sqrt{3} \times \sqrt{10} \div \sqrt{5}$

(2) $7\sqrt{2} \div \sqrt{6} \times 3$

(3) $-\sqrt{39} \times 4\sqrt{3} \div \sqrt{13}$

(4) $\dfrac{5\sqrt{5}}{3} \div \dfrac{\sqrt{15}}{\sqrt{7}} \times \dfrac{6\sqrt{3}}{\sqrt{10}}$

2-2

$\sqrt{24} \div \sqrt{27} \times \sqrt{63} = 2\sqrt{a}$일 때, 유리수 a의 값은?

① 3   ② 5   ③ 7

④ 14   ⑤ 17

2-3

$\dfrac{4}{\sqrt{3}} \times \dfrac{2}{\sqrt{2}} \div \sqrt{\dfrac{9}{8}} = a\sqrt{3}$을 만족하는 유리수 a의 값은?

① 9   ② 16   ③ 20

④ $\dfrac{16}{9}$ ⑤ $\dfrac{20}{9}$

2-4

$\sqrt{\dfrac{7}{2}} \div \sqrt{\dfrac{15}{2}} \div \sqrt{\dfrac{3}{10}}$ 을 간단히 하시오.

2-5

다음 중 옳지 않은 것은?

① $-\sqrt{27} \times \sqrt{50} = -15\sqrt{6}$

② $5\sqrt{20} \div 2\sqrt{75} = \dfrac{\sqrt{15}}{3}$

③ $\sqrt{72} \times \sqrt{108} \div \sqrt{48} = 9\sqrt{2}$

④ $5\sqrt{2} \div \dfrac{\sqrt{5}}{\sqrt{2}} \times \sqrt{7} = 2\sqrt{35}$

⑤ $3\sqrt{2} \times (-2\sqrt{6}) \div \dfrac{\sqrt{3}}{2} = -4\sqrt{6}$

01 다음 수의 제곱근을 구하시오.

(1) 1

(2) 0

(3) $\dfrac{9}{16}$

(4) 0.25

(5) 13

(6) 26

02 다음 대화를 읽고 A, B에 알맞은 수를 각각 구하시오.

$\sqrt{16}$의 양의 제곱근은 A야.

$(-5)^2$의 음의 제곱근은 B야.

03 다음 중 옳지 <u>않은</u> 것은?

① $(\sqrt{6})^2 + (-\sqrt{2})^2 = 8$

② $\sqrt{100} - \sqrt{(-3)^2} = 7$

③ $-\sqrt{14^2} \times \left(\sqrt{\dfrac{1}{7}}\right)^2 = -2$

④ $(-\sqrt{5})^2 \div \sqrt{\left(\dfrac{5}{3}\right)^2} = -3$

⑤ $\sqrt{(-8)^2} \div \sqrt{4^2} = 2$

04 다음 중 옳은 것은?

① $0.1\dot{5}$는 무리수이다.

② $-\sqrt{0.01}$은 무리수이다.

③ 무한소수는 유리수이다.

④ $\sqrt{5}$는 무리수이지만 실수는 아니다.

⑤ 실수에서 무리수가 아닌 수는 모두 유리수이다.

05 다음 제곱근표에서 $\sqrt{3.14} = a$, $\sqrt{b} = 1.822$일 때, $a+b$의 값을 구하시오.

수	0	1	2	3	4
3.1	1.761	1.764	1.766	1.769	1.772
3.2	1.789	1.792	1.794	1.797	1.800
3.3	1.817	1.819	1.822	1.825	1.828

06 다음 그림은 한 눈금의 길이가 1인 모눈종이 위에 직각삼각형 ABC와 수직선을 그린 것이다. 점 C를 중심으로 하고 $\overline{CA}$를 반지름으로 하는 원을 그려 수직선과 만나는 두 점을 각각 P, Q라고 할 때, 두 점 P, Q에 대응하는 수를 각각 구하시오.

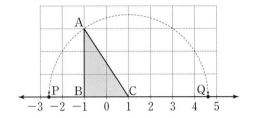

07 다음 중 옳은 것에는 ○표, 옳지 않은 것에는 ×표를 ( ) 안에 써넣으시오.

⑴ 수직선 위에 $\sqrt{8}$에 대응하는 점을 나타낼 수 있다. ( )

⑵ 수직선은 무리수에 대응하는 점으로 다 메울 수 없다. ( )

⑶ $\sqrt{10}$과 $\sqrt{15}$ 사이에는 유리수가 없다. ( )

08 다음 중 두 실수의 대소 관계가 옳지 <u>않은</u> 것은?

① $\sqrt{8} > \sqrt{5}$ ② $-\sqrt{14} > -4$

③ $\sqrt{2}+3 < \sqrt{3}+3$ ④ $\sqrt{5}-1 < 2$

⑤ $1 < \sqrt{6}-2$

09 다음 중 분모를 유리화한 것으로 옳지 <u>않은</u> 것은?

① $\dfrac{3}{\sqrt{2}} = \dfrac{3\sqrt{2}}{2}$ ② $\dfrac{10}{\sqrt{5}} = 2\sqrt{5}$

③ $\dfrac{1}{2\sqrt{2}} = \dfrac{\sqrt{2}}{4}$ ④ $\dfrac{\sqrt{8}}{2\sqrt{3}} = \dfrac{\sqrt{6}}{3}$

⑤ $\dfrac{2}{\sqrt{20}} = \sqrt{5}$

10 다음을 계산하시오.

⑴ $2\sqrt{3} \times \sqrt{7}$

⑵ $\sqrt{7} \times 3\sqrt{\dfrac{2}{7}}$

⑶ $4\sqrt{6} \div 2\sqrt{3}$

⑷ $-\dfrac{\sqrt{7}}{\sqrt{3}} \div \dfrac{\sqrt{14}}{\sqrt{24}}$

⑸ $3\sqrt{2} \times 2\sqrt{6} \div \dfrac{\sqrt{3}}{2}$

⑹ $2\sqrt{7} \div \dfrac{\sqrt{7}}{\sqrt{3}} \times \dfrac{\sqrt{3}}{2}$

1 다음 ☐ 안에 알맞은 것을 써넣으시오.

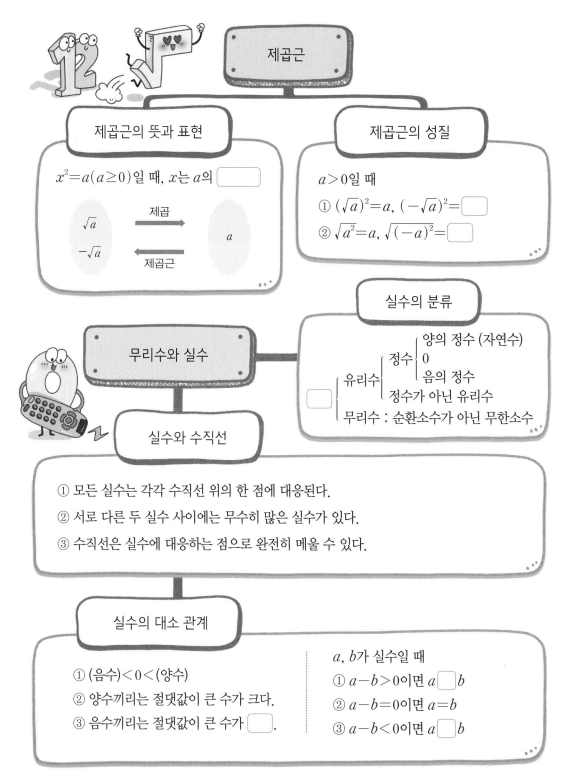

제곱근

제곱근의 뜻과 표현

$x^2=a\,(a\geq0)$일 때, x는 a의 ☐

$\sqrt{a}$ 제곱 →

$-\sqrt{a}$ ← 제곱근 a

제곱근의 성질

$a>0$일 때

① $(\sqrt{a})^2=a,\ (-\sqrt{a})^2=$ ☐

② $\sqrt{a^2}=a,\ \sqrt{(-a)^2}=$ ☐

무리수와 실수

실수의 분류

☐   유리수   정수   양의 정수 (자연수)
0
음의 정수
정수가 아닌 유리수
무리수 : 순환소수가 아닌 무한소수

실수와 수직선

① 모든 실수는 각각 수직선 위의 한 점에 대응된다.

② 서로 다른 두 실수 사이에는 무수히 많은 실수가 있다.

③ 수직선은 실수에 대응하는 점으로 완전히 메울 수 있다.

실수의 대소 관계

① (음수)<0<(양수)

② 양수끼리는 절댓값이 큰 수가 크다.

③ 음수끼리는 절댓값이 큰 수가 ☐.

$a,\ b$가 실수일 때

① $a-b>0$이면 a☐b

② $a-b=0$이면 $a=b$

③ $a-b<0$이면 a☐b

○정답과 풀이 **13쪽**

2 다음 설명 중 옳은 것에 달린 글자를 빈칸에 순서대로 써넣어 사자성어를 완성하시오.

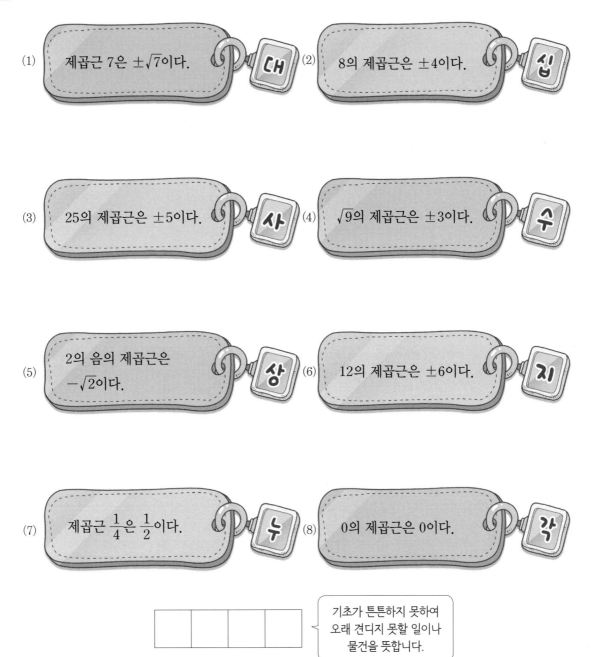

(1) 제곱근 7은 $\pm\sqrt{7}$이다. 〔대〕

(2) 8의 제곱근은 ± 4이다. 〔십〕

(3) 25의 제곱근은 ± 5이다. 〔사〕

(4) $\sqrt{9}$의 제곱근은 ± 3이다. 〔수〕

(5) 2의 음의 제곱근은 $-\sqrt{2}$이다. 〔상〕

(6) 12의 제곱근은 ± 6이다. 〔지〕

(7) 제곱근 $\dfrac{1}{4}$은 $\dfrac{1}{2}$이다. 〔누〕

(8) 0의 제곱근은 0이다. 〔각〕

기초가 튼튼하지 못하여 오래 견디지 못할 일이나 물건을 뜻합니다.

3 다음 그림에서 계산 결과가 맞으면 ↓ 방향으로, 틀리면 ➡ 방향으로 따라갈 때, 도착하는 곳에 있는 음식에 ○표를 하시오.

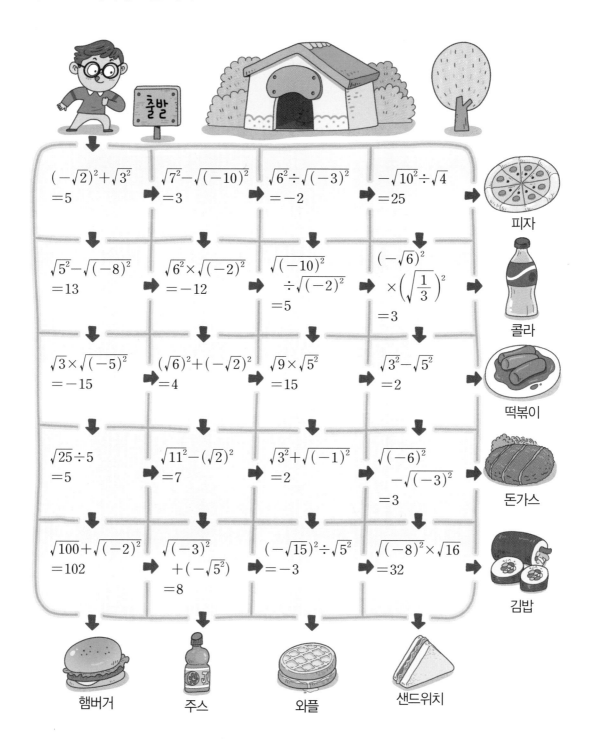

출발

$(-\sqrt{2})^2+\sqrt{3^2}=5$	$\sqrt{7^2}-\sqrt{(-10)^2}=3$	$\sqrt{6^2}\div\sqrt{(-3)^2}=-2$	$-\sqrt{10^2}\div\sqrt{4}=25$
$\sqrt{5^2}-\sqrt{(-8)^2}=13$	$\sqrt{6^2}\times\sqrt{(-2)^2}=-12$	$\sqrt{(-10)^2}\div\sqrt{(-2)^2}=5$	$(-\sqrt{6})^2\times\left(\sqrt{\dfrac{1}{3}}\right)^2=3$
$\sqrt{3}\times\sqrt{(-5)^2}=-15$	$(\sqrt{6})^2+(-\sqrt{2})^2=4$	$\sqrt{9}\times\sqrt{5^2}=15$	$\sqrt{3^2}-\sqrt{5^2}=2$
$\sqrt{25}\div5=5$	$\sqrt{11^2}-(\sqrt{2})^2=7$	$\sqrt{3^2}+\sqrt{(-1)^2}=2$	$\sqrt{(-6)^2}-\sqrt{(-3)^2}=3$
$\sqrt{100}+\sqrt{(-2)^2}=102$	$\sqrt{(-3)^2}+(-\sqrt{5^2})=8$	$(-\sqrt{15})^2\div\sqrt{5^2}=-3$	$\sqrt{(-8)^2}\times\sqrt{16}=32$

피자

콜라

떡볶이

돈가스

김밥

햄버거　　주스　　와플　　샌드위치

4 다음 그림에서 무리수가 적혀 있는 칸을 모두 찾아 색칠하고, 어떤 알파벳이 만들어지는지 말하시오.

5 다음 그림의 각 나라에 주어진 두 수 중 큰 수를 따라 이동할 때, 마지막에 도착하는 나라를
말하시오.

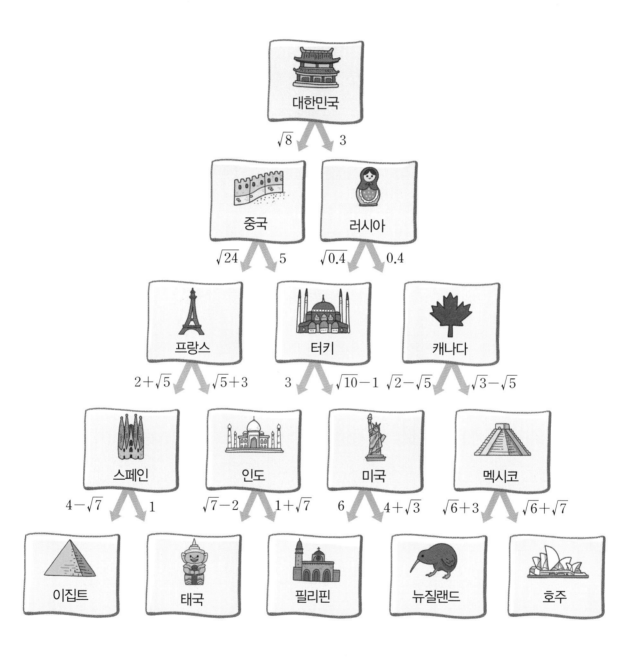

6 다음 그림에서 사다리 타기를 하여 만든 식을 간단히 하여 빈칸에 써넣으시오.

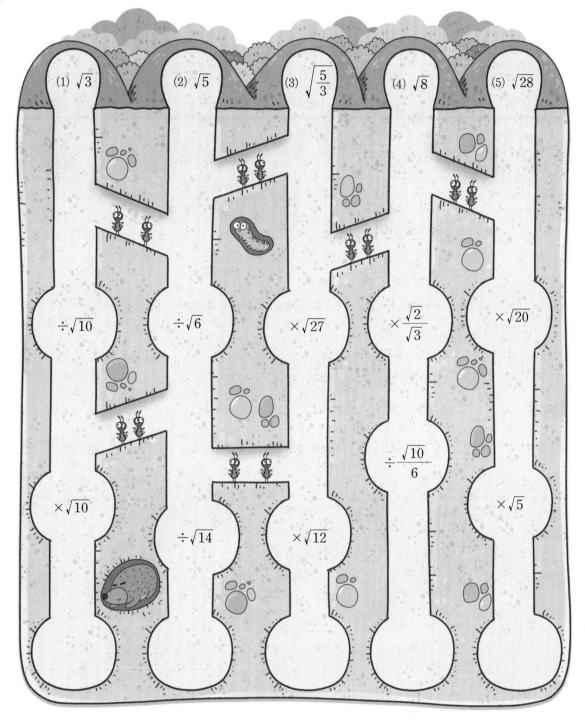

• 이번 주에 공부할 내용
제곱근의 덧셈과 뺄셈 / 곱셈 공식 / 인수분해 공식

1일

제곱근의 덧셈과
뺄셈을 해 보자.

우리부터 계산해.

나는 3도 있고,
$\sqrt{5}$도 있는데
어디로 가지?

$\times$, $\div$ 다음은
우리 차례야.

$\sqrt{5}$는 이쪽이야!

$3\sqrt{5}$

$\sqrt{3}$

$-\sqrt{3}$

$5\sqrt{3}$

$2\sqrt{5}$

$\sqrt{5}$

2일

곱셈 공식을 이용하여
(다항식)×(다항식)을
전개해 보자.

$a+b$

$a-b$

a^2-b^2

이번 주에는 무엇을 공부할까? ❷

 다항식의 덧셈과 뺄셈을 할 수 있는가?

1-1
다음 식을 간단히 하시오.

(1) $(2a+3b)+(3a-2b)$

(2) $(3a+2b)-(2a-4b)$

> • 다항식의 덧셈 : 괄호를 풀고 동류항끼리 모아서 간단히 한다.
> • 다항식의 뺄셈 : 빼는 식의 각 항의 부호를 바꾸어 더한다.

1-2
다음 식을 간단히 하시오.

(1) $3(2a+4b)+2(3a-5b)$

(2) $4(3a-b)-5(-a+2b)$

 단항식과 다항식의 곱셈과 나눗셈을 할 수 있는가?

2-1
다음 식을 간단히 하시오.

(1) $2x(3x+y)$

(2) $(9x^2-3xy)\div\dfrac{3}{2}x$

> • 단항식과 다항식의 곱셈 : 분배법칙을 이용하여 단항식을 다항식의 각 항에 곱하여 계산한다.
> • 다항식과 단항식의 나눗셈
> [방법1] 분수 꼴로 바꾼 후 분자의 각 항을 분모로 나누어 계산한다.
> $$\Rightarrow (A+B)\div C=\frac{A+B}{C}=\frac{A}{C}+\frac{B}{C}$$
> [방법2] 나누는 식의 역수를 곱한 후 분배법칙을 이용하여 계산한다.
> $$\Rightarrow (A+B)\div C=(A+B)\times\frac{1}{C}=\frac{A}{C}+\frac{B}{C}$$

2-2
다음 식을 간단히 하시오.

(1) $2x(5x+y)-3x(4x-2y)$

(2) $(4x^2-6xy)\div 2x+(9xy+6y^2)\div 3y$

(3) $(2x^2-4x)\div\left(-\dfrac{2}{3}x\right)+5x(x-1)$

소인수분해를 할 수 있는가?

3-1

다음 ☐ 안에 알맞은 수를 써넣고, 24를 소인수분해하시오.

$$24 < \begin{matrix} 2 \\ \boxed{} \end{matrix} < \begin{matrix} \boxed{} \\ 6 \end{matrix} < \begin{matrix} \boxed{} \\ \boxed{} \end{matrix}$$

$$\therefore 24 = \underline{}$$

- 인수 : 자연수 a, b, c에 대하여 $a = b \times c$일 때, b, c를 a의 인수라고 한다.
- 소인수 : 소수인 인수
- 소인수분해 : 자연수를 소인수들만의 곱으로 나타내는 것

3-2

다음 수를 소인수분해하시오.

(1) 18

(2) 84

(3) 180

 분모의 유리화를 할 수 있는가?

4-1

다음은 $\dfrac{3}{\sqrt{6}}$ 의 분모를 유리화하는 과정이다. ☐ 안에 알맞은 수를 써넣으시오.

$$\frac{3}{\sqrt{6}} = \frac{3 \times \boxed{}}{\sqrt{6} \times \boxed{}} = \frac{\boxed{}}{\boxed{}} = \boxed{}$$

- 분모의 유리화 : 분수의 분모가 근호가 있는 무리수일 때, 분모와 분자에 0이 아닌 같은 수를 각각 곱하여 분모를 유리수로 고치는 것
- $a > 0$, $b > 0$일 때
  ① $\dfrac{1}{\sqrt{b}} = \dfrac{\sqrt{b}}{\sqrt{b}\sqrt{b}} = \dfrac{\sqrt{b}}{b}$
  ② $\dfrac{a}{\sqrt{b}} = \dfrac{a\sqrt{b}}{\sqrt{b}\sqrt{b}} = \dfrac{a\sqrt{b}}{b}$
  ③ $\dfrac{\sqrt{a}}{\sqrt{b}} = \dfrac{\sqrt{a}\sqrt{b}}{\sqrt{b}\sqrt{b}} = \dfrac{\sqrt{ab}}{b}$

4-2

다음 수의 분모를 유리화하시오.

(1) $\dfrac{2}{\sqrt{7}}$

(2) $\dfrac{1}{\sqrt{12}}$

(3) $\dfrac{4}{\sqrt{18}}$

(4) $\dfrac{\sqrt{3}}{\sqrt{50}}$

제곱근의 덧셈과 뺄셈(1)

제곱근의 덧셈과 뺄셈은 **근호 안의 수가 같은 것끼리 모아서** 계산한다.

① 제곱근의 덧셈

$$2\sqrt{3}+4\sqrt{3}=(2+4)\sqrt{3}=6\sqrt{3}$$

> m, n이 유리수이고, $a>0$일 때
> ① $m\sqrt{a}+n\sqrt{a}=(m+n)\sqrt{a}$
> ② $m\sqrt{a}-n\sqrt{a}=(m-n)\sqrt{a}$

② 제곱근의 뺄셈

$$2\sqrt{3}-4\sqrt{3}=(2-4)\sqrt{3}=-2\sqrt{3}$$

제곱근의 덧셈과 뺄셈(2)

① 근호 안에 제곱인 인수가 있으면 근호 안의 수를 간단히 정리한 후 계산한다.

$$\sqrt{18}-\sqrt{8}$$
$$=\sqrt{3^2\times2}-\sqrt{2^2\times2}$$
$$=3\sqrt{2}-2\sqrt{2}$$
$$=(3-2)\sqrt{2}=\sqrt{2}$$

② 분모에 무리수가 있으면 분모를 유리화한 후 계산한다.

$$\frac{6}{\sqrt{2}}-\sqrt{2}$$
$$=\frac{6\times\sqrt{2}}{\sqrt{2}\times\sqrt{2}}-\sqrt{2}$$
$$=3\sqrt{2}-\sqrt{2}=2\sqrt{2}$$

③ 근호 안의 수가 다른 무리수끼리는 더 이상 간단히 할 수 없다.

$$5\sqrt{2}-2\sqrt{3}-3\sqrt{2}+5\sqrt{3}$$
$$=(5-3)\sqrt{2}+(-2+5)\sqrt{3}$$
$$=2\sqrt{2}+3\sqrt{3}$$

회색 글씨를 따라 쓰면서 개념을 정리해 보세요.

1 m, n이 유리수이고, $a>0$일 때

① $m\sqrt{a}+n\sqrt{a}=\left(\boxed{m+n}\right)\sqrt{a}$ 　　　② $m\sqrt{a}-n\sqrt{a}=\left(\boxed{m-n}\right)\sqrt{a}$

2 근호 안에 $\boxed{제곱인\ 인수가\ 있으면\ 근호\ 안의\ 수를\ 간단히\ 정리}$한 후 계산한다.

3 $\boxed{분모에\ 무리수가\ 있으면\ 분모를\ 유리화}$한 후 계산한다.

4 $\boxed{근호\ 안의\ 수가\ 다른\ 무리수끼리}$는 더 이상 $\boxed{간단히\ 할\ 수\ 없다}$.

개념 원리 확인

○ 정답과 풀이 15쪽

제곱근의 덧셈

1-1 다음 식을 간단히 하시오.

(1) $3\sqrt{5}+2\sqrt{5}$

(2) $\sqrt{24}+3\sqrt{6}$

(3) $2\sqrt{20}+\sqrt{5}+\sqrt{45}$

(4) $\dfrac{\sqrt{3}}{3}+\dfrac{5}{\sqrt{3}}$

1-2 다음 식을 간단히 하시오.

(1) $7\sqrt{2}+3\sqrt{2}$

(2) $\sqrt{18}+\sqrt{32}$

(3) $2\sqrt{7}+\sqrt{63}+2\sqrt{28}$

(4) $\dfrac{\sqrt{5}}{5}+\dfrac{4}{\sqrt{5}}$

제곱근의 뺄셈

2-1 다음 식을 간단히 하시오.

(1) $2\sqrt{2}-3\sqrt{2}$

(2) $\sqrt{45}-\sqrt{20}$

(3) $\sqrt{18}-\sqrt{32}-\sqrt{50}$

(4) $\dfrac{2\sqrt{3}}{3}-\dfrac{1}{\sqrt{3}}$

2-2 다음 식을 간단히 하시오.

(1) $-3\sqrt{7}-2\sqrt{7}$

(2) $\sqrt{54}-\sqrt{24}$

(3) $\sqrt{48}-\sqrt{27}-\sqrt{75}$

(4) $\dfrac{3}{\sqrt{5}}-\dfrac{\sqrt{5}}{5}$

제곱근의 덧셈과 뺄셈

3-1 다음 식을 간단히 하시오.

(1) $2\sqrt{2}+3\sqrt{5}-4\sqrt{2}-\sqrt{5}$

(2) $\sqrt{48}+4\sqrt{2}-\sqrt{50}-\sqrt{12}$

3-2 다음 식을 간단히 하시오.

(1) $7\sqrt{10}-10\sqrt{7}-2\sqrt{10}+2\sqrt{7}$

(2) $\sqrt{72}-\sqrt{75}+\sqrt{32}-\sqrt{27}$

> ▶ **근호를 포함한 식의 계산**

① $\sqrt{2}(\sqrt{6}+\sqrt{5})$
$=\sqrt{2}\sqrt{6}+\sqrt{2}\sqrt{5}$
$=\sqrt{12}+\sqrt{10}$
$=2\sqrt{3}+\sqrt{10}$

② $(\sqrt{24}+\sqrt{15})\div\sqrt{3}$
$=\dfrac{\sqrt{24}+\sqrt{15}}{\sqrt{3}}$
$=\dfrac{\sqrt{24}}{\sqrt{3}}+\dfrac{\sqrt{15}}{\sqrt{3}}$
$=\sqrt{8}+\sqrt{5}$
$=2\sqrt{2}+\sqrt{5}$

③ $\dfrac{1+\sqrt{2}}{\sqrt{3}}$
$=\dfrac{(1+\sqrt{2})\times\sqrt{3}}{\sqrt{3}\times\sqrt{3}}$
$=\dfrac{\sqrt{3}+\sqrt{2}\sqrt{3}}{3}$
$=\dfrac{\sqrt{3}+\sqrt{6}}{3}$

> ▶ **근호를 포함한 식의 혼합 계산**

$\dfrac{5-\sqrt{15}}{\sqrt{5}}+\sqrt{5}(2\sqrt{5}-1)$

$=\dfrac{(5-\sqrt{15})\times\sqrt{5}}{\sqrt{5}\times\sqrt{5}}+\sqrt{5}(2\sqrt{5}-1)$　　분모를 유리화한다.

$=\dfrac{5\sqrt{5}-\sqrt{75}}{5}+10-\sqrt{5}$　　분배법칙을 이용하여 전개한다.

$=\dfrac{5\sqrt{5}-5\sqrt{3}}{5}+10-\sqrt{5}$　　제곱인 인수를 근호 밖으로 꺼낸다.

$=\sqrt{5}-\sqrt{3}+10-\sqrt{5}$　　$\dfrac{a-b}{c}=\dfrac{a}{c}-\dfrac{b}{c}$

$=-\sqrt{3}+10$　　근호 안의 수가 같은 것끼리 계산한다.

나는 근호 밖으로!

$\sqrt{a^2b}=a\sqrt{b}$

우리부터 계산해.

×, ÷ 다음은 우리 차례야.

회색 글씨를 따라 쓰면서 개념을 정리해 보세요.

❖ 근호를 포함한 식의 혼합 계산
① 근호 안의 제곱인 인수를 근호 밖으로 꺼낸다.
② 분배법칙을 이용하여 괄호를 푼다.
③ 분모에 근호가 있으면 분모를 유리화 한다.
④ 곱셈과 나눗셈 을 계산한 후에 덧셈과 뺄셈 을 계산한다.

개념 원리 확인

○정답과 풀이 15쪽

근호를 포함한 식의 계산

4-1 다음 식을 간단히 하시오.

(1) $\sqrt{2}(3-2\sqrt{5})$

(2) $(\sqrt{10}+\sqrt{20})\sqrt{5}$

(3) $(\sqrt{24}-\sqrt{8})\div\sqrt{2}$

(4) $\dfrac{3+\sqrt{3}}{\sqrt{5}}$

4-2 다음 식을 간단히 하시오.

(1) $-\sqrt{3}(\sqrt{2}+\sqrt{10})$

(2) $(\sqrt{2}+3\sqrt{3})\sqrt{6}$

(3) $(\sqrt{15}-\sqrt{20})\div(-\sqrt{5})$

(4) $\dfrac{\sqrt{6}-\sqrt{3}}{\sqrt{2}}$

근호를 포함한 식의 혼합 계산

5-1 다음 식을 간단히 하시오.

(1) $\sqrt{6}\times\sqrt{2}-3\sqrt{3}$

(2) $6\div\sqrt{6}+\sqrt{54}$

(3) $\sqrt{12}-\sqrt{3}(2-\sqrt{3})$

(4) $\dfrac{3\sqrt{6}-4}{\sqrt{2}}-\sqrt{2}(2-\sqrt{6})$

5-2 다음 식을 간단히 하시오.

(1) $\dfrac{9}{\sqrt{3}}+\sqrt{2}\times\sqrt{24}$

(2) $\dfrac{16}{\sqrt{8}}-\sqrt{40}\div\sqrt{5}$

(3) $\sqrt{3}(\sqrt{15}+\sqrt{3})-\sqrt{20}$

(4) $4\sqrt{3}\times2\sqrt{6}-8\sqrt{10}\div4\sqrt{5}$

개념 01 제곱근의 덧셈과 뺄셈

(1) 근호 안의 수가 같은 것끼리 모아서 계산한다.
➡ m, n이 유리수이고, $a>0$일 때
 ① $m\sqrt{a}+n\sqrt{a}=(m+n)\sqrt{a}$
 ② $m\sqrt{a}-n\sqrt{a}=(m-n)\sqrt{a}$
(2) 근호 안에 제곱인 인수가 있으면 근호 안의 수를 간단히 정리한 후 계산한다.
(3) 분모에 무리수가 있으면 분모를 유리화한 후 계산한다.
(4) 근호 안의 수가 다른 무리수끼리는 더 이상 간단히 할 수 없다.

1-1

다음 식을 간단히 하시오.

(1) $5\sqrt{2}+3\sqrt{2}$

(2) $4\sqrt{3}-3\sqrt{3}$

(3) $8\sqrt{5}-2\sqrt{5}+3\sqrt{5}$

(4) $\sqrt{5}-2\sqrt{7}+3\sqrt{5}+4\sqrt{7}$

1-2

$\sqrt{12}+\sqrt{48}-\sqrt{27}$을 간단히 하려고 한다. 다음 물음에 답하시오.

(1) 다음 ☐ 안에 알맞은 수를 써넣으시오.
 ① $\sqrt{12}=\boxed{}\sqrt{3}$
 ② $\sqrt{48}=\boxed{}\sqrt{3}$
 ③ $\sqrt{27}=\boxed{}\sqrt{3}$

(2) $\sqrt{12}+\sqrt{48}-\sqrt{27}$을 간단히 하시오.

1-3

다음 중 옳지 않은 것은?

① $7\sqrt{3}+3\sqrt{3}+5\sqrt{3}=15\sqrt{3}$
② $\sqrt{27}+\sqrt{48}-\sqrt{3}=6\sqrt{3}$
③ $\sqrt{8}+\sqrt{18}+\sqrt{32}=9\sqrt{2}$
④ $\sqrt{24}-\sqrt{54}+5\sqrt{6}=-\sqrt{24}$
⑤ $-5\sqrt{2}-7\sqrt{2}-6\sqrt{2}=-18\sqrt{2}$

1-4

$3\sqrt{18}+6\sqrt{20}-\sqrt{8}-7\sqrt{45}=a\sqrt{2}+b\sqrt{5}$일 때, $a+b$의 값을 구하시오. (단, a, b는 유리수)

개념 02 근호를 포함한 식의 계산

(1) 괄호가 있는 경우 : 분배법칙을 이용하여 괄호를 풀어 계산한다.
(2) 분모에 무리수가 있는 경우 : 분모를 유리화하여 계산한다.

2-1

다음 식을 간단히 하시오.

(1) $\sqrt{3}(\sqrt{3}+8)$

(2) $\sqrt{6}(\sqrt{3}-2\sqrt{2})$

(3) $(\sqrt{75}+\sqrt{12})\div\sqrt{3}$

2-2

다음 수의 분모를 유리화하시오.

(1) $\dfrac{1-\sqrt{2}}{\sqrt{2}}$

(2) $\dfrac{\sqrt{3}-\sqrt{2}}{\sqrt{3}}$

(3) $\dfrac{3\sqrt{6}-\sqrt{5}}{\sqrt{20}}$

개념 03 근호를 포함한 식의 혼합 계산

(1) 근호 안의 제곱인 인수를 근호 밖으로 꺼낸다.
(2) 분배법칙을 이용하여 괄호를 푼다.
(3) 분모에 근호가 있으면 분모를 유리화한다.
(4) 곱셈과 나눗셈을 계산한 후에 덧셈과 뺄셈을 계산한다.

3-1

다음 식을 간단히 하시오.

(1) $\sqrt{2}\times\sqrt{6}-2\div\sqrt{3}$

(2) $\sqrt{72}\div2\sqrt{3}-2\sqrt{2}\times\sqrt{27}$

(3) $(4\sqrt{3}-\sqrt{2})\div\sqrt{6}+3\sqrt{2}$

(4) $(\sqrt{30}-2\sqrt{15})\div\sqrt{3}+\sqrt{5}(\sqrt{10}-\sqrt{2})$

3-2

$\dfrac{6}{\sqrt{3}}+\sqrt{3}(2-\sqrt{3})-2\sqrt{12}$를 간단히 하면?

① $-3-2\sqrt{3}$ ② $-3+2\sqrt{3}$

③ $-1+2\sqrt{3}$ ④ -3

⑤ -1

3-3

다음 식을 간단히 하면?

$$\sqrt{3}(2\sqrt{3}+\sqrt{6})-(\sqrt{24}-\sqrt{15})\div\sqrt{3}$$

① $6+3\sqrt{2}$ ② $6+\sqrt{2}+\sqrt{5}$

③ $6+\sqrt{2}-\sqrt{5}$ ④ $6+\sqrt{6}+2\sqrt{2}+\sqrt{15}$

⑤ $6+\sqrt{6}+2\sqrt{2}-\sqrt{15}$

3-4

$\dfrac{\sqrt{18}+\sqrt{6}}{\sqrt{3}}+2\sqrt{8}-\sqrt{3}(4\sqrt{2}+\sqrt{6})=a\sqrt{2}+b\sqrt{6}$일 때,

$a-b$의 값을 구하시오. (단, a, b는 유리수)

▶ (다항식)×(다항식)의 계산

분배법칙을 이용하여 전개하고 동류항이 있으면 간단히 정리한다.

$$(a+b)(c+d) = \underset{①}{ac} + \underset{②}{ad} + \underset{③}{bc} + \underset{④}{bd}$$

예 $(5a+2)(b+4) = 5a \times b + 5a \times 4 + 2 \times b + 2 \times 4$
$\qquad\qquad\qquad = 5ab + 20a + 2b + 8$

▶ 곱셈 공식 (1)

$$(a+b)^2 = a^2 + 2ab + b^2$$
곱의 2배

설명 $(a+b)(a+b) = a^2 + \underset{동류항}{ab+ba} + b^2 = a^2 + 2ab + b^2$

예 $(x+2)^2 = x^2 + 2 \times x \times 2 + 2^2 = x^2 + 4x + 4$

$$(a-b)^2 = a^2 - 2ab + b^2$$
곱의 2배

설명 $(a-b)(a-b) = a^2 - \underset{동류항}{ab-ba} + b^2 = a^2 - 2ab + b^2$

예 $(x-2)^2 = x^2 - 2 \times x \times 2 + 2^2 = x^2 - 4x + 4$

회색 글씨를 따라 쓰면서 개념을 정리해 보세요.

1 (다항식)×(다항식)의 계산은 분배법칙을 이용하여 전개 하고 동류항 이 있으면 간단히 정리 한다.

2 $(a+b)^2 = a^2 + 2ab + b^2$

3 $(a-b)^2 = a^2 - 2ab + b^2$

개념 원리 확인

○ 정답과 풀이 **18쪽**

(다항식) × (다항식)의 계산

1-1 다음 식을 전개하시오.

(1) $(x+2)(y+3)$

(2) $(x-2y)(2x-3y)$

1-2 다음 식을 전개하시오.

(1) $(2x-1)(y+5)$

(2) $(3x-2y)(2x+4y)$

곱셈 공식 (1) – $(a+b)^2$ 꼴

2-1 다음 식을 전개하시오.

(1) $(x+3)^2$

(2) $(2x+5y)^2$

(3) $(-x+2y)^2$

2-2 다음 식을 전개하시오.

(1) $(x+5)^2$

(2) $(3x+4y)^2$

(3) $(-2x+y)^2$

곱셈 공식 (1) – $(a-b)^2$ 꼴

3-1 다음 식을 전개하시오.

(1) $(x-5)^2$

(2) $(3x-2y)^2$

(3) $(-2x-5y)^2$

3-2 다음 식을 전개하시오.

(1) $(x-4)^2$

(2) $(2x-y)^2$

(3) $(-3x-2y)^2$

▶ **곱셈 공식 (2)**

$$(a+b)(a-b) = a^2 - b^2$$

합   차   제곱의 차

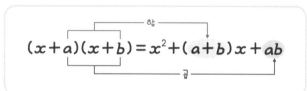

합, 차의 곱은?

$(a+b)(a-b)$

$= a^2 - b^2$

제곱끼리 빼!

설명 $(a+b)(a-b) = a^2 - ab + ba - b^2 = a^2 - b^2$
동류항

예 $(x+2)(x-2) = x^2 - 2^2 = x^2 - 4$

▶ **곱셈 공식 (3)**

합

$$(x+a)(x+b) = x^2 + (a+b)x + ab$$

곱

설명 $(x+a)(x+b) = x^2 + xb + ax + ab = x^2 + (a+b)x + ab$
동류항

예 $(x+2)(x+3) = x^2 + (2+3)x + 2 \times 3 = x^2 + 5x + 6$

▶ **곱셈 공식 (4)**

$$(ax+b)(cx+d) = acx^2 + (ad+bc)x + bd$$

x의 계수의 곱   상수항의 곱

설명 $(ax+b)(cx+d) = acx^2 + axd + bcx + bd = acx^2 + (ad+bc)x + bd$
동류항

예 $(2x+1)(5x+3) = (2 \times 5)x^2 + (2 \times 3 + 1 \times 5)x + 1 \times 3 = 10x^2 + 11x + 3$

회색 글씨를 따라 쓰면서 개념을 정리해 보세요.

1 $(a+b)(a-b) = \boxed{a^2 - b^2}$

2 $(x+a)(x+b) = x^2 + (\boxed{a+b})x + \boxed{ab}$

3 $(ax+b)(cx+d) = \boxed{ac}x^2 + (\boxed{ad+bc})x + \boxed{bd}$

개념 원리 확인

○ 정답과 풀이 **19쪽**

곱셈 공식 (2)

4-1 다음 식을 전개하시오.

(1) $(x+3)(x-3)$

(2) $(5x+3)(5x-3)$

(3) $(7x+2y)(7x-2y)$

(4) $(-3-y)(-3+y)$

4-2 다음 식을 전개하시오.

(1) $(x+4)(x-4)$

(2) $(2x+1)(2x-1)$

(3) $(3x+5y)(3x-5y)$

순서를 바꿔 봐!

(4) $(-2x+3)(2x+3)$

곱셈 공식 (3)

5-1 다음 식을 전개하시오.

(1) $(x+3)(x+5)$

(2) $(x-4)(x+2)$

(3) $(x-5)(x-3)$

(4) $(x-3y)(x+4y)$

5-2 다음 식을 전개하시오.

(1) $(x+1)(x+4)$

(2) $(x+3)(x-7)$

(3) $(x-2)(x+3)$

(4) $(x-5y)(x-4y)$

곱셈 공식 (4)

6-1 다음 식을 전개하시오.

(1) $(3x+1)(4x+1)$

(2) $(2x-1)(3x+2)$

(3) $(3x+6)(4x-5)$

(4) $(4x-7y)(x+3y)$

6-2 다음 식을 전개하시오.

(1) $(2x+3)(3x+1)$

(2) $(5x-3)(2x+1)$

(3) $(2x-1)(x-4)$

(4) $(2x+3y)(3x-2y)$

개념 01 (다항식)×(다항식)의 계산

분배법칙을 이용하여 전개하고 동류항이 있으면 간단히 정리한다.

➡ $(a+b)(c+d) = \underset{①}{ac} + \underset{②}{ad} + \underset{③}{bc} + \underset{④}{bd}$

1-1

다음 물음에 답하시오.

(1) $(x-5y)(3x+4)$를 전개하시오.

(2) (1)의 전개식에서 x^2의 계수를 구하시오.

(3) (1)의 전개식에서 y의 계수를 구하시오.

개념 02 곱셈 공식 (1)

① $(a+b)^2 = a^2 + 2ab + b^2$
② $(a-b)^2 = a^2 - 2ab + b^2$

2-1

다음 식을 전개하시오.

(1) $(x+4)^2$

(2) $(3x+2)^2$

(3) $(-2x+7)^2$

(4) $\left(x+\dfrac{1}{2}\right)^2$

(5) $(x-2)^2$

(6) $(3x-y)^2$

(7) $(-2x-1)^2$

(8) $\left(x-\dfrac{1}{4}\right)^2$

2-2

다음 등식이 성립하도록 ☐와 ■ 안에 알맞은 양수를 써넣으시오.

(1) $\left(x+\boxed{}\right)^2 = x^2 + \blacksquare x + 9$

(2) $\left(x-\boxed{}\right)^2 = x^2 - 10x + \blacksquare$

개념 03 곱셈 공식 (2)

$(a+b)(a-b) = a^2 - b^2$

3-1

다음 식을 전개하시오.

(1) $(x-5)(x+5)$

(2) $(5x+7)(5x-7)$

(3) $(-4x+1)(4x+1)$

(4) $\left(\dfrac{4}{5}x - \dfrac{1}{3}y\right)\left(\dfrac{4}{5}x + \dfrac{1}{3}y\right)$

(5) $(3x+2y)(2y-3x)$

개념 04 곱셈 공식 (3)

$$(x+a)(x+b)=x^2+(a+b)x+ab$$

개념 05 곱셈 공식 (4)

$$(ax+b)(cx+d)=acx^2+(ad+bc)x+bd$$

4-1

다음 식을 전개하시오.

(1) $(x+5)(x+2)$

(2) $(x-3)(x-9)$

(3) $(x+5)(x-6)$

(4) $(x-4y)(x+9y)$

(5) $(x-3y)(x-7y)$

5-1

다음 식을 전개하시오.

(1) $(x+3)(2x+5)$

(2) $(2x-1)(3x-2)$

(3) $(5x-2)(3x+4)$

(4) $(5x-3y)(4x+5y)$

(5) $(-3x-2y)(4x-y)$

4-2

다음 등식이 성립하도록 ☐와 ■ 안에 알맞은 수를 써넣으시오.

(1) $(x+\boxed{})(x-8)=x^2-6x-\boxed{}$

(2) $(x+3)(x-\boxed{})=x^2-\boxed{}x-15$

5-2

다음 중 옳지 <u>않은</u> 것은?

① $(x+1)^2=x^2+2x+1$

② $(x-2)^2=x^2-4x+4$

③ $(x-3)(x+3)=x^2-6$

④ $(x-4)(x+5)=x^2+x-20$

⑤ $(2x-1)(3x+4)=6x^2+5x-4$

회색 글씨를 따라 쓰면서 개념을 정리해 보세요.

❖ 수의 계산에서 자주 이용되는 곱셈 공식

① $(a+b)^2 = \boxed{a^2 + 2ab + b^2}$

② $(a-b)^2 = \boxed{a^2 - 2ab + b^2}$

③ $(a+b)(a-b) = \boxed{a^2 - b^2}$

④ $(x+a)(x+b) = x^2 + (\boxed{a+b})x + \boxed{ab}$

개념 원리 확인

○ 정답과 풀이 **21**쪽

곱셈 공식을 이용한 수의 계산(1)

1-1 곱셈 공식 $(a+b)^2 = a^2 + 2ab + b^2$을 이용하여 다음을 계산하시오.

(1) 53^2

(2) 105^2

1-2 곱셈 공식을 이용하여 다음을 계산하시오.

(1) 72^2

(2) 91^2

곱셈 공식을 이용한 수의 계산(2)

2-1 곱셈 공식 $(a-b)^2 = a^2 - 2ab + b^2$을 이용하여 다음을 계산하시오.

(1) 48^2

(2) 96^2

2-2 곱셈 공식을 이용하여 다음을 계산하시오.

(1) 87^2

(2) 69^2

곱셈 공식을 이용한 수의 계산(3)

3-1 곱셈 공식 $(a+b)(a-b) = a^2 - b^2$을 이용하여 다음을 계산하시오.

(1) 52×48

(2) 97×103

3-2 곱셈 공식을 이용하여 다음을 계산하시오.

(1) 31×29

(2) 198×202

곱셈 공식을 이용한 수의 계산(4)

4-1 곱셈 공식 $(x+a)(x+b) = x^2 + (a+b)x + ab$를 이용하여 다음을 계산하시오.

(1) 51×54

(2) 97×106

4-2 곱셈 공식을 이용하여 다음을 계산하시오.

(1) 103×108

(2) 52×47

곱셈 공식을 이용한 무리수의 계산

제곱근을 문자로 생각하고 곱셈 공식을 이용하여 계산한다.

(1) $(a+b)^2=a^2+2ab+b^2$, $(a-b)^2=a^2-2ab+b^2$을 이용

$$(\sqrt{2}+\sqrt{5})^2=(\sqrt{2})^2+2\times\sqrt{2}\times\sqrt{5}+(\sqrt{5})^2$$
$$=2+2\sqrt{10}+5$$
$$=7+2\sqrt{10}$$

(2) $(a+b)(a-b)=a^2-b^2$을 이용

$$(\sqrt{2}+\sqrt{5})(\sqrt{2}-\sqrt{5})=(\sqrt{2})^2-(\sqrt{5})^2$$
$$=2-5=-3$$

(3) $(x+a)(x+b)=x^2+(a+b)x+ab$를 이용

$$(\sqrt{3}+5)(\sqrt{3}+2)=(\sqrt{3})^2+(5+2)\sqrt{3}+5\times2$$
$$=3+7\sqrt{3}+10$$
$$=13+7\sqrt{3}$$

헉헉…

제곱근을
문자로 생각하고
곱셈 공식을
이용해.

곱셈 공식을 이용한 분모의 유리화

분모가 2개의 항으로 되어 있는 무리수일 때에는 곱셈 공식 $(a+b)(a-b)=a^2-b^2$을 이용하여 분모를 유리화한다.

$$\frac{\sqrt{3}}{\sqrt{3}-\sqrt{2}}=\frac{\sqrt{3}(\sqrt{3}+\sqrt{2})}{(\sqrt{3}-\sqrt{2})(\sqrt{3}+\sqrt{2})}=\frac{3+\sqrt{6}}{(\sqrt{3})^2-(\sqrt{2})^2}=3+\sqrt{6}$$

$(a+b)(a-b)=a^2-b^2$을 이용

회색 글씨를 따라 쓰면서 개념을 정리해 보세요.

1 곱셈 공식을 이용하여 무리수를 계산할 때에는 제곱근을 문자로 생각 한다.

2 분모가 2개의 항으로 되어 있는 무리수일 때에는 곱셈 공식 $(a+b)(a-b)=a^2-b^2$ 을 이용하여 분모를 유리화한다.

개념 원리 확인

○정답과 풀이 **22**쪽

곱셈 공식을 이용한 무리수의 계산

5-1 곱셈 공식을 이용하여 다음을 계산하시오.

(1) $(\sqrt{2}+\sqrt{3})^2$

(2) $(\sqrt{6}-2)^2$

(3) $(\sqrt{3}+1)(\sqrt{3}-1)$

(4) $(\sqrt{5}+2)(\sqrt{5}+3)$

5-2 곱셈 공식을 이용하여 다음을 계산하시오.

(1) $(\sqrt{2}+1)^2$

(2) $(\sqrt{7}-\sqrt{2})^2$

(3) $(\sqrt{5}+\sqrt{7})(\sqrt{5}-\sqrt{7})$

(4) $(\sqrt{6}+5)(\sqrt{6}-2)$

곱셈 공식을 이용한 분모의 유리화

6-1 다음 수의 분모를 유리화하시오.

(1) $\dfrac{1}{\sqrt{2}-1}$

(2) $\dfrac{\sqrt{3}}{\sqrt{3}-2}$

(3) $\dfrac{\sqrt{2}}{\sqrt{5}+1}$

(4) $\dfrac{\sqrt{3}+\sqrt{2}}{\sqrt{3}-\sqrt{2}}$

6-2 다음 수의 분모를 유리화하시오.

(1) $\dfrac{2}{2+\sqrt{3}}$

(2) $\dfrac{1}{2\sqrt{2}+3}$

(3) $\dfrac{4}{\sqrt{3}+\sqrt{5}}$

(4) $\dfrac{\sqrt{5}-2}{\sqrt{5}+2}$

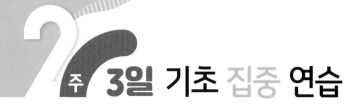

개념 01 곱셈 공식을 이용한 수의 계산

곱셈 공식을 이용하면 수의 계산을 편리하게 할 수 있다.
① 수의 제곱의 계산
  ➡ $(a+b)^2=a^2+2ab+b^2$ 또는
    $(a-b)^2=a^2-2ab+b^2$을 이용
② 두 수의 곱의 계산
  ➡ $(a+b)(a-b)=a^2-b^2$ 또는
    $(x+a)(x+b)=x^2+(a+b)x+ab$를 이용

1-1

곱셈 공식을 이용하여 다음을 계산하시오.

(1) 103^2

(2) 49^2

(3) 71×69

(4) 101×103

(5) 85×78

1-2

곱셈 공식을 이용하여 8.9×9.1을 계산하려고 할 때, 다음 중 가장 편리한 공식은?

① $(a+b)^2=a^2+2ab+b^2$

② $(a-b)^2=a^2-2ab+b^2$

③ $(a+b)(a-b)=a^2-b^2$

④ $(x+a)(x+b)=x^2+(a+b)x+ab$

⑤ $(ax+b)(cx+d)=acx^2+(ad+bc)x+bd$

1-3

다음은 곱셈 공식을 이용하여 $\dfrac{2021 \times 2019+1}{2020}$ 을 계산하는 과정이다. ☐ 안에 알맞은 수를 써넣으시오.

$$\frac{2021 \times 2019+1}{2020}$$

$$=\frac{(2020+\boxed{})(2020-\boxed{})+1}{2020}$$

$$=\frac{2020^2-\boxed{}^2+1}{2020}$$

$$=\frac{\boxed{}^2}{2020}=\boxed{}$$

1-4

다음은 곱셈 공식을 이용하여 $107^2-92 \times 108$을 계산하는 과정이다. ①~⑤에 들어갈 수 중 옳지 <u>않은</u> 것은?

$$107^2-92 \times 108$$
$$=(100+7)^2-(\boxed{①}-8)(100+8)$$
$$=100^2+\boxed{②} \times 100 \times 7+7^2-(\boxed{③}^2-8^2)$$
$$=10000+\boxed{④}+49-10000+64$$
$$=\boxed{⑤}$$

① 100　　　　② 2　　　　③ 100

④ 700　　　　⑤ 1513

개념02 곱셈 공식을 이용한 무리수의 계산

곱셈 공식을 이용하여 무리수를 계산할 때에는 제곱근을 문자로 생각한다.

2-1

곱셈 공식을 이용하여 다음을 계산하시오.

(1) $(\sqrt{6}+\sqrt{2})^2$

(2) $(5-\sqrt{2})^2$

(3) $(\sqrt{7}+\sqrt{6})(\sqrt{7}-\sqrt{6})$

(4) $(2\sqrt{2}-\sqrt{5})(2\sqrt{2}+\sqrt{5})$

2-2

다음 중 옳은 것은?

① $(\sqrt{6}+2)^2=8+4\sqrt{6}$

② $(\sqrt{7}-\sqrt{5})^2=12-2\sqrt{35}$

③ $(3+2\sqrt{2})(3-2\sqrt{2})=9-4\sqrt{2}$

④ $(2\sqrt{3}-\sqrt{2})(2\sqrt{3}+\sqrt{2})=4\sqrt{3}-2$

⑤ $(\sqrt{5}+\sqrt{2})(\sqrt{5}-3\sqrt{2})=5-2\sqrt{2}$

2-3

$(3\sqrt{2}-2)^2=a+b\sqrt{2}$일 때, 유리수 a, b에 대하여 $a+b$의 값을 구하시오.

개념03 곱셈 공식을 이용한 분모의 유리화

분모가 2개의 항으로 되어 있는 무리수일 때에는 곱셈 공식 $(a+b)(a-b)=a^2-b^2$을 이용하여 분모를 유리화한다.

참고 분모를 유리화할 때 분모, 분자에 곱해야 하는 수

[분모]	[곱해야 하는 수]
$\sqrt{a}+\sqrt{b}$ ➡	$\sqrt{a}-\sqrt{b}$
$\sqrt{a}-\sqrt{b}$ ➡	$\sqrt{a}+\sqrt{b}$
$a+\sqrt{b}$ ➡	$a-\sqrt{b}$
$a-\sqrt{b}$ ➡	$a+\sqrt{b}$

3-1

다음 수의 분모를 유리화하시오.

(1) $\dfrac{1}{\sqrt{3}+\sqrt{2}}$

(2) $\dfrac{4}{\sqrt{6}-\sqrt{2}}$

(3) $\dfrac{\sqrt{2}+1}{\sqrt{2}-1}$

(4) $\dfrac{3-2\sqrt{2}}{3+2\sqrt{2}}$

3-2

$x=\dfrac{1}{\sqrt{10}+3}$, $y=\dfrac{1}{\sqrt{10}-3}$일 때, $x+y$의 값을 구하려고 한다. 다음 물음에 답하시오.

(1) $\dfrac{1}{\sqrt{10}+3}$의 분모를 유리화하시오.

(2) $\dfrac{1}{\sqrt{10}-3}$의 분모를 유리화하시오.

(3) $x+y$의 값을 구하시오.

인수분해의 뜻

(1) 인수 : 하나의 다항식을 두 개 이상의 다항식의 곱으로 나타낼 때, 각각의 다항식

(2) 인수분해 : 하나의 다항식을 두 개 이상의 인수의 곱으로 나타내는 것

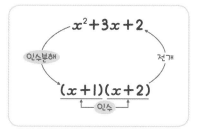

공통으로 들어 있는 인수를 이용한 인수분해

분배법칙을 이용하여 공통으로 들어 있는 인수를 묶어 내어 인수분해한다.

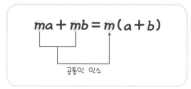

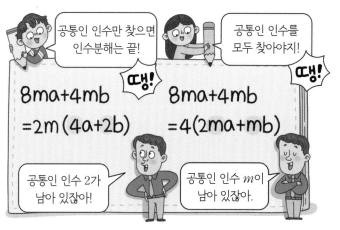

회색 글씨를 따라 쓰면서 개념을 정리해 보세요.

1 하나의 다항식을 두 개 이상의 다항식의 곱으로 나타낼 때, 각각의 다항식을 인수 라고 한다.

2 하나의 다항식을 두 개 이상의 인수의 곱으로 나타내는 것을 인수분해 라고 한다.

개념 원리 확인

정답과 풀이 24쪽

인수분해의 뜻

1-1 다음 식은 어떤 다항식을 인수분해한 것인지 구하시오.

(1) $a(a-1)$

(2) $(a+b)^2$

(3) $(x+3)(x+4)$

1-2 다음 식은 어떤 다항식을 인수분해한 것인지 구하시오.

(1) $x(x+2)$

(2) $(x-y)^2$

(3) $(3x-1)(x+2)$

인수

2-1 다음 보기 중 주어진 식의 인수를 모두 고르시오.

보기

ㄱ $x-3$　ㄴ $x+3$

ㄷ $x+1$　ㄹ $x-2$

(1) $(x+3)(x-2)$

(2) $(x-3)(x+1)$

2-2 다음 보기 중 주어진 식의 인수를 모두 고르시오.

보기

ㄱ x　ㄴ $x+2$

ㄷ $x+1$　ㄹ $x-1$

(1) $x(x-1)$

(2) $(x+1)(x+2)$

공통으로 들어 있는 인수를 이용한 인수분해

3-1 다음 다항식에서 공통으로 들어 있는 인수를 찾고 인수분해하시오.

	공통인 인수	인수분해한 결과
(1) $ab+ac$ ➡	______ ➡	______
(2) $2xy+4xz$ ➡	______ ➡	______
(3) x^2y+xy^2-xy ➡	______ ➡	______

3-2 다음 다항식을 인수분해하시오.

(1) $ax-bx-cx$

(2) $4a^2b-8ab^2$

(3) $2x^3-6x^2+10x$

$$\overset{\overset{\text{부호 그대로}}{\frown}}{a^2 + 2ab + b^2 = (a+b)^2}$$

예 ① $x^2 + 4x + 4 = (x \oplus 2)^2$

$x^2 \quad \downarrow \quad 2^2$

$2 \times x \times 2$

② $4x^2 + 12x + 9 = (2x \oplus 3)^2$

$(2x)^2 \quad \downarrow \quad 3^2$

$2 \times 2x \times 3$

참고 도형을 이용한 $a^2 + 2ab + b^2$의 인수분해

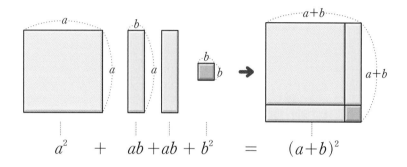

$a^2 \quad + \quad ab + ab + b^2 \quad = \quad (a+b)^2$

$$\overset{\overset{\text{부호 그대로}}{\frown}}{a^2 - 2ab + b^2 = (a-b)^2}$$

예 ① $x^2 \ominus 4x + 4 = (x \ominus 2)^2$

$x^2 \quad \downarrow \quad 2^2$

$2 \times x \times 2$

② $4x^2 \ominus 12x + 9 = (2x \ominus 3)^2$

$(2x)^2 \quad \downarrow \quad 3^2$

$2 \times 2x \times 3$

회색 글씨를 따라 쓰면서 개념을 정리해 보세요.

1 $a^2 + 2ab + b^2 = \boxed{(a+b)^2}$

2 $a^2 - 2ab + b^2 = \boxed{(a-b)^2}$

개념 원리 확인

○ 정답과 풀이 **24**쪽

인수분해 공식(1) – $a^2+2ab+b^2$ 꼴

4-1 다음 ☐ 안에 알맞은 것을 써넣고, 다항식을 인수분해하시오.

(1) $x^2+2x+1=x^2+2\times x\times\boxed{}+\boxed{}^2$

$\qquad\qquad\quad =(x+\boxed{})^2$

(2) $x^2+12x+36$

(3) $9x^2+6xy+y^2=(\boxed{})^2+2\times\boxed{}\times y+y^2$

$\qquad\qquad\qquad =(\boxed{}+y)^2$

(4) $4x^2+20xy+25y^2$

4-2 다음 다항식을 인수분해하시오.

(1) x^2+6x+9

(2) $x^2+10x+25$

(3) $4x^2+4xy+y^2$

(4) $9x^2+12xy+4y^2$

인수분해 공식(1) – $a^2-2ab+b^2$ 꼴

5-1 다음 ☐ 안에 알맞은 것을 써넣고, 다항식을 인수분해하시오.

(1) x^2-2x+1

(2) $4x^2-4x+1$

(3) $16x^2-8xy+y^2$

(4) $2x^2-20x+50=2(x^2-10x+\boxed{})$

$\qquad\qquad\qquad\quad =2(x-\boxed{})^2$

5-2 다음 다항식을 인수분해하시오.

(1) $x^2-8x+16$

(2) $9x^2-12x+4$

(3) $9x^2-30xy+25y^2$

(4) $3x^2-6x+3$

개념 01 인수분해의 뜻

(1) 인수 : 하나의 다항식을 두 개 이상의 다항식의 곱으로 나타낼 때, 각각의 다항식

(2) 인수분해 : 하나의 다항식을 두 개 이상의 인수의 곱으로 나타내는 것

1-1

다음 중 아래 식에 대한 설명으로 옳지 <u>않은</u> 것은?

$$m^2+4m \underset{\text{(나)}}{\overset{\text{(가)}}{\rightleftharpoons}} m(m+4)$$

① (가)의 과정을 인수분해한다고 한다.

② (나)의 과정을 전개한다고 한다.

③ m^2은 m^2+4m의 인수이다.

④ $m+4$는 m^2+4m의 인수이다.

⑤ 공통으로 들어 있는 인수를 이용하여 인수분해한 것이다.

1-2

$2a+4ab=\boxed{}(1+2b)$일 때, $\boxed{}$ 안에 알맞은 것은?

① $2a$　　　② $3a$　　　③ $4a$

④ $5a$　　　⑤ $6a$

1-3

다음 보기 중 $xy(x+y)$의 인수를 모두 찾으시오.

보기
㉠ x　　　　　㉡ y
㉢ $x+y$　　　㉣ $x-y$

개념 02 공통으로 들어 있는 인수를 이용한 인수분해

① 공통으로 들어 있는 인수를 찾는다.

② 분배법칙을 이용하여 공통으로 들어 있는 인수를 묶어 낸다.

➡ $ma+mb=m(a+b)$

2-1

다음 다항식을 인수분해하시오.

(1) a^2b-2a

(2) $ax-ay+az$

(3) x^2y-xy^2

(4) $2a^2b+4ab-6a$

2-2

다음 중 인수분해한 것이 옳지 <u>않은</u> 것은?

① $ax+ay=a(x+y)$

② $2x^2-4xy=2x(x-4y)$

③ $x^2-x=x(x-1)$

④ $6ab-3b=3b(2a-1)$

⑤ $x^2y-xy^2+xy=xy(x-y+1)$

2-3

다음 중 두 다항식 $4xy-8x$, x^2y-4xy에 공통으로 들어 있는 인수는?

① x　　　　　② y　　　　　③ 4

④ xy　　　　　⑤ $4x$

개념 03 인수분해 공식(1)

① $a^2+2ab+b^2=(a+b)^2$
② $a^2-2ab+b^2=(a-b)^2$

3-1

다음 다항식을 인수분해하시오.

(1) x^2-6x+9

(2) $x^2+14x+49$

(3) $16a^2-8ab+b^2$

(4) $4x^2+24xy+36y^2$

(5) $3x^2-36xy+108y^2$

(6) $x^2-x+\dfrac{1}{4}$

3-2

다음 중 옳은 것은?

① $x^2-2x-1=(x-1)^2$

② $x^2+8x+64=(x+8)^2$

③ $4x^2-28x+49=4(x-7)^2$

④ $2x^2-16xy+32y^2=(2x-4y)^2$

⑤ $x^2+\dfrac{1}{2}x+\dfrac{1}{16}=\left(x+\dfrac{1}{4}\right)^2$

3-3

다항식 $8x^2+24x+18$을 인수분해하면 $2(Ax+B)^2$일 때, 양수 A, B의 값을 각각 구하시오.

3-4

다음 등식이 성립하도록 ⬜와 ⬛ 안에 알맞은 양수를 써 넣으시오.

(1) $x^2-16x+\boxed{}=(x-\blacksquare)^2$

(2) $x^2+\boxed{}x+49=(x+\blacksquare)^2$

완전제곱식

완전제곱식 : 어떤 다항식의 제곱으로 된 식 또는 이 식에 수를 곱한 식

예 $(x+3)^2$, $2(x-y)^2$

> 괄호로 식을 완전히 감싸고 제곱이 있어야 완전제곱식이지.

완전제곱식 만들기

(1) $x^2+ax+\blacksquare$ 가 완전제곱식이 되려면

$2\times x\times\dfrac{a}{2}$ 제곱

➡ $\blacksquare=\left(\dfrac{a}{2}\right)^2$

> 완전제곱식이 되려면?

> 3^2이면 돼.

(2) $x^2+\blacksquare x+b^2$이 완전제곱식이 되려면

$(\pm b)^2$
2배

➡ $\blacksquare=\pm2b$

$$x^2+\boxed{}x+9 \Rightarrow \begin{array}{l}\blacksquare=2\times3=6 \\ \text{또는} \\ \blacksquare=2\times(-3)=-6\end{array}$$

$(\pm3)^2$, 2배

(3) $(ax)^2+\blacksquare x+b^2$이 완전제곱식이 되려면

$2\times a\times(\pm b)$, $(\pm b)^2$

➡ $\blacksquare=\pm2ab$

$$4x^2+\boxed{}x+9 \Rightarrow \begin{array}{l}\blacksquare=2\times2\times3=12 \\ \text{또는} \\ \blacksquare=2\times2\times(-3)=-12\end{array}$$

$(2x)^2$, $2\times2\times(\pm3)$, $(\pm3)^2$

회색 글씨를 따라 쓰면서 개념을 정리해 보세요.

1 어떤 다항식의 제곱으로 된 식 또는 이 식에 수를 곱한 식을 완전제곱식 이라고 한다.

2 (1) $x^2+ax+\blacksquare$ 가 완전제곱식이 되려면 $\blacksquare=\boxed{\left(\dfrac{a}{2}\right)^2}$

(2) $x^2+\blacksquare x+b^2$이 완전제곱식이 되려면 $\blacksquare=\pm2b$

(3) $(ax)^2+\blacksquare x+b^2$이 완전제곱식이 되려면 $\blacksquare=\pm2ab$

개념 원리 확인

o정답과 풀이 26쪽

완전제곱식 고르기

1-1 다음 [보기] 중 완전제곱식인 것을 모두 고르시오.

> **보기**
> ㉠ x^2-4x+4 ㉡ x^2+8x+8
> ㉢ $2x^2+12x+18$ ㉣ $9x^2-6x+1$

1-2 다음 [보기] 중 완전제곱식인 것을 모두 고르시오.

> **보기**
> ㉠ $x^2+6x+12$ ㉡ $x^2+10x+25$
> ㉢ $3x^2+36x+1$ ㉣ $2x^2+4x+2$

완전제곱식 만들기(1)

2-1 다음 식이 완전제곱식이 되도록 ☐ 안에 알맞은 수를 써넣으시오.

(1) x^2+8x+ ☐

(2) x^2-14x+ ☐

(3) $x^2+20xy+$ ☐y^2

2-2 다음 식이 완전제곱식이 되도록 ☐ 안에 알맞은 수를 써넣으시오.

(1) x^2+10x+ ☐

(2) x^2-16x+ ☐

(3) $x^2+12xy+$ ☐y^2

완전제곱식 만들기(2)

3-1 다음 식이 완전제곱식이 되도록 ☐ 안에 알맞은 수를 모두 써넣으시오.

(1) x^2+ ☐$x+4$

(2) x^2+ ☐$x+100$

(3) x^2+ ☐$xy+25y^2$

3-2 다음 식이 완전제곱식이 되도록 ☐ 안에 알맞은 수를 모두 써넣으시오.

(1) x^2+ ☐$x+64$

(2) x^2+ ☐$x+81$

(3) x^2+ ☐$xy+49y^2$

완전제곱식 만들기(3)

4-1 다음 식이 완전제곱식이 되도록 ☐ 안에 알맞은 수를 모두 써넣으시오.

(1) $9x^2+$ ☐$x+49$

(2) $4x^2+$ ☐$xy+9y^2$

(3) $16x^2+$ ☐$xy+y^2$

4-2 다음 식이 완전제곱식이 되도록 ☐ 안에 알맞은 수를 모두 써넣으시오.

(1) $16x^2+$ ☐$x+9$

(2) $4x^2+$ ☐$xy+25y^2$

(3) $49x^2+$ ☐$xy+y^2$

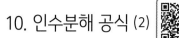

$$a^2 - b^2 = (a+b)(a-b)$$
제곱의 차　합　차

예 ① $x^2 - 4 = x^2 - 2^2$
　　　$= (x+2)(x-2)$

② $4x^2 - 1 = (2x)^2 - 1^2$
　　$= (2x+1)(2x-1)$

참고 도형을 이용한 $a^2 - b^2$의 인수분해

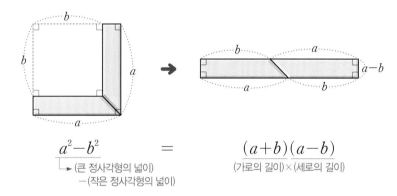

$$a^2 - b^2 = (a+b)(a-b)$$
(큰 정사각형의 넓이) −(작은 정사각형의 넓이)　(가로의 길이)×(세로의 길이)

제곱의 차는 합과 차의 곱! 간단하네요!!

먼저 공통인 인수로 묶어야 해.

$4x^2 - 16y^2$
$= (2x)^2 - (4y)^2$
$= (2x+4y)(2x-4y)$

$4x^2 - 16y^2$
$= 4(x^2 - 4y^2)$
$= 4\{x^2 - (2y)^2\}$
$= 4(x+2y)(x-2y)$

이건 더 이상 인수분해가 되지 않아요!

아니야! 식을 조금만 변형하면 인수분해할 수 있어!

$-x^2 + y^2$

$-x^2 + y^2 = y^2 - x^2$
　　　$= (y+x)(y-x)$

회색 글씨를 따라 쓰면서 개념을 정리해 보세요.

❖ $a^2 - b^2 = (\boxed{a} + \boxed{b})(\boxed{a} - \boxed{b})$
제곱의 차　합　차

개념 원리 확인

○ 정답과 풀이 **26**쪽

인수분해 공식(2)

5-1 다음 다항식을 인수분해하시오.

(1) $x^2 - 9$

(2) $4x^2 - 9$

(3) $36 - x^2$

5-2 다음 다항식을 인수분해하시오.

(1) $x^2 - 16$

(2) $16x^2 - 1$

(3) $49 - x^2$

인수분해 공식(2)

6-1 다음 다항식을 인수분해하시오.

(1) $x^2 - 4y^2$

(2) $4x^2 - 9y^2$

> 순서를 바꿔 봐!

(3) $-36x^2 + 25y^2$

6-2 다음 다항식을 인수분해하시오.

(1) $9x^2 - y^2$

(2) $16x^2 - 49y^2$

(3) $-64x^2 + 81y^2$

인수분해 공식(2)

7-1 다음 다항식을 인수분해하시오.

> 공통인 인수로 묶어 봐!

(1) $2x^2 - 50$

(2) $6x^2 - 6y^2$

(3) $3x^2 - 48y^2$

7-2 다음 다항식을 인수분해하시오.

(1) $3x^2 - 3$

(2) $4x^2 - 36$

(3) $3x^2 - 75y^2$

개념 01 완전제곱식

(1) 완전제곱식 : 어떤 다항식의 제곱으로 된 식 또는 이 식에 수를 곱한 식

(2) 완전제곱식 만들기

① $x^2+ax+\blacksquare$가 완전제곱식이 되려면

$$\blacksquare=\left(\dfrac{a}{2}\right)^2$$

② $x^2+\blacksquare x+b^2$이 완전제곱식이 되려면

$$\blacksquare=\pm2b$$

③ $(ax)^2+\blacksquare x+b^2$이 완전제곱식이 되려면

$$\blacksquare=\pm2ab$$

1-1

다음 중 완전제곱식으로 인수분해할 수 <u>없는</u> 것은?

① x^2+2x+1

② $x^2-14x+49$

③ $2a^2-4ab+2b^2$

④ $a^2+a+\dfrac{1}{16}$

⑤ $4y^2-4y+1$

1-2

다음 식이 완전제곱식이 되도록 ☐ 안에 알맞은 수를 써넣으시오.

(1) $x^2+4x+\boxed{}$

(2) $x^2-22x+\boxed{}$

(3) $x^2-\dfrac{1}{2}x+\boxed{}$

(4) $x^2+\dfrac{2}{3}x+\boxed{}$

1-3

다음 식이 완전제곱식이 되도록 ☐ 안에 알맞은 수를 모두 써넣으시오.

(1) $x^2+\boxed{}x+16$

(2) $9x^2+\boxed{}x+4$

(3) $x^2+\boxed{}xy+36y^2$

(4) $25x^2+\boxed{}xy+49y^2$

1-4

두 다항식 $x^2-16x+A$, $x^2+Bx+\dfrac{9}{4}$가 각각 완전제곱식이 되도록 하는 두 양수 A, B에 대하여 $A-B$의 값을 구하려고 한다. 다음 물음에 답하시오.

(1) $x^2-16x+A$가 완전제곱식이 되도록 하는 양수 A의 값을 구하시오.

(2) $x^2+Bx+\dfrac{9}{4}$가 완전제곱식이 되도록 하는 양수 B의 값을 구하시오.

(3) $A-B$의 값을 구하시오.

1-5

$x^2+4x+k-12$가 완전제곱식이 되기 위한 상수 k의 값은?

① 15 ② 16 ③ 17

④ 18 ⑤ 19

개념 **02** 인수분해 공식⑵

$$a^2-b^2=(a+b)(a-b)$$

2-1

다음 다항식을 인수분해하시오.

(1) x^2-49

(2) $16-x^2$

(3) $9x^2-16y^2$

(4) $a^2-\dfrac{1}{9}$

(5) $-x^2+25y^2$

(6) $-9a^2+100$

(7) $12x^2-3$

(8) $32x^2-18y^2$

2-2

다음 중 바르게 인수분해한 것은?

① $x^2-25=(x-5)^2$

② $9x^2-16=(9x+4)(x-4)$

③ $27x^2-12=3(3x+2)(3x-2)$

④ $x^2-y^2=(x-y)^2$

⑤ $4x^2-36=(2x+6)(2x-6)$

2-3

다음 보기 중 $2a^2-8$의 인수를 모두 고르시오.

보기

| ㉠ 2 | ㉡ a | ㉢ $a-2$ |
| ㉣ $a+2$ | ㉤ a^2 | ㉥ $a+1$ |

2-4

$49x^2-64y^2=(ax+by)(ax-by)$일 때, ab의 값은?

(단, a, b는 자연수)

① 42　　　　② 48　　　　③ 49

④ 56　　　　⑤ 72

01 $5\sqrt{2}-3\sqrt{2}+7\sqrt{3}-4\sqrt{3}=a\sqrt{2}+b\sqrt{3}$일 때, $a+b$ 의 값을 구하시오. (단, a, b는 유리수)

02 $\sqrt{20}-\sqrt{48}-\sqrt{45}+\sqrt{75}$를 간단히 하면?

① $\sqrt{3}-\sqrt{5}$
② $2\sqrt{3}-\sqrt{5}$
③ $\sqrt{3}-2\sqrt{5}$
④ $\sqrt{3}+2\sqrt{5}$
⑤ $\sqrt{3}+\sqrt{5}$

03 다음 식을 간단히 하시오.

$$(\sqrt{24}-6\sqrt{2})\div\sqrt{3}-\frac{4}{\sqrt{2}}(\sqrt{2}-\sqrt{3})$$

04 $(2x-y)(x+3y)=Ax^2+Bxy-3y^2$일 때, $A+B$의 값은? (단, A, B는 상수)

① -2
② 0
③ 3
④ 5
⑤ 7

05 다음 중 옳은 것은?

① $(x-1)^2=x^2-2x-1$
② $(-2x+1)^2=4x^2-3x+1$
③ $(x+3)(x-3)=x^2+9$
④ $(x-3)(x-4)=x^2-7x+12$
⑤ $(5x-2)(3x+4)=15x^2-14x-8$

○ 정답과 풀이 28쪽

06 곱셈 공식을 이용하여 다음을 계산하시오.

(1) 104^2

(2) 58×62

(3) $(\sqrt{2}-1)^2$

(4) $(\sqrt{7}+\sqrt{3})(\sqrt{7}-\sqrt{3})$

07 $\dfrac{2-\sqrt{3}}{2+\sqrt{3}} + \dfrac{2+\sqrt{3}}{2-\sqrt{3}}$ 을 간단히 하시오.

08 다음 그림을 보고 물음에 답하시오.

보기 중 $(x-5)(x+3)$의 인수를 모두 골라봐.

보기
㉠ $x-3$ ㉡ $x+3$
㉢ $x-5$ ㉣ $x+5$

09 다음 중 완전제곱식으로 인수분해되는 것을 모두 고르면? (정답 2개)

① x^2-2x-1

② $4x^2+16x+16$

③ $x^2-12x+144$

④ $9x^2+6xy+4y^2$

⑤ $x^2+x+\dfrac{1}{4}$

10 다음 다항식을 인수분해하시오.

(1) $3x^2y+6xy^2$

(2) $x^2+8x+16$

(3) $x^2-14x+49$

(4) $9x^2+30xy+25y^2$

(5) x^2-16

(6) $4x^2-1$

(7) $9x^2-25y^2$

(8) $3x^2-12y^2$

1 다음 ☐ 안에 알맞은 것을 써넣으시오.

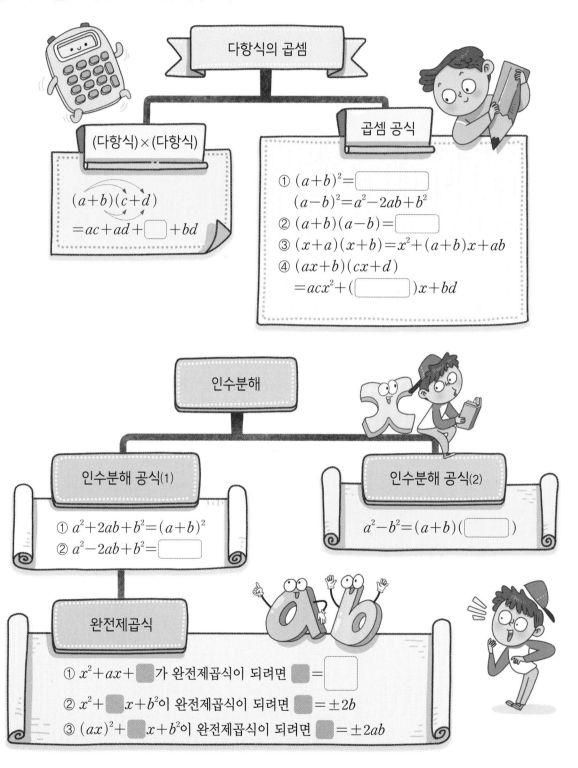

다항식의 곱셈

(다항식)×(다항식)

$(a+b)(c+d)$

$=ac+ad+\boxed{}+bd$

곱셈 공식

① $(a+b)^2=\boxed{}$

　$(a-b)^2=a^2-2ab+b^2$

② $(a+b)(a-b)=\boxed{}$

③ $(x+a)(x+b)=x^2+(a+b)x+ab$

④ $(ax+b)(cx+d)$

　$=acx^2+(\boxed{})x+bd$

인수분해

인수분해 공식(1)

① $a^2+2ab+b^2=(a+b)^2$

② $a^2-2ab+b^2=\boxed{}$

인수분해 공식(2)

$a^2-b^2=(a+b)(\boxed{})$

완전제곱식

① $x^2+ax+\boxed{}$ 가 완전제곱식이 되려면 $\boxed{}=\boxed{}$

② $x^2+\boxed{}x+b^2$이 완전제곱식이 되려면 $\boxed{}=\pm 2b$

③ $(ax)^2+\boxed{}x+b^2$이 완전제곱식이 되려면 $\boxed{}=\pm 2ab$

○정답과 풀이 **29**쪽

2 오른쪽 그림과 같이 넓이가 각각 $32 \, \text{m}^2$, $18 \, \text{m}^2$, $8 \, \text{m}^2$인 3개의 정사각형 모양의 꽃밭을 이어 붙여 만든 꽃밭의 둘레의 길이를 구하려고 한다. 다음 물음에 답하시오.

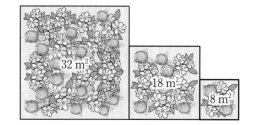

(1) 넓이가 $32 \, \text{m}^2$인 정사각형 모양의 꽃밭의 한 변의 길이를 구하시오.

(2) 넓이가 $18 \, \text{m}^2$인 정사각형 모양의 꽃밭의 한 변의 길이를 구하시오.

(3) 넓이가 $8 \, \text{m}^2$인 정사각형 모양의 꽃밭의 한 변의 길이를 구하시오.

(4) 꽃밭의 둘레의 길이를 구하시오.

3 동호, 선영, 종수는 근호를 포함한 식의 혼합 계산을 연습하려고 숫자 카드 5개 사이에 연산 카드 4개를 다르게 배치하여 각각 계산 과정을 발표하기로 하였다. 다음 물음에 답하시오.

	㉠	㉡	㉢	㉣
동호	×	−	+	÷
선영	÷	−	×	+
종수	×	÷	+	−

(1) 동호가 풀어야 하는 식을 간단히 하시오.

(2) 선영이가 풀어야 하는 식을 간단히 하시오.

(3) 종수가 풀어야 하는 식을 간단히 하시오.

4 다음 ①~⑧에 주어진 수의 분모를 바르게 유리화한 길을 따라가며 선호가 학교에 도착할 때까지 얻은 사탕은 모두 몇 개인지 구하시오.

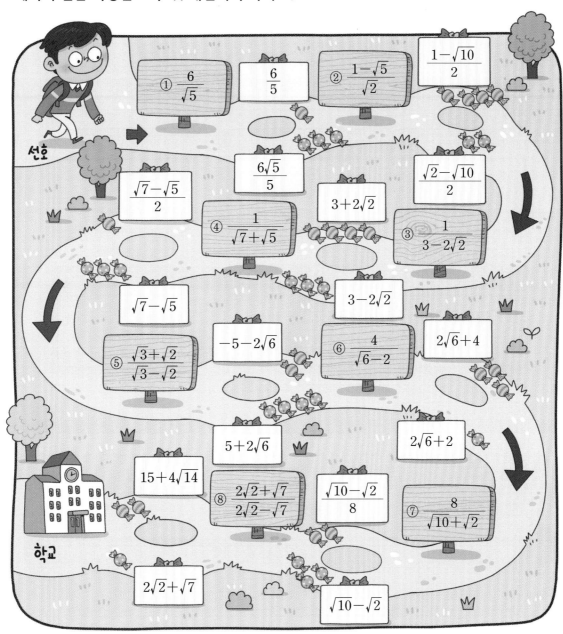

5 다음과 같이 주어진 식을 전개한 후 그 결과를 아래 카드에서 찾아 연결된 글자를 해당 번호의 ◯ 안에 써넣어 문장을 만드시오.

① $(3x+5y)(3x-5y)$ ② $(x-5)^2$ ③ $(x-3)(x+1)$

④ $(4x+6)(2x+3)$ ⑤ $(2x-5)(y+1)$ ⑥ $(x+4)(x-4)$

⑦ $(x-2)(x-7)$ ⑧ $(2x+1)(3x-2)$ ⑨ $(2x+3)^2$

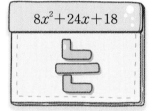
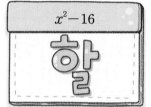
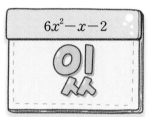

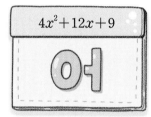
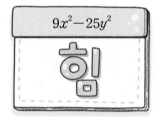
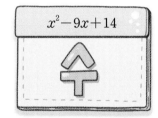
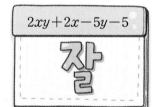
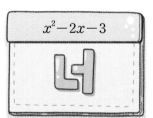

6 다음 ①~③에 주어진 다항식을 인수분해한 후 그 인수가 있는 별을 선으로 연결하여 별자리 '카시오페이아자리'를 완성하시오.

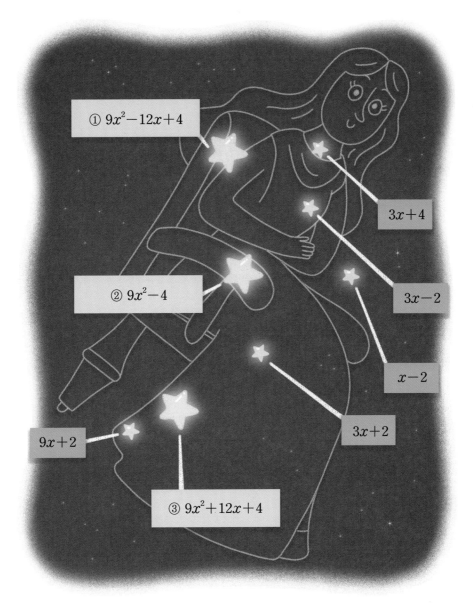

① $9x^2 - 12x + 4$

$3x + 4$

② $9x^2 - 4$

$3x - 2$

$x - 2$

$9x + 2$

$3x + 2$

③ $9x^2 + 12x + 4$

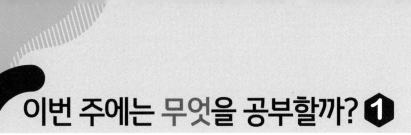

- 이번 주에 공부할 내용
인수분해 공식 / 이차방정식의 뜻과 해 / 이차방정식의 풀이

이번 주에는 무엇을 공부할까? ❷

🔍 인수분해를 할 수 있는가?

1-1

다음 다항식을 인수분해하시오.

(1) x^2+2x+1

(2) $x^2-6xy+9y^2$

(3) x^2-9

(4) $4x^2-y^2$

• 인수분해 공식 (1), (2)
  (1) $a^2+2ab+b^2=(a+b)^2$
     $a^2-2ab+b^2=(a-b)^2$
  (2) $a^2-b^2=(a+b)(a-b)$

1-2

다음 다항식을 인수분해하시오.

(1) x^2+4x+4

(2) $x^2-2xy+y^2$

(3) x^2-1

(4) $9x^2-y^2$

🔍 완전제곱식을 알고 있는가?

2-1

다음 보기 중 완전제곱식으로 인수분해되는 것을 모두 고르시오.

보기
ㄱ x^2-2x+1 ㄴ x^2-3x+9
ㄷ $9x^2-12xy+y^2$ ㄹ $2x^2-12x+18$

• 완전제곱식 : 어떤 다항식의 제곱으로 된 식 또는 이 식에 수를 곱한 식
• x^2+ax+b가 완전제곱식이 되는 조건
  ➡ $b=\left(\dfrac{a}{2}\right)^2$

2-2

다음 식이 완전제곱식이 되도록 ☐ 안에 알맞은 수를 써넣으시오.

(1) x^2+6x+☐

(2) x^2-10x+☐

(3) $x^2-14xy+$☐y^2

(4) $x^2+18xy+$☐y^2

일차방정식을 풀 수 있는가?

3-1
다음 일차방정식을 푸시오.

(1) $x-1=0$

(2) $2x+4=0$

(3) $3x-5=0$

(4) $-4x+2=6$

> • 일차방정식의 풀이
> ① x를 포함한 항은 좌변으로, 상수항은 우변으로 모두 이항한다.
> ② 양변을 정리하여 $ax=b\,(a\neq0)$의 꼴로 만든다.
> ③ 양변을 x의 계수로 나눈다.

3-2
다음 일차방정식을 푸시오.

(1) $x+2=0$

(2) $3x-6=0$

(3) $5x+3=-1$

(4) $-x+7=3$

 제곱근을 구할 수 있는가?

4-1
다음 수의 제곱근을 구하시오.

(1) 4

(2) 36

(3) 6

> • a의 제곱근 (단, $a\geq0$)
> ➡ 제곱하여 a가 되는 수
> ➡ $x^2=a$를 만족하는 x의 값
>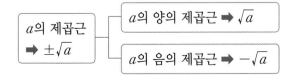
> • 제곱근의 표현 : $a>0$일 때
>
> | a의 제곱근 ➡ $\pm\sqrt{a}$ | a의 양의 제곱근 ➡ $\sqrt{a}$ |
> |---|---|
> | | a의 음의 제곱근 ➡ $-\sqrt{a}$ |

4-2
다음 수의 제곱근을 구하시오.

(1) 9

(2) 16

(3) 5

(4) 11

$$x^2 + \underset{\text{두 수의 합}}{\underline{(a+b)}}x + \overset{\text{두 수의 곱}}{\overline{ab}} = (x+a)(x+b)$$

▶ $x^2+(a+b)x+ab$ 꼴의 인수분해

❶ 곱이 상수항 ab가 되는 두 정수를 찾는다.

❷ ❶의 두 수 중에서 합이 x의 계수 $a+b$가 되는 두 정수를 찾는다.

❸ $(x+a)(x+b)$로 나타낸다.

x^2+5x+6을 인수분해해 보자.

① 곱이 6이 되는 두 정수를 찾는다.

② 다음 표에서 곱이 6인 두 정수 중에서 합이 5가 되는 두 정수는 2와 3이다.

$$x^2+\underset{}{(a+b)}x+\underset{}{ab}$$
$$x^2 + 5\,x + 6$$

곱이 6인 두 정수	두 정수의 합
1, 6	7
−1, −6	−7
2, 3	5
−2, −3	−5

③ $x^2+5x+6=(x+2)(x+3)$

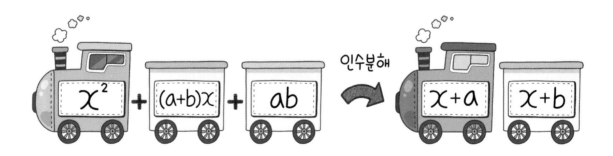

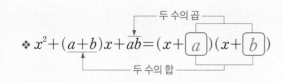

❖ $x^2 + \underset{\text{두 수의 합}}{\underline{(a+b)}}x + \overset{\text{두 수의 곱}}{\overline{ab}} = (x+\boxed{a})(x+\boxed{b})$

두 정수의 곱과 합이 주어질 때, 두 정수 구하기

1-1 곱과 합이 각각 다음과 같은 두 정수를 구하시오.

(1) 곱이 4, 합이 5

(2) 곱이 −8, 합이 2

(3) 곱이 −5, 합이 −4

1-2 곱과 합이 각각 다음과 같은 두 정수를 구하시오.

(1) 곱이 8, 합이 6

(2) 곱이 5, 합이 −6

(3) 곱이 −10, 합이 −3

인수분해 공식(3)

2-1 다음은 주어진 다항식을 인수분해하는 과정이다. ☐ 안에 알맞은 수를 써넣으시오.

(1) x^2+3x+2

곱이 2인 두 정수	두 정수의 합
1, ☐	☐
−1, −2	−3

∴ $x^2+3x+2=(x+1)(x+☐)$

(2) $x^2-10x+21$

곱이 21인 두 정수	두 정수의 합
1, 21	22
−1, −21	−22
3, 7	10
☐, −7	☐

∴ $x^2-10x+21=(x-☐)(x-7)$

(3) $x^2-2xy-15y^2$

곱이 −15인 두 정수	두 정수의 합
1, −15	−14
−1, 15	14
3, ☐	☐
−3, 5	2

∴ $x^2-2xy-15y^2=(x+3y)(x-☐y)$

2-2 다음 다항식을 인수분해하시오.

(1) x^2+4x+3

(2) x^2+x-6

(3) x^2-7x-8

(4) $x^2+xy-20y^2$

(5) $x^2-10xy-24y^2$

$$acx^2+(ad+bc)x+bd=(ax+b)(cx+d)$$

$acx^2+(ad+bc)x+bd$ 꼴의 인수분해

❶ 곱이 x^2의 계수 ac가 되는 두 양의 정수를 찾는다.

❷ 곱이 상수항 bd가 되는 두 정수를 찾는다.

❸ 대각선 방향으로 곱하여 더한 것이 x의 계수 $ad+bc$가 되는 네 정수를 찾는다.

❹ $(ax+b)(cx+d)$로 나타낸다.

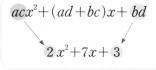

$2x^2+7x+3$을 인수분해해 보자.

① $ac=2$인 두 양의 정수를 찾는다.

② $bd=3$인 두 정수를 찾는다.

③ 대각선 방향으로 곱하여 더한 것이 7이 되는 네 정수를 찾는다.

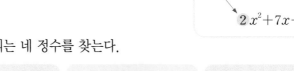

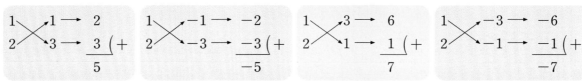

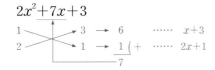

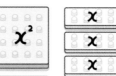 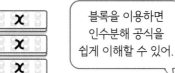

④ $2x^2+7x+3=(x+3)(2x+1)$

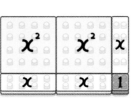

> 블록을 이용하면 인수분해 공식을 쉽게 이해할 수 있어.

회색 글씨를 따라 쓰면서 개념을 정리해 보세요.

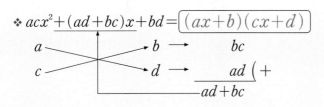

❖ $acx^2+(ad+bc)x+bd=\boxed{(ax+b)(cx+d)}$

인수분해 공식(4)

3-1 다음은 주어진 다항식을 인수분해하는 과정이다.
☐ 안에 알맞은 것을 써넣으시오.

(1) $3x^2+10x+7=(x+\boxed{})(3x+7)$

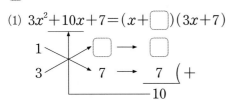

(2) $4x^2-8x+3=(2x-1)(\boxed{})$

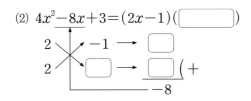

(3) $10x^2+xy-2y^2=(2x+y)(\boxed{})$

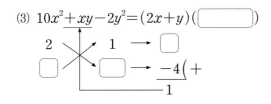

(4) $2x^2-xy-6y^2=(x-\boxed{})(\boxed{})$

3-2 다음 다항식을 인수분해하시오.

(1) $2x^2+5x+2$

(2) $3x^2+11x-4$

(3) $4x^2+8x-5$

(4) $3x^2+7xy+4y^2$

(5) $2x^2+5xy-7y^2$

(6) $2x^2-7xy-15y^2$

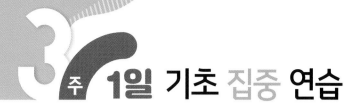
개념 01 인수분해 공식 (3)

$$x^2+(a+b)x+ab=(x+a)(x+b)$$

두 수의 곱

두 수의 합

1-1

곱과 합이 각각 다음과 같은 두 정수를 구하시오.

(1) 곱이 10, 합이 7

(2) 곱이 -20, 합이 1

(3) 곱이 -14, 합이 -5

1-2

다음 다항식을 인수분해하시오.

(1) x^2+6x+8

(2) $x^2-10x+16$

(3) $x^2+7xy-18y^2$

(4) $x^2-xy-12y^2$

1-3

$x^2+Ax+6=(x+B)(x+3)$일 때, 상수 A, B의 값을 각각 구하시오.

1-4

$x^2-6x-40$은 x의 계수가 1인 두 일차식의 곱으로 인수분해될 때, 두 일차식의 합은?

① $2x-4$ ② $2x-5$ ③ $2x-6$

④ $2x+7$ ⑤ $2x+8$

1-5

$(x+2)(x-6)-9$를 인수분해하면?

① $(x+1)(x-21)$ ② $(x+3)(x-7)$

③ $(x-3)(x+7)$ ④ $(x+1)(x-2)$

⑤ $(x-1)(x+21)$

개념 02 인수분해 공식 (4)

$$ac x^2+(ad+bc)x+bd=(ax+b)(cx+d)$$

$$a \longrightarrow b \longrightarrow \quad bc$$
$$c \longrightarrow d \longrightarrow \underline{\quad ad} \Big(+$$
$$\underline{\qquad\qquad} ad+bc$$

주의 다항식의 각 항에 공통인 인수가 있을 때에는 먼저 공통인 인수로 묶어낸 후 인수분해 공식을 이용한다.

2-1

다음 다항식을 인수분해하시오.

(1) $2x^2+9x+9$

(2) $6x^2+5x-4$

(3) $5x^2-4xy-9y^2$

(4) $10x^2+xy-21y^2$

공통인 인수가 있네!

(5) $10x^2-26x+12$

(6) $8x^2-8xy-6y^2$

2-2

$8x^2+Ax-6=(8x+3)(x+B)$일 때, 상수 A, B의 값을 각각 구하시오.

2-3

$4x^2-13x+10$이 두 일차식의 곱으로 인수분해될 때, 두 일차식의 합은?

① $5x-7$ ② $5x-3$ ③ $5x$

④ $5x+3$ ⑤ $5x+7$

2-4

다음 두 다항식의 공통인 인수는?

$$2x^2-5x-12, \quad 6x^2+13x+6$$

① $x-4$ ② $2x+3$ ③ $3x+2$

④ $2x-6$ ⑤ $6x+1$

공통인 인수가 있으면 먼저 공통인 인수로 묶어낸 후 인수분해 공식을 이용한다.

▶ **공통인 인수가 단항식인 경우**

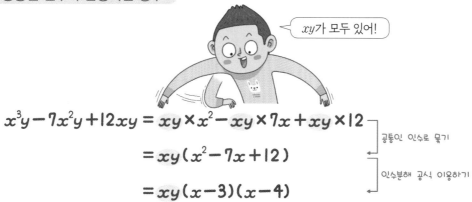

xy가 모두 있어!

$$x^3y - 7x^2y + 12xy = xy \times x^2 - xy \times 7x + xy \times 12$$
$$= xy(x^2 - 7x + 12)$$
$$= xy(x-3)(x-4)$$

공통인 인수로 묶기

인수분해 공식 이용하기

▶ **공통인 인수가 다항식인 경우**

$(a+1)$이 공통으로 있군.

$$(a+1)b^2 - (a+1) = (a+1) \times b^2 - (a+1) \times 1$$
$$= (a+1)(b^2 - 1)$$
$$= (a+1)(b+1)(b-1)$$

공통인 인수로 묶기

인수분해 공식 이용하기

인수분해 공식!
벌써 잊진 않았겠지?

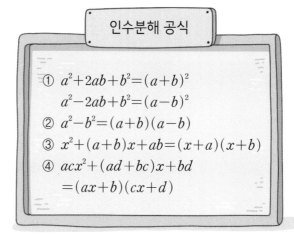

인수분해 공식

① $a^2 + 2ab + b^2 = (a+b)^2$
  $a^2 - 2ab + b^2 = (a-b)^2$
② $a^2 - b^2 = (a+b)(a-b)$
③ $x^2 + (a+b)x + ab = (x+a)(x+b)$
④ $acx^2 + (ad+bc)x + bd$
  $= (ax+b)(cx+d)$

회색 글씨를 따라 쓰면서 개념을 정리해 보세요.

❖ 공통인 인수가 있으면 먼저 공통인 인수로 묶어 낸 후 인수분해 공식을 이용한다.

개념 원리 확인

○정답과 풀이 **33**쪽

복잡한 식의 인수분해 (1) – 공통인 인수가 단항식인 경우

1-1 다음 다항식을 인수분해하시오.

(1) $4x^2y - 20xy + 25y$

(2) $2ax^2 + 8ax + 8a$

(3) $x^3 - xy^2$

(4) $3a^2b - 3ab - 36b$

1-2 다음 다항식을 인수분해하시오.

(1) $ax^2 - 6ax + 9a$

(2) $2x^2y + 4xy^2 + 2y^3$

(3) $x^2y - y^3$

(4) $2ax^2 + 2ax - 60a$

복잡한 식의 인수분해 (2) – 공통인 인수가 다항식인 경우

2-1 다음 다항식을 인수분해하시오.

(1) $x(x+1) - 3(x+1)$

(2) $x^2(x+1) - 9(x+1)$

(3) $(x+y)x^2 - 16(x+y)$

2-2 다음 다항식을 인수분해하시오.

(1) $(2a+b)a + (2a+b)b$

(2) $x^2(x+1) - 4(x+1)$

(3) $(a+b)x^2 - (a+b)y^2$

▶ **공통인 인수로 묶어 계산하기**

$ma+mb=m(a+b)$, $ma-mb=m(a-b)$를 이용하여 계산한다.

$$500 \times 499 - 500 \times 497$$
$$= 500 \times (499-497)$$
$$= 500 \times 2$$
$$= 1000$$

> 500을 공통인 인수로 생각하고 공통인 인수로 묶어낸다.

▶ **제곱의 차를 이용하여 계산하기**

$a^2-b^2=(a+b)(a-b)$를 이용하여 계산한다.

$$35^2-15^2=(35+15)(35-15)$$
$$= 50 \times 20$$
$$= 1000$$

> $35=a$, $15=b$로 생각하면
> $35^2-15^2=a^2-b^2$
> $\qquad\qquad=(a+b)(a-b)$
> $\qquad\qquad=(35+15)(35-15)$

▶ **완전제곱식을 이용하여 계산하기**

$a^2+2ab+b^2=(a+b)^2$, $a^2-2ab+b^2=(a-b)^2$을 이용하여 계산한다.

$$46^2+8 \times 46+16 = 46^2+2 \times 46 \times 4+4^2$$
$$= (46+4)^2$$
$$= 50^2$$
$$= 2500$$

> $46=a$, $4=b$로 생각하면
> $46^2+2 \times 46 \times 4+4^2=a^2+2ab+b^2$
> $\qquad\qquad\qquad\qquad\qquad=(a+b)^2$
> $\qquad\qquad\qquad\qquad\qquad=(46+4)^2$

회색 글씨를 따라 쓰면서 개념을 정리해 보세요.

❖ 수의 계산에서 많이 이용되는 인수분해 공식

① $ma+mb=\boxed{m(a+b)}$, $ma-mb=\boxed{m(a-b)}$

② $a^2-b^2=\boxed{(a+b)(a-b)}$

③ $a^2+2ab+b^2=\boxed{(a+b)^2}$, $a^2-2ab+b^2=\boxed{(a-b)^2}$

개념 원리 확인

◦정답과 풀이 **34**쪽

인수분해 공식을 이용한 수의 계산

3-1 다음은 인수분해 공식을 이용하여 주어진 수를 계산하는 과정이다. 계산할 때 이용하면 가장 편리한 인수분해 공식을 [보기] 에서 고르고, ⬚ 안에 알맞은 수를 써넣으시오.

보기

⊙ $ma+mb=m(a+b)$
ⓛ $a^2-b^2=(a+b)(a-b)$
ⓒ $a^2+2ab+b^2=(a+b)^2$
ⓔ $a^2-2ab+b^2=(a-b)^2$

(1) $12\times54+12\times46$ ➡ 편리한 공식 : _____

$=\boxed{}\times(54+46)$

$=\boxed{}\times100$

$=\boxed{}$

(2) 99^2-1 ➡ 편리한 공식 : _____

$=99^2-\boxed{}^2$

$=(99+\boxed{})(99-\boxed{})$

$=\boxed{}\times\boxed{}$

$=\boxed{}$

(3) $98^2+4\times98+4$ ➡ 편리한 공식 : _____

$=98^2+2\times98\times\boxed{}+\boxed{}^2$

$=(98+\boxed{})^2$

$=\boxed{}^2$

$=\boxed{}$

(4) $54^2-8\times54+4^2$ ➡ 편리한 공식 : _____

$=54^2-2\times54\times\boxed{}+4^2$

$=(54-\boxed{})^2$

$=\boxed{}^2$

$=\boxed{}$

3-2 인수분해 공식을 이용하여 다음을 계산하시오.

(1) $58\times63-58\times53$

(2) $25\times2.7+25\times1.3$

(3) 45^2-35^2

(4) $10\times41^2-10\times31^2$

(5) $79^2+2\times79+1$

(6) $32^2-4\times32+2^2$

3
주

2일

개념 01 복잡한 식의 인수분해

① 공통인 인수가 있는지 확인한다.
② 공통인 인수가 있으면 먼저 공통인 인수로 묶어낸
후 인수분해 공식을 이용한다.

1-1

다음 다항식을 인수분해하시오.

(1) $xy^2 - x$

(2) $2x^3 + 3x^2 + x$

(3) $18xy^2 - 32xz^2$

(4) $x^3y + 6x^2y^2 + 9xy^3$

(5) $3x(x-y) + 2(x-y)$

(6) $x^2(x-1) - 4(x-1)$

1-2

$(x+1)x^2 - 3x(x+1)$을 인수분해하였더니
$x(x+A)(x-B)$가 되었다. 이때 자연수 A, B의 값
을 각각 구하시오.

1-3

다음 다항식을 인수분해하시오.

(1) $(x+y)(x-2y) + (x+y)$

(2) $x^2(x+3) - (x+3)$

1-4

$4a^2(x+y) - b^2(x+y)$를 인수분해하면?

① $(x+y)(2a+b)^2$
② $(x+y)(4a^2-b^2)$
③ $(x+y)(2a+b)(2a-b)$
④ $(x-y)(4a+b)(4a-b)$
⑤ $(x-y)(2a+b)(2a-b)$

개념 02 인수분해 공식을 이용한 수의 계산

수의 계산에서 많이 이용되는 인수분해 공식은 다음과 같다.

① $ma+mb=m(a+b)$, $ma-mb=m(a-b)$
② $a^2-b^2=(a+b)(a-b)$
③ $a^2+2ab+b^2=(a+b)^2$, $a^2-2ab+b^2=(a-b)^2$

2-1

인수분해 공식을 이용하여 다음을 계산하시오.

(1) $64 \times 43 - 64 \times 33$

(2) $53 \times 2.5 + 47 \times 2.5$

(3) $97^2 - 3^2$

(4) $2 \times 105^2 - 2 \times 95^2$

(5) $95^2 + 2 \times 95 \times 5 + 5^2$

(6) $7.3^2 - 2 \times 7.3 \times 2.3 + 2.3^2$

2-2

$101^2 - 1^2$을 계산할 때, 가장 편리한 인수분해 공식은?

① $a^2+2ab+b^2=(a+b)^2$
② $a^2-2ab+b^2=(a-b)^2$
③ $a^2-b^2=(a+b)(a-b)$
④ $x^2+(a+b)x+ab=(x+a)(x+b)$
⑤ $acx^2+(ad+bc)x+bd=(ax+b)(cx+d)$

2-3

인수분해 공식을 이용하여 다음을 계산하시오.

$$102^2 - 102 \times 4 + 4$$

2-4

$\sqrt{52^2 - 48^2}$의 값을 구하려고 한다. 다음 물음에 답하시오.

(1) 인수분해 공식을 이용하여 $52^2 - 48^2$의 값을 구하시오.

(2) $\sqrt{52^2 - 48^2}$의 값을 구하시오.

이차방정식의 뜻

등식에서 우변에 있는 모든 항을 좌변으로 이항하여 정리한 식이 (x에 대한 이차식)$=0$의 꼴로 나타나는 방정식을 이차방정식이라고 한다.

$$ax^2+bx+c=0 \text{ (단, } a,\ b,\ c \text{는 상수, } a \neq 0)$$

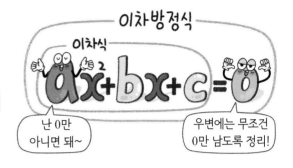

난 0만 아니면 돼~

우변에는 무조건 0만 남도록 정리!

이차방정식의 해

(1) x에 대한 이차방정식을 참이 되게 하는 x의 값을 이차방정식의 해 또는 근이라고 한다.

(2) 이차방정식의 해를 모두 구하는 것을 이차방정식을 푼다고 한다.

회색 글씨를 따라 쓰면서 개념을 정리해 보세요.

1 등식에서 우변에 있는 모든 항을 좌변으로 이항하여 정리한 식이 (x에 대한 이차식)$=0$ 의 꼴로 나타나는 방정식을 이차방정식 이라고 한다.

2 x에 대한 이차방정식을 참 이 되게 하는 x의 값 을 이차방정식의 해 또는 근 이라고 한다.

3 이차방정식의 해를 모두 구하는 것 을 이차방정식을 푼다 고 한다.

개념 원리 확인

○정답과 풀이 **35쪽**

식 정리하기

1-1 이차방정식 $(x-1)^2+4x=3$을 $x^2+bx+c=0$으로 나타낼 때, 상수 b, c의 값을 각각 구하시오.

1-2 이차방정식 $3(x-1)^2-2=x^2$을 $2x^2+bx+c=0$으로 나타낼 때, 상수 b, c의 값을 각각 구하시오.

이차방정식의 뜻

2-1 다음 중 x에 대한 이차방정식인 것에는 ○표, 이차방정식이 아닌 것에는 ×표를 ( ) 안에 써넣으시오.

(1) $2x^2-2x+1$　　　　　(　)

(2) $x^2-2x=1$　　　　　(　)

(3) $4+x^2=x^2-3x$　　　　(　)

(4) $(x-1)^2=-2x+3$　　　(　)

2-2 다음 중 x에 대한 이차방정식인 것에는 ○표, 이차방정식이 아닌 것에는 ×표를 ( ) 안에 써넣으시오.

(1) $x^2-4x+3=0$　　　　(　)

(2) $2x(x+1)=3+2x^2$　　(　)

(3) $x+3=-3x^2$　　　　(　)

(4) $(x+1)^2=3x^2+2x-1$　(　)

이차방정식의 해(근)

3-1 x의 값이 -2, -1, 0, 1일 때, 다음 표를 완성하고 이차방정식 $x^2+x-2=0$의 해를 구하시오.

x의 값	좌변	우변	참 / 거짓
-2		0	
-1		0	
0		0	
1		0	

3-2 다음 [ ] 안의 수가 주어진 이차방정식의 해인 것에는 ○표, 해가 아닌 것에는 ×표를 ( ) 안에 써넣으시오.

(1) $x^2+x=0$ [1]　　　　(　)

(2) $6x^2+5x-4=0$ $\left[\dfrac{1}{2} \right]$　(　)

(3) $(x+3)^2-4=0$ [-1]　(　)

(4) $(x-2)(x+1)=0$ [-2]　(　)

$AB=0$의 의미

두 수 또는 두 식 A, B에 대하여 다음이 성립한다.

$$AB=0\text{이면 } A=0 \text{ 또는 } B=0$$

[참고] $AB=0$이면

① $A=0$, $B=0$ 또는

② $A=0$, $B\neq0$ 또는

③ $A\neq0$, $B=0$

이므로 이 세 가지를 통틀어 $A=0$ 또는 $B=0$이라고 한다.

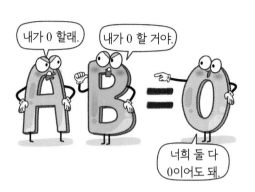

인수분해를 이용한 이차방정식의 풀이

이항하기	$x^2-3x=-2$
↓	$x^2-3x+2=0$
인수분해하기	$(x-1)(x-2)=0$
↓	$\underset{0}{\underline{\quad}}\quad\underset{0}{\underline{\quad}}$
해 구하기	$\therefore x=1 \text{ 또는 } x=2$

이항하여 (이차식)$=0$의 꼴로 정리한다.

좌변을 인수분해한다.

$x-1=0$ 또는 $x-2=0$임을 이용하여 해를 구한다.

회색 글씨를 따라 쓰면서 개념을 정리해 보세요.

1 두 수 또는 두 식 A, B에 대하여 $\boxed{AB=0\text{이면 } A=0 \text{ 또는 } B=0}$

2 인수분해를 이용한 이차방정식의 풀이

① 주어진 등식의 우변을 모두 좌변으로 이항하여 $\boxed{ax^2+bx+c=0}$의 꼴로 정리한다.

② 좌변을 $\boxed{\text{인수분해}}$한다.

③ $AB=0$이면 $\boxed{A=0}$ 또는 $\boxed{B=0}$임을 이용한다.

④ 이차방정식의 $\boxed{\text{해}}$를 구한다.

개념 원리 확인

◦정답과 풀이 **35**쪽

$AB=0$의 성질을 이용한 이차방정식의 풀이

4-1 다음 이차방정식을 푸시오.

 (1) $(x+1)(x-2)=0$

 (2) $x(x-3)=0$

 (3) $(x-1)(2x+3)=0$

4-2 다음 이차방정식을 푸시오.

 (1) $(x-3)(x+6)=0$

 (2) $x(x+4)=0$

 (3) $(x+1)(2x-1)=0$

인수분해를 이용한 이차방정식의 풀이 (1)

5-1 인수분해를 이용하여 다음 이차방정식을 푸시오.

 (1) $x^2-4x=0$

 (2) $x^2+4x-12=0$

 (3) $2x^2+9x-5=0$

5-2 인수분해를 이용하여 다음 이차방정식을 푸시오.

 (1) $x^2+5x=0$

 (2) $x^2-2x-15=0$

 (3) $6x^2-13x-5=0$

인수분해를 이용한 이차방정식의 풀이 (2)

6-1 인수분해를 이용하여 다음 이차방정식을 푸시오.

 (1) $x(x+1)=20$

 (2) $(x+4)(x-3)=2x-6$

 (3) $2x^2+6x=5(x+3)$

6-2 인수분해를 이용하여 다음 이차방정식을 푸시오.

 (1) $(x-4)(x+3)=8$

 (2) $(x+4)(x-4)=-2x-8$

 (3) $3x^2-x-2=5(1-x)$

개념 01 이차방정식의 뜻

이차방정식 : 등식에서 우변에 있는 모든 항을 좌변으로 이항하여 정리한 식이 (x에 대한 이차식)$=0$의 꼴로 나타나는 방정식

➡ $ax^2+bx+c=0$ (단, a, b, c는 상수, $a\neq0$)

1-1

다음은 이항을 이용하여 등식을 정리한 것이다. ☐ 안에 알맞은 수를 써넣으시오.

(1) $5x^2-x=3x-1$ ➡ $5x^2-\boxed{}x+\boxed{}=0$

(2) $2x^2=(x-3)^2$ ➡ $x^2+\boxed{}x-\boxed{}=0$

(3) $(x-1)(3x+2)=x^2$ ➡ $\boxed{}x^2-x-\boxed{}=0$

1-2

다음 중 x에 대한 이차방정식인 것에는 ○표, 이차방정식이 아닌 것에는 ×표를 ( ) 안에 써넣으시오.

(1) $x=x^2+2$　　　　　　　　　　(　)

(2) $2x^2-3x-8$　　　　　　　　　(　)

(3) $4+x^2=x^2+5x$　　　　　　　(　)

(4) $x^3+10x=7x^2+x^3$　　　　　(　)

1-3

다음은 주어진 등식이 x에 대한 이차방정식이 되기 위한 상수 a의 조건을 구하는 과정이다. ☐ 안에 알맞은 것을 써넣으시오.

(1) $ax^2+2x+1=0$

➡ (x^2의 계수)$\neq0$이어야 하므로 $a\neq\boxed{}$

(2) $(a-1)x^2-2x+3=0$

➡ $\boxed{}\neq0$　　∴ $a\neq\boxed{}$

개념 02 이차방정식의 해(근)

이차방정식의 해(근) : x에 대한 이차방정식을 참이 되게 하는 x의 값

2-1

x의 값이 -1, 0, 1일 때, 이차방정식 $x^2+x=0$의 해를 구하시오.

2-2

다음 [ ] 안의 수가 주어진 이차방정식의 해인 것에는 ○표, 해가 아닌 것에는 ×표를 ( ) 안에 써넣으시오.

(1) $(x+5)^2=0$ [5]　　　　　　(　)

(2) $x^2+4x=0$ [0]　　　　　　(　)

(3) $x^2-2x-8=0$ [-2]　　　　(　)

(4) $2x^2+x-1=0$ [-1]　　　　(　)

2-3

이차방정식 $x^2+ax+3=0$의 한 근이 $x=1$일 때, 상수 a의 값을 구하시오.

개념 03 $AB=0$의 성질을 이용한 이차방정식의 풀이

두 수 또는 두 식 A, B에 대하여
$AB=0$이면 $A=0$ 또는 $B=0$

3-1

다음 이차방정식을 푸시오.

(1) $(x+1)(x+2)=0$

(2) $x(x-5)=0$

(3) $(2x-1)(x+3)=0$

(4) $(3x-5)(2x-1)=0$

3-2

다음 이차방정식 중 해가 $x=-2$ 또는 $x=\dfrac{3}{2}$인 것은?

① $(x-1)(x-2)=0$
② $(2x+1)(x-2)=0$
③ $(x+2)(2x-3)=0$
④ $(2x+3)(x-2)=0$
⑤ $2(x+3)(x-2)=0$

개념 04 인수분해를 이용한 이차방정식의 풀이

① 주어진 등식의 우변을 모두 좌변으로 이항하여
   $ax^2+bx+c=0$의 꼴로 정리한다.
② 좌변을 인수분해한다.
③ $AB=0$이면 $A=0$ 또는 $B=0$임을 이용한다.
④ 이차방정식의 해를 구한다.

4-1

인수분해를 이용하여 다음 이차방정식을 푸시오.

(1) $x^2-x=0$

(2) $x^2-16=0$

(3) $4x^2-1=0$

(4) $x^2-3x-10=0$

(5) $2x^2+3x-5=0$

(6) $6x^2-13x+6=0$

4-2

이차방정식 $(x-1)(x+4)=6$을 풀면?

① $x=-2$ 또는 $x=5$
② $x=-1$ 또는 $x=4$
③ $x=1$ 또는 $x=-4$
④ $x=2$ 또는 $x=-5$
⑤ $x=2$ 또는 $x=5$

이차방정식의 중근

이차방정식의 두 해가 중복일 때, 이 해를 주어진 이차방정식의 중근이라고 한다.

$$x^2 - 2x = -1$$
$$x^2 - 2x + 1 = 0$$
$$(x-1)^2 = 0$$
$$\underset{\overset{\shortparallel}{0}}{(x-1)}\underset{\overset{\shortparallel}{0}}{(x-1)} = 0$$
$$\therefore x = 1$$

이항하여 (이차식)=0의 꼴로 정리한다.

좌변을 인수분해한다.

$(x-1)^2 = (x-1)(x-1)$

$x-1=0$ 또는 $x-1=0$임을 이용하여 해를 구한다.

이차방정식이 중근을 가질 조건

이차방정식이 (완전제곱식)=0의 꼴로 변형되면 이 이차방정식은 중근을 갖는다.

이차방정식 $a(x-p)^2=0$의 해 ➡ $x=p$

[예] 이차방정식 $x^2+4x+k=0$이 중근을 가지도록 하는 상수 k의 값은

$$k = \left(\frac{4}{2}\right)^2 = 4$$

p. 76에서 완전제곱식이 되기 위한 조건을 배웠어요!

회색 글씨를 따라 쓰면서 개념을 정리해 보세요.

1 이차방정식의 두 해가 중복일 때, 이 해를 주어진 이차방정식의 중근 이라고 한다.

2 이차방정식이 (완전제곱식)=0의 꼴로 변형되면 이 이차방정식은 중근을 갖는다.

➡ 이차방정식 $x^2+ax+b=0$이 중근을 가지려면 $b = \left(\dfrac{a}{2}\right)^2$

개념 원리 확인

○ 정답과 풀이 **37**쪽

이차방정식의 중근

1-1 다음 이차방정식을 푸시오.

(1) $(x+1)^2=0$

(2) $(2x-1)^2=0$

(3) $x^2-4x+4=0$

(4) $4x^2+4x+1=0$

1-2 다음 이차방정식을 푸시오.

(1) $(x-3)^2=0$

(2) $(3x+2)^2=0$

(3) $x^2+6x+9=0$

(4) $9x^2-6x+1=0$

이차방정식이 중근을 가질 조건 (1)

2-1 다음 이차방정식이 중근을 가질 때, 상수 k의 값을 구하시오.

(1) $x^2+2x+k=0$

(2) $x^2-16x+2k=0$

2-2 다음 이차방정식이 중근을 가질 때, 상수 k의 값을 구하시오.

(1) $x^2-4x+k=0$

(2) $x^2+8x+2k=0$

이차방정식이 중근을 가질 조건 (2)

3-1 다음 이차방정식이 중근을 가질 때, 양수 k의 값을 구하시오.

(1) $x^2+kx+25=0$

(2) $x^2+2kx+81=0$

3-2 다음 이차방정식이 중근을 가질 때, 양수 k의 값을 구하시오.

(1) $x^2-kx+9=0$

(2) $x^2-2kx+49=0$

▶ 이차방정식 $x^2=q$ (단, $q>0$)의 해

$x^2-10=0$

$x^2=10$ 이항하여 $x^2=q$의 꼴로 정리한다.

$\therefore x=\pm\sqrt{10}$

$x^2=q$ (단, $q>0$)의 해

➡ $x=\pm\sqrt{q}$

▶ 이차방정식 $(x+p)^2=q$ (단, $q>0$)의 해

$(x-2)^2=8$

$x-2=\pm2\sqrt{2}$ $x-2$를 하나의 문자로 생각한다.

$\therefore x=2\pm2\sqrt{2}$

$(x+p)^2=q$ (단, $q>0$)의 해

➡ $x+p=\pm\sqrt{q}$

$\therefore x=-p\pm\sqrt{q}$

회색 글씨를 따라 쓰면서 개념을 정리해 보세요.

1 이차방정식 $x^2=q$ (단, $q>0$)의 해는 $\boxed{x=\pm\sqrt{q}}$ 이다.

2 이차방정식 $(x+p)^2=q$ (단, $q>0$)의 해는 $\boxed{x=-p\pm\sqrt{q}}$ 이다.

개념 원리 확인

○정답과 풀이 **38**쪽

제곱근을 이용한 이차방정식의 풀이 (1)

4-1 제곱근을 이용하여 다음 이차방정식을 푸시오.

(1) $x^2=3$

(2) $2x^2=4$

(3) $x^2-12=0$

(4) $3x^2-24=0$

4-2 제곱근을 이용하여 다음 이차방정식을 푸시오.

(1) $x^2=5$

(2) $2x^2=12$

(3) $x^2-18=0$

(4) $2x^2-64=0$

제곱근을 이용한 이차방정식의 풀이 (2)

5-1 제곱근을 이용하여 다음 이차방정식을 푸시오.

(1) $(x+1)^2=3$

(2) $(x-2)^2=5$

(3) $(x+5)^2=16$

5-2 제곱근을 이용하여 다음 이차방정식을 푸시오.

(1) $(x-1)^2=2$

(2) $(x+3)^2=6$

(3) $(x+4)^2=36$

제곱근을 이용한 이차방정식의 풀이 (3)

6-1 제곱근을 이용하여 다음 이차방정식을 푸시오.

(1) $2(x-1)^2=4$

(2) $2(x+3)^2=6$

(3) $3(x-2)^2=12$

6-2 제곱근을 이용하여 다음 이차방정식을 푸시오.

(1) $2(x+3)^2=10$

(2) $3(x-4)^2=9$

(3) $4(x+5)^2=36$

개념 01 이차방정식의 중근

이차방정식의 두 해가 중복일 때, 이 해를 주어진 이차방정식의 중근이라고 한다.

1-1

다음 이차방정식을 푸시오.

(1) $(x+7)^2=0$

(2) $(3x-4)^2=0$

(3) $(4x+5)^2=0$

(4) $x^2-6x+9=0$

(5) $x^2-12x+36=0$

(6) $x^2+10x+25=0$

(7) $4x^2-4x+1=0$

(8) $9x^2-12x+4=0$

(9) $25x^2+10x+1=0$

개념 02 이차방정식이 중근을 가질 조건

이차방정식이 (완전제곱식)$=0$의 꼴로 변형되면 이 이차방정식은 중근을 갖는다.

➡ $x^2+ax+b=0$이 중근을 가지려면 $b=\left(\dfrac{a}{2}\right)^2$

2-1

다음 이차방정식 중 중근을 갖는 것에는 ○표, 중근을 갖지 않는 것에는 ×표를 (   ) 안에 써넣으시오.

(1) $x^2-5x-14=0$ (   )

(2) $3x^2+6x-9=0$ (   )

(3) $2x^2-8x+8=0$ (   )

2-2

다음 이차방정식이 중근을 가질 때, 상수 k의 값을 구하시오.

(1) $x^2+10x+k=0$

(2) $x^2-8x+k+1=0$

2-3

다음 이차방정식이 중근을 가질 때, 양수 k의 값을 구하시오.

(1) $x^2+kx+16=0$

(2) $x^2-2kx+25=0$

개념 03 제곱근을 이용한 이차방정식의 풀이

(1) 이차방정식 $x^2=q$ (단, $q>0$)의 해는
$$x=\pm\sqrt{q}$$
(2) 이차방정식 $(x+p)^2=q$ (단, $q>0$)의 해는
$$x=-p\pm\sqrt{q}$$

3-1

제곱근을 이용하여 다음 이차방정식을 푸시오.

(1) $x^2=8$

(2) $x^2-9=0$

(3) $3x^2=15$

(4) $5x^2-80=0$

(5) $9x^2-25=0$

(6) $(x-3)^2=5$

(7) $(x+4)^2=8$

(8) $(x+3)^2=16$

(9) $(x-6)^2=25$

3-2

이차방정식 $(x+1)^2=2$의 해가 $x=a\pm\sqrt{b}$일 때, $a+b$의 값을 구하시오. (단, a, b는 유리수)

3-3

제곱근을 이용하여 다음 이차방정식을 푸시오.

(1) $2(x+1)^2=6$

(2) $3(x-2)^2=15$

(3) $2(x+5)^2=18$

(4) $3(x-1)^2=12$

3-4

이차방정식 $5(x+3)^2=40$을 풀면?

① $x=1$ 또는 $x=-7$

② $x=-1$ 또는 $x=7$

③ $x=3\pm2\sqrt{2}$

④ $x=-3\pm2\sqrt{2}$

⑤ $x=-3\pm2\sqrt{10}$

완전제곱식을 이용한
이차방정식의 풀이

❶ 양변을 x^2의 계수로 나눈다.

$2x^2+8x-4=0$
$x^2+4x-2=0$

❷ 상수항을 우변으로 이항한다.

$x^2+4x=2$

❸ 양변에 $\left(\dfrac{x의\ 계수}{2}\right)^2$을 더한다.

$x^2+4x+\left(\dfrac{4}{2}\right)^2$
$=2+\left(\dfrac{4}{2}\right)^2$

❹ 좌변을 완전제곱식으로 고친다.

$(x+2)^2=6$

❺ 제곱근을 이용하여 해를 구한다.

$x+2=\pm\sqrt{6}$
$\therefore\ x=-2\pm\sqrt{6}$

회색 글씨를 따라 쓰면서 개념을 정리해 보세요.

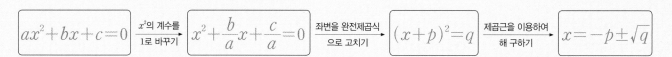

$ax^2+bx+c=0$ → x^2의 계수를 1로 바꾸기 → $x^2+\dfrac{b}{a}x+\dfrac{c}{a}=0$ → 좌변을 완전제곱식으로 고치기 → $(x+p)^2=q$ → 제곱근을 이용하여 해 구하기 → $x=-p\pm\sqrt{q}$

개념 원리 확인

○ 정답과 풀이 **40**쪽

완전제곱식의 꼴로 나타내기

1-1 다음 이차방정식을 $(x+p)^2=q$의 꼴로 나타내시오.

   (1) $x^2+4x=-1$

   (2) $x^2-10x+1=0$

1-2 다음 이차방정식을 $(x+p)^2=q$의 꼴로 나타내시오.

   (1) $x^2-12x=1$

   (2) $x^2+8x+6=0$

완전제곱식을 이용한 이차방정식의 풀이 (1)

2-1 다음은 완전제곱식을 이용하여 이차방정식을 푸는 과정이다. ◯ 안에 알맞은 수를 써넣으시오.

$x^2-6x-2=0$에서
$x^2-6x=2$
$x^2-6x+\boxed{}=2+\boxed{}$
$(x-\boxed{})^2=\boxed{}$
$x-\boxed{}=\pm\sqrt{\boxed{}}$
$\therefore x=\boxed{}\pm\sqrt{\boxed{}}$

2-2 다음은 완전제곱식을 이용하여 이차방정식을 푸는 과정이다. ◯ 안에 알맞은 수를 써넣으시오.

$2x^2+28x-4=0$에서
$x^2+14x-2=0$
$x^2+14x=2$
$x^2+14x+\boxed{}=2+\boxed{}$
$(x+\boxed{})^2=\boxed{}$
$x+\boxed{}=\pm\sqrt{\boxed{}}$
$\therefore x=\boxed{}\pm\sqrt{\boxed{}}$

완전제곱식을 이용한 이차방정식의 풀이 (2)

3-1 완전제곱식을 이용하여 다음 이차방정식을 푸시오.

   (1) $x^2+2x-5=0$

   (2) $2x^2-20x+8=0$

3-2 완전제곱식을 이용하여 다음 이차방정식을 푸시오.

   (1) $x^2-4x-8=0$

   (2) $3x^2+18x-3=0$

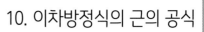

예 근의 공식을 이용하여 이차방정식 $2x^2+5x-1=0$을 풀어 보자.

$a=2$, $b=5$, $c=-1$이므로

$$x=\frac{-5\pm\sqrt{5^2-4\times2\times(-1)}}{2\times2}=\frac{-5\pm\sqrt{33}}{4}$$

회색 글씨를 따라 쓰면서 개념을 정리해 보세요.

❖ 이차방정식 $ax^2+bx+c=0$ (단, $a\neq0$)의 근은 $x=\dfrac{-b\pm\sqrt{b^2-4ac}}{2a}$ (단, $b^2-4ac\geq0$)

개념 원리 확인

○ 정답과 풀이 **40**쪽

이차방정식의 근의 공식 (1)

4-1 다음은 $ax^2+bx+c=0$ (단, $a\neq0$)의 꼴의 이차방정식을 푸는 과정이다. ☐ 안에 알맞은 수를 써넣으시오.

(1) $x^2+x-5=0$

① $a=$☐, $b=$☐, $c=$☐

② $x=\dfrac{-☐\pm\sqrt{☐^2-4\times☐\times(☐)}}{2\times☐}$

$=$☐

(2) $2x^2-7x+4=0$

① $a=$☐, $b=$☐, $c=$☐

② $x=\dfrac{-(☐)\pm\sqrt{(☐)^2-4\times☐\times☐}}{2\times☐}$

$=$☐

4-2 다음은 $ax^2+bx+c=0$ (단, $a\neq0$)의 꼴의 이차방정식을 푸는 과정이다. ☐ 안에 알맞은 수를 써넣으시오.

(1) $x^2+5x-4=0$

① $a=$☐, $b=$☐, $c=$☐

② $x=\dfrac{-☐\pm\sqrt{☐^2-4\times☐\times(☐)}}{2\times☐}$

$=$☐

(2) $3x^2-5x+1=0$

① $a=$☐, $b=$☐, $c=$☐

② $x=\dfrac{-(☐)\pm\sqrt{(☐)^2-4\times☐\times☐}}{2\times☐}$

$=$☐

이차방정식의 근의 공식 (2)

5-1 근의 공식을 이용하여 다음 이차방정식을 푸시오.

(1) $x^2-3x+1=0$

(2) $x^2+4x-8=0$

(3) $2x^2-10x+1=0$

5-2 근의 공식을 이용하여 다음 이차방정식을 푸시오.

(1) $x^2+x-7=0$

(2) $x^2+6x+6=0$

(3) $3x^2+4x-2=0$

개념 01 완전제곱식을 이용한 이차방정식의 풀이

이차방정식 $ax^2+bx+c=0$ (단, $a≠0$)의 좌변이 인수분해되지 않을 때는 $(x+p)^2=q$의 꼴로 고친 후 제곱근을 이용하여 해를 구한다.

1-1

다음 이차방정식을 $(x+p)^2=q$의 꼴로 나타낼 때, 상수 p, q의 값을 각각 구하시오.

(1) $x^2+2x-1=0$

(2) $x^2+10x+3=0$

(3) $x^2+8x-15=0$

(4) $2x^2-12x+8=0$

(5) $3x^2-12x-6=0$

1-2

다음은 완전제곱식을 이용하여 이차방정식 $x^2-6x+2=0$의 해를 구하는 과정이다. 상수 A~E의 값으로 옳지 <u>않은</u> 것은?

> $x^2-6x+2=0$에서
> $x^2-6x=A$
> $x^2-6x+B=A+B$
> $(x+C)^2=D$
> $∴ x=E$

① $A=-2$ ② $B=9$ ③ $C=3$

④ $D=7$ ⑤ $E=3±\sqrt{7}$

1-3

완전제곱식을 이용하여 이차방정식 $4x^2-8x-3=0$을 풀려고 한다. 다음 물음에 답하시오.

(1) 이차방정식 $4x^2-8x-3=0$을 $(x+p)^2=q$의 꼴로 나타낼 때, 상수 p, q의 값을 각각 구하시오.

(2) 제곱근을 이용하여 해를 구하시오.

1-4

완전제곱식을 이용하여 이차방정식 $x^2-12x+10=0$을 풀었더니 해가 $x=A±\sqrt{B}$이었다. 이때 유리수 A, B의 값을 각각 구하시오.

개념 02 이차방정식의 근의 공식

이차방정식 $ax^2+bx+c=0$ (단, $a\neq0$)의 근은

$$x=\frac{-b\pm\sqrt{b^2-4ac}}{2a} \ (단, \ b^2-4ac\geq0)$$

2-1

근의 공식을 이용하여 다음 이차방정식을 푸시오.

(1) $x^2-x-4=0$

(2) $x^2+5x+1=0$

(3) $2x^2+5x-2=0$

(4) $3x^2+2x-3=0$

(5) $2x^2-2x-1=0$

(6) $2x^2-6x-3=0$

2-2

다음은 근의 공식을 이용하여 이차방정식 $x^2-3x-1=0$의 해를 구하는 과정이다. ☐ 안에 들어갈 값으로 옳지 <u>않은</u> 것은?

$x^2-3x-1=0$에서

$a=1$, $b=$①, $c=$②이므로

근의 공식에 대입하면

$$x=\frac{-(-3)\pm\sqrt{(⑤③)^2-4\times1\times(④)}}{2\times1}$$

$$=\frac{3\pm\sqrt{⑤}}{2}$$

① -3 ② -1 ③ -3

④ 1 ⑤ 13

2-3

이차방정식 $2x^2-5x+1=0$의 해가 $x=\frac{A\pm\sqrt{B}}{4}$일 때, $A+B$의 값을 구하시오. (단, A, B는 유리수)

2-4

근의 공식을 이용하여 이차방정식 $3x^2+7x+m=0$을 풀었더니 해가 $x=\frac{-7\pm\sqrt{37}}{6}$이었다. 이때 유리수 m의 값을 구하시오.

01 다음 다항식을 인수분해하시오.

(1) $x^2 - 7x - 30$

(2) $14x^2 - 17x - 6$

(3) $x^2y + 9xy + 18y$

(4) $x(x-4) + (x-4)$

02 $6x^2 + Ax - 8 = (3x - B)(2x + 4)$일 때, 상수 A, B의 값을 각각 구하시오.

03 다음 두 다항식의 공통인 인수는?

$$x^2 + 4x - 12, \ 2x^2 - 7x + 6$$

① $x - 6$ ② $x - 2$ ③ $x + 2$

④ $x + 6$ ⑤ $2x - 3$

04 인수분해 공식을 이용하여 다음을 계산하시오.

$$51^2 - 102 + 1$$

05 다음 중 이차방정식인 것은?

① $\dfrac{1}{2}x^2 - x - 2$

② $x^2 - 1 = 2x^3$

③ $(x-5)^2 = 3x$

④ $(x+1)(x-1) = x^2 - x$

⑤ $3x + 6 = 0$

○ 정답과 풀이 **42**쪽

06 다음 중 [ ] 안의 수가 주어진 이차방정식의 해인 것은?

① $x^2-3x-4=0$ [1]
② $2x^2+8x+6=0$ [-2]
③ $2x^2+x-1=0$ [-1]
④ $x^2-4x-12=0$ [2]
⑤ $x(x-1)=2$ [1]

07 다음 이차방정식을 푸시오.

(1) $(x-3)(2x+1)=0$

(2) $x^2+3x-54=0$

(3) $10x^2=6x^2+4x+3$

(4) $x^2+8x+16=0$

08 이차방정식 $x^2-10x+14+k=0$이 중근을 가질 때, 상수 k의 값을 구하시오.

09 다음은 로아가 이차방정식 $2x^2+8x-4=0$을 $(x+p)^2=q$의 꼴로 고치는 과정을 나타낸 것이다. ☐ 안에 알맞은 수를 써넣으시오.

$2x^2+8x-4=0$에서
$x^2+4x-\boxed{}=0$
$x^2+4x=2$
$x^2+4x+\boxed{}=2+\boxed{}$
$\therefore (x+\boxed{})^2=\boxed{}$

10 다음 물음에 답하시오.

(1) 이차방정식 $(x-2)^2-4=1$의 해가 $x=A\pm\sqrt{B}$일 때, 유리수 A, B의 값을 각각 구하시오.

(2) 이차방정식 $3x^2+x-1=0$의 해가 $x=\dfrac{A\pm\sqrt{B}}{6}$ 일 때, 유리수 A, B의 값을 각각 구하시오.

1 다음 ☐ 안에 알맞은 것을 써넣으시오.

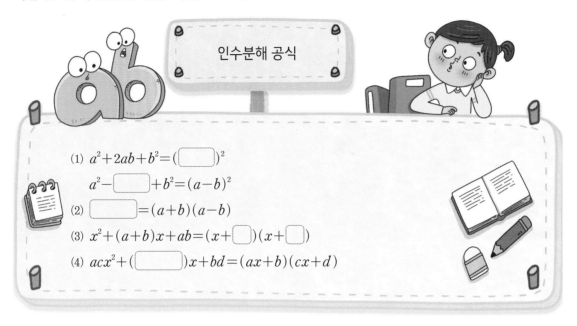

인수분해 공식

(1) $a^2+2ab+b^2=(\boxed{})^2$

$a^2-\boxed{}+b^2=(a-b)^2$

(2) $\boxed{}=(a+b)(a-b)$

(3) $x^2+(a+b)x+ab=(x+\boxed{\ })(x+\boxed{\ })$

(4) $acx^2+(\boxed{})x+bd=(ax+b)(cx+d)$

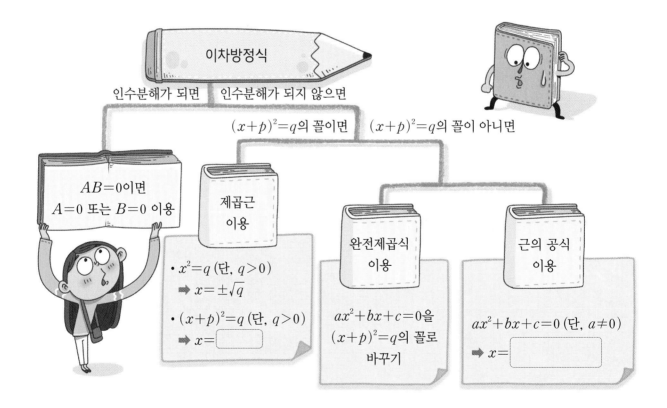

이차방정식

인수분해가 되면   인수분해가 되지 않으면

$(x+p)^2=q$의 꼴이면 $(x+p)^2=q$의 꼴이 아니면

$AB=0$이면
$A=0$ 또는 $B=0$ 이용

제곱근
이용

완전제곱식
이용

근의 공식
이용

• $x^2=q$ (단, $q>0$)
➡ $x=\pm\sqrt{q}$

• $(x+p)^2=q$ (단, $q>0$)
➡ $x=\boxed{}$

$ax^2+bx+c=0$을
$(x+p)^2=q$의 꼴로
바꾸기

$ax^2+bx+c=0$ (단, $a\neq0$)
➡ $x=\boxed{}$

○정답과 풀이 **43**쪽

2 오른쪽 그림과 같이 넓이가 $10x^2+29xy+21y^2$인 직사각형 모양의 액자의 가로의 길이가 $5x+7y$일 때, 둘레의 길이를 구하려고 한다. 다음 물음에 답하시오.

$5x+7y$

(1) 다항식 $10x^2+29xy+21y^2$을 인수분해하시오.

(2) 액자의 세로의 길이를 구하시오.

(3) 액자의 둘레의 길이를 구하시오.

3 정인이는 뷔페식당에서 야채죽부터 시작하여 순서대로 음식을 먹으려고 한다. 각 다항식을 인수분해한 후 음식에 적힌 다항식과 공통인 인수를 가지고 있는 다항식이 적힌 음식을 다음 음식으로 정하려고 할 때, 어떤 순서로 음식을 먹어야 하는지 구하시오.

야채죽

$(1)\ x^2+2x+1$

잡채

$(2)\ 6x^2-5x+1$

김밥

$(3)\ 3x^2-4x+1$

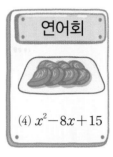

연어회

$(4)\ x^2-8x+15$

피자

$(5)\ 4x^2-1$

샐러드

$(6)\ x^2-2x-3$

갈비찜

$(7)\ 2x^2-9x-5$

케이크

$(8)\ x^2-2x+1$

4 다음 그림과 같이 반지름의 길이가 각각 25, 15인 원 모양의 두 피자를 6등분하였을 때, 큰 피자 한 조각의 넓이와 작은 피자 한 조각의 넓이의 차를 구하려고 한다. 물음에 답하시오.

(1) 큰 피자 한 조각의 넓이를 구하는 식을 다음과 같이 나타낼 때, ☐ 안에 알맞은 수를 써넣으시오.

➡ (큰 피자 한 조각의 넓이)$=\pi \times \boxed{}^2 \times \boxed{}$

(2) 작은 피자 한 조각의 넓이를 구하는 식을 다음과 같이 나타낼 때, ☐ 안에 알맞은 수를 써넣으시오.

➡ (작은 피자 한 조각의 넓이)$=\pi \times \boxed{}^2 \times \boxed{}$

(3) 인수분해 공식을 이용하여 큰 피자 한 조각의 넓이와 작은 피자 한 조각의 넓이의 차를 구하시오.

5 수학 나라에 있는 보물 상자를 열려면 비밀번호를 알아야 한다. 세 문지기가 낸 다음 문제를 풀고, 답과 연결된 알파벳을 차례대로 써넣어 보물 상자를 여시오.

(1) 다음 중 이차방정식인 것을 고르시오.

$x^2 + 2x = x^2$ H

$x^2 - x = -x$ K

(2) 다음 중 등식 $(2-a)x^2 + 3x - 1 = 0$ 이 x에 대한 이차방정식이 되기 위한 상수 a의 조건을 고르시오.

$a \neq 2$ E

$a \neq -2$ A

(3) 다음 이차방정식 중 $x = 1$이 해인 것을 고르시오.

$x^2 + x - 2 = 0$ Y

$x^2 - x - 2 = 0$ T

○정답과 풀이 **43**쪽

6 다음 이차방정식을 풀고, 그 해와 짝 지어진 물건만 아래 그림에서 찾으시오.

(1) $x^2+x=0$ (2) $x^2-4x+3=0$ (3) $7x^2-14x+7=0$

(4) $4x^2-9=0$ (5) $3(x-2)^2=21$ (6) $3x^2+3x-1=0$

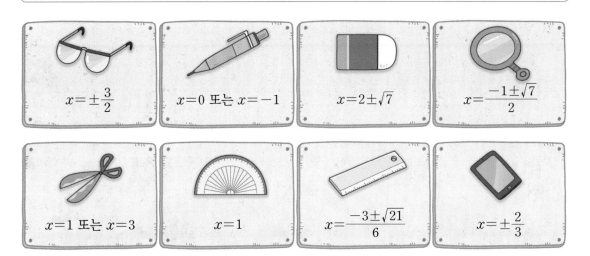

$x=\pm\dfrac{3}{2}$ $x=0$ 또는 $x=-1$ $x=2\pm\sqrt{7}$ $x=\dfrac{-1\pm\sqrt{7}}{2}$

$x=1$ 또는 $x=3$ $x=1$ $x=\dfrac{-3\pm\sqrt{21}}{6}$ $x=\pm\dfrac{2}{3}$

이번 주에는 무엇을 공부할까? ❶

• 이번 주에 공부할 내용
이차방정식의 활용 / 이차함수의 뜻 / 이차함수의 그래프

1일

이차방정식을 이용하여
여러 가지 활용 문제를 풀어보자.

내가 땅에 떨어지는
것은 몇 초 후일까?

공이 땅에 떨어지면
공의 높이는 0 m이죠.

2일

이차함수의 뜻을 알고,
이차함수의 그래프의
모양을 알아보자.

$y=x^2$

$y=-x^2$

서로 대칭이죠.

오~

3, 4일

여러 가지 이차함수의 그래프를 그려보고,
각각의 그래프의 성질을 알아보자.

5일

이차함수 $y=ax^2+bx+c$의 그래프를
$y=a(x-p)^2+q$의 꼴로 고쳐
그래프를 그려보자.

이번 주에는 무엇을 공부할까? ❷

 문장을 등식으로 나타낼 수 있는가?

1-1

연속하는 세 자연수의 합이 72일 때, 세 자연수를 구하려고 한다. ☐ 안에 알맞은 것을 써넣으시오.

> 연속하는 세 자연수 중 가운데 수를 x로 놓으면
> $(\boxed{})+x+(\boxed{})=72$
> $\boxed{}x=72 \qquad \therefore\ x=\boxed{}$
> 따라서 연속하는 세 자연수는 $\boxed{}, \boxed{}, \boxed{}$이다.

- **문자의 사용** : 문자를 사용하여 어떤 수량 사이의 관계를 식으로 간단히 나타낼 수 있다.
- **곱셈 기호의 생략** : 문자를 사용한 식에서 곱셈 기호 ×를 생략하여 간단히 나타낼 수 있다.
- **나눗셈 기호의 생략** : 문자를 사용한 식에서 나눗셈 기호 ÷를 생략하여 분수 꼴로 나타내거나 역수의 곱셈으로 바꿔서 곱셈 기호를 생략한다.
- **등식** : 등호(=)를 사용하여 두 수 또는 두 식이 서로 같음을 나타낸 식

1-2

다음 주어진 문장을 등식으로 나타내시오.

(1) x의 3배에 2를 더한 값은 17이다.

(2) 가로의 길이가 x cm, 세로의 길이가 y cm인 직사각형의 둘레의 길이는 28 cm이다.

(3) 시속 40 km로 x시간 동안 달린 거리는 240 km이다.

🔍 **함수의 뜻을 알고, 함숫값을 구할 수 있는가?**

2-1

함수 $f(x)=-5x+3$에 대하여 다음 ☐ 안에 알맞은 수를 써넣으시오.

(1) $f(2)=-5\times\boxed{}+3=\boxed{}$

(2) $f\left(-\dfrac{1}{5}\right)=-5\times\left(\boxed{}\right)+3=\boxed{}$

- **함수** : 두 변수 x, y에 대하여 x의 값이 변함에 따라 y의 값이 하나씩 정해지는 대응 관계가 있을 때, y를 x의 함수라고 한다.
- **함숫값** : 함수 $y=f(x)$에서 x의 값이 정해지면 그에 따라 정해지는 y의 값, 즉 $f(x)$의 값을 x의 함숫값이라고 한다.

2-2

다음 함수에 대하여 $f(-2)$의 값을 구하시오.

(1) $f(x)=4x$

(2) $f(x)=\dfrac{12}{x}$

(3) $f(x)=-2x+1$

🔍 일차함수의 뜻을 알고 있는가?

3-1

다음 중 일차함수인 것에는 ○표, 일차함수가 아닌 것에는
×표를 (   ) 안에 써넣으시오.

(1) $y=5x-2$　　　　　　　　　　　　　(   )

(2) $y=\dfrac{10}{x}$　　　　　　　　　　　　　(   )

(3) $y=x(x-1)$　　　　　　　　　　　(   )

- 일차함수 : 함수 $y=f(x)$에서 y가 x에 대한 일차식
  $y=ax+b$(단, a, b는 상수, $a\neq0$)로 나타날 때, 이
  함수를 x에 대한 일차함수라고 한다.

예 ① $y=2x$, $y=-3x+5$, $y=\dfrac{1}{2}x-1$은 일차함수이다.

② $y=x^2+2x+1$, $y=\dfrac{1}{x}$, $y=2$는 일차함수가 아니다.

3-2

다음 보기 중 일차함수인 것을 모두 고르시오.

보기
ㄱ. $y=3x-4$　　　　ㄴ. $y=-\dfrac{2}{x}+1$

ㄷ. $y=6$　　　　　　ㄹ. $y=3x^2-x+7$

ㅁ. $y=2x^2-x(2x+5)$　　ㅂ. $y=-(x+3)+x$

🔍 일차함수의 그래프를 평행이동할 수 있는가?

4-1

다음 일차함수의 그래프는 일차함수 $y=-3x$의 그래프를 y
축의 방향으로 얼마만큼 평행이동한 것인지 말하시오.

(1) $y=-3x+4$

(2) $y=-3x-7$

- 평행이동 : 한 도형을 일정한 방향으로 일정한 거리만
  큼 옮기는 것
- 일차함수 $y=ax+b$의 그래
  프 : 일차함수 $y=ax$의 그
  래프를 y축의 방향으로 b만
  큼 평행이동한 것

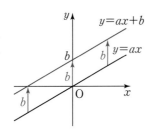

4-2

다음 중 일차함수 $y=2x-5$의 그래프 위의 점이 <u>아닌</u> 것
은?

① $(-3, -11)$　　　　② $(-1, -7)$

③ $(1, -3)$　　　　　④ $(3, -1)$

⑤ $(5, 5)$

▶ 괄호가 있는 경우

분배법칙, 곱셈 공식 등을 이용하여 괄호를 푼다.

$$(x+1)(x-7)=-15$$

괄호를 푼다.

$$x^2-6x-7=-15$$

우변의 모든 항을
좌변으로 이항하여
정리한다.

$$x^2-6x+8=0$$

괄호가 있으면?

분배법칙, 곱셈 공식으로
괄호를 풀어.

▶ 계수가 소수인 경우

양변에 10의 거듭제곱을 곱하여 계수를 정수로 바꾼다.

$$0.1x^2-0.3x-0.2=0$$

$\times 10 \quad \times 10 \quad \times 10$

$$x^2-3x-2=0$$

양변에 10의 거듭제곱을 곱한다.

참고 $0 \times$ (어떤 수)$=0$이다.

10의 거듭제곱을
곱할래.

▶ 계수가 분수인 경우

양변에 분모의 최소공배수를 곱하여 계수를 정수로 바꾼다.

$$\frac{1}{4}x^2-\frac{1}{2}x-\frac{1}{3}=0$$

$\times 12 \quad \times 12 \quad \times 12$

$$3x^2-6x-4=0$$

양변에 분모의 최소공배수를 곱한다.

참고 4, 2, 3의 최소공배수 구하기

```
2 | 4  2  3
    2  1  3
```

∴ (최소공배수)$=2 \times 2 \times 1 \times 3=12$

계수가 분수이면?

회색 글씨를 따라 쓰면서 개념을 정리해 보세요.

1 괄호가 있는 경우 : 분배법칙, 곱셈 공식 등을 이용하여 괄호를 푼다.

2 계수가 소수인 경우 : 양변에 10의 거듭제곱 을 곱하여 계수를 정수로 바꾼다.

3 계수가 분수인 경우 : 양변에 분모의 최소공배수 를 곱하여 계수를 정수로 바꾼다.

개념 원리 확인

○정답과 풀이 **44**쪽

복잡한 이차방정식의 풀이 – 괄호가 있는 경우

1-1 다음은 이차방정식 $(x-1)^2=2x^2-2$를 푸는 과정이다. ☐ 안에 알맞은 수를 써넣으시오.

> $(x-1)^2=2x^2-2$ ← 괄호를 푼다.
> $x^2-2x+☐=2x^2-2$ ← 동류항끼리 정리한다.
> $x^2+☐x-☐=0$ ← 좌변을 인수분해한다.
> $(x-1)(x+☐)=0$
> $\therefore x=1$ 또는 $x=☐$

1-2 다음 이차방정식을 푸시오.

(1) $(x+2)(x-5)=3x$

(2) $2x^2=(x-1)(x-4)+1$

(3) $(x-1)(2x+1)=(x-1)^2$

복잡한 이차방정식의 풀이 – 계수가 소수인 경우

2-1 다음은 이차방정식 $0.1x^2+0.1x-1=0$을 푸는 과정이다. ☐ 안에 알맞은 수를 써넣으시오.

> $0.1x^2+0.1x-1=0$ ← 양변에 10을 곱한다.
> $x^2+x-☐=0$ ← 근의 공식을 이용한다.
> $\therefore x=\dfrac{☐\pm\sqrt{1^2-4\times1\times(☐)}}{2\times☐}$
> $\quad=\dfrac{-1\pm\sqrt{☐}}{2}$

2-2 다음 이차방정식을 푸시오.

(1) $0.1x^2+0.6x+0.8=0$

(2) $0.7x^2+0.3x-0.1=0$

(3) $0.4x^2-x+0.3=0$

복잡한 이차방정식의 풀이 – 계수가 분수인 경우

3-1 다음은 이차방정식 $\dfrac{1}{3}x^2-\dfrac{1}{4}x-\dfrac{1}{12}=0$을 푸는 과정이다. ☐ 안에 알맞은 수를 써넣으시오.

> $\dfrac{1}{3}x^2-\dfrac{1}{4}x-\dfrac{1}{12}=0$ ← 양변에 12를 곱한다.
> $4x^2-3x-☐=0$ ← 좌변을 인수분해한다.
> $(x-☐)(☐x+1)=0$
> $\therefore x=1$ 또는 $x=☐$

3-2 다음 이차방정식을 푸시오.

(1) $\dfrac{1}{5}x^2+\dfrac{1}{2}x-\dfrac{3}{10}=0$

(2) $\dfrac{1}{3}x^2+\dfrac{2}{3}x-\dfrac{1}{5}=0$

(3) $\dfrac{1}{2}x^2-x+\dfrac{1}{6}=0$

9주

1일

4주 1일

▶ 연속하는 수에 대한 문제

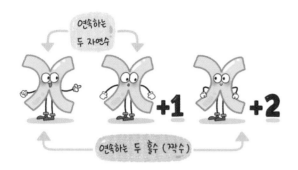

- 연속하는 두 자연수의 곱이 12이다.
  - ➡ $x(x+1)=12$
- 연속하는 두 홀수의 곱이 143이다.
  - ➡ $x(x+2)=143$

▶ 쏘아 올린 물체에 대한 문제

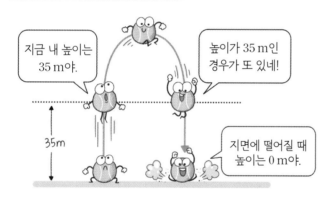

지면에서 초속 40 m로 똑바로 쏘아 올린 공의 x초 후의 높이가 $(-5x^2+40x)$ m일 때,

- 쏘아 올린 물체의 높이가 35 m이다.
  - ➡ $-5x^2+40x=35$
- 쏘아 올린 물체가 지면으로 떨어졌다.
  - ➡ $-5x^2+40x=0$ ← 높이가 0 m

▶ 도형에 대한 문제

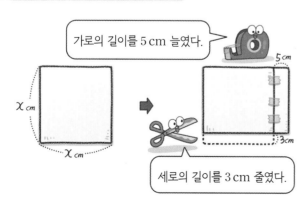

처음 정사각형의 한 변의 길이를 x cm라고 하면

- 정사각형의 가로의 길이를 5 cm 늘이고, 세로의 길이를 3 cm 줄였더니 그 넓이가 240 cm^{2}가 되었다.
  - ➡ $(x+5)(x-3)=240$

개념 원리 확인

○정답과 풀이 **45**쪽

연속하는 수에 대한 문제

4-1 연속하는 두 자연수의 곱이 132일 때, 이 두 자연수를 구하시오.

4-2 연속하는 두 짝수의 곱이 168일 때, 이 두 짝수를 구하시오.

쏘아 올린 물체에 대한 문제

5-1 지면에서 초속 70 m로 쏘아 올린 물체의 x초 후의 높이가 $(70x-5x^2)$ m일 때, 이 물체의 높이가 120 m가 되는 것은 물체를 쏘아 올린 지 몇 초 후인지 구하시오.

5-2 공중으로 던진 농구공의 x초 후의 높이가 $(-5x^2+9x+2)$ m일 때, 이 농구공이 땅에 떨어지는 것은 농구공을 던지고 나서 몇 초 후인지 구하시오.

도형에 대한 문제

6-1 다음 그림과 같이 정사각형의 가로의 길이를 2 cm 늘이고, 세로의 길이를 3 cm 줄였더니 그 넓이가 84 cm²가 되었다. 처음 정사각형의 한 변의 길이를 구하시오.

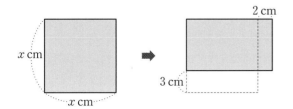

6-2 다음 그림과 같이 정사각형의 가로의 길이를 3 cm, 세로의 길이를 6 cm 늘였더니 그 넓이가 처음 정사각형의 넓이의 3배가 되었다. 처음 정사각형의 한 변의 길이를 구하시오.

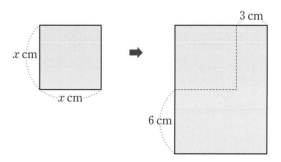

개념 01 복잡한 이차방정식의 풀이

(1) 괄호가 있는 경우 : 분배법칙, 곱셈 공식 등을 이용하여 괄호를 푼다.

(2) 계수가 소수인 경우 : 양변에 10의 거듭제곱을 곱하여 계수를 정수로 바꾼다.

(3) 계수가 분수인 경우 : 양변에 분모의 최소공배수를 곱하여 계수를 정수로 바꾼다.

1-1

다음 이차방정식을 푸시오.

(1) $(x+1)(x-2)=2x-4$

(2) $(x+1)^2=(x-1)(2x+1)$

(3) $0.2x^2+0.3x-0.2=0$

(4) $0.3x^2-0.4x-1=0$

(5) $\dfrac{1}{6}x^2+\dfrac{1}{2}x+\dfrac{1}{3}=0$

(6) $\dfrac{1}{2}x^2-\dfrac{1}{5}x=1$

1-2

이차방정식 $2x(x-1)=(x-2)(3x-1)$을 풀면?

① $x=0$ 또는 $x=5$

② $x=5\pm\sqrt{17}$

③ $x=\dfrac{5\pm\sqrt{17}}{2}$

④ $x=\dfrac{-5\pm\sqrt{17}}{2}$

⑤ $x=\dfrac{5\pm\sqrt{33}}{2}$

1-3

이차방정식 $\dfrac{1}{4}x^2-\dfrac{1}{2}x-\dfrac{1}{3}=0$의 해가 $x=\dfrac{A\pm\sqrt{B}}{3}$일 때, 두 정수 A, B의 값을 각각 구하시오.

1-4

이차방정식 $\dfrac{1}{5}x^2-0.3x-\dfrac{1}{2}=0$을 풀려고 한다. 다음 물음에 답하시오.

(1) 0.3을 기약분수로 나타내시오.

(2) $\dfrac{1}{5}x^2-0.3x-\dfrac{1}{2}=0$의 양변에 적당한 수를 곱하여 계수가 가장 간단한 정수인 식으로 나타내시오.

(3) (2)의 이차방정식을 푸시오.

개념 02 이차방정식의 활용

이차방정식의 활용 문제를 푸는 순서
❶ 문제의 뜻을 파악하고, 구하려고 하는 것을 x로 놓기
❷ 문제의 뜻에 맞게 이차방정식 세우기
❸ 이차방정식 풀기
❹ 구한 해가 문제의 뜻에 맞는지 확인하기

2-1

연속하는 두 자연수의 제곱의 합이 41일 때, 이 두 자연수를 구하시오.

2-2

정인이는 준호보다 4세 더 많다. 두 사람의 나이의 곱이 192일 때, 준호와 정인이의 나이를 각각 구하시오.

2-3

지면에서 초속 20 m로 쏘아 올린 물체의 x초 후의 높이가 $(20x-5x^2)$ m일 때, 다음 물음에 답하시오.

(1) 이 물체의 높이가 15 m가 되는 것은 물체를 쏘아 올린 지 몇 초 후인지 구하시오.

(2) 이 물체가 지면에 떨어지는 것은 물체를 쏘아 올린 지 몇 초 후인지 구하시오.

2-4

오른쪽 그림과 같이 가로, 세로의 길이가 각각 16 m, 12 m인 직사각형 모양의 땅에 폭이 x m로 일정한 길을 만들었더니 길을 제외한 땅의 넓이가 96 m²이었다. 다음 물음에 답하시오.

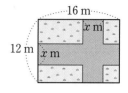

(1) ◯ 안에 알맞은 것을 써넣으시오.

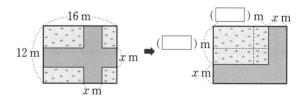

(2) x의 값을 구하시오.

2-5

오른쪽 그림과 같이 정사각형 모양의 종이의 네 귀퉁이에서 같은 크기의 정사각형을 각각 잘라 내어 윗면이 없는 직육면체 모양의 상자를 만들었더니 상자의 부피가 147 cm³가 되었다. 다음 물음에 답하시오.

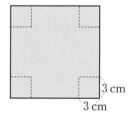

(1) ◯ 안에 알맞은 것을 써넣으시오.

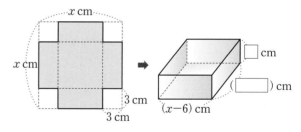

(2) 상자의 부피가 147 cm³임을 이용하여 x에 대한 이차방정식을 세우시오.

(3) (2)에서 세운 이차방정식을 푸시오.

(4) 처음 정사각형 모양의 종이의 한 변의 길이를 구하시오.

▶ 이차함수

함수 $y=f(x)$에서 y가 x에 대한 이차식

$$y=ax^2+bx+c\ (\text{단, } a,\ b,\ c\text{는 상수, } a\neq 0)$$

로 나타날 때, 이 함수를 x에 대한 이차함수라고 한다.

내가 0이어도 되겠지?

안돼! 네가 0이면 나는 사라진다고! 내가 없으면 우리는 이차함수가 될 수 없어!

[예] 이차함수인 예와 이차함수가 아닌 예

이차함수의 예	이차함수가 아닌 예
① $y=x^2$ ➡ $a=1,\ b=0,\ c=0$ ② $y=-x^2+3$ ➡ $a=-1,\ b=0,\ c=3$ ③ $y=2x^2+3x-1$ ➡ $a=2,\ b=3,\ c=-1$	① $y=-3x+2$ ➡ $y=(x\text{에 대한 일차식})$이므로 일차함수 ② $y=\dfrac{2}{x^2}$ ➡ x^2이 분모에 있다. ③ $y=x^3+x^2-1$ ➡ x^3이 있다.

▶ 이차함수의 함숫값

함수 $y=f(x)$에서 x의 값이 정해지면 그에 따라 정해지는 y의 값을 함숫값이라고 한다.

[예] 함수 $f(x)=x^2+3x+1$에 대하여 $f(-2)$의 값을 구하시오.

➡ $f(-2)=(-2)^2+3\times(-2)+1=4-6+1=-1$

회색 글씨를 따라 쓰면서 개념을 정리해 보세요.

1 함수 $y=f(x)$에서 y가 x에 대한 이차식, 즉 $\boxed{y=ax^2+bx+c}$ (단, a, b, c는 상수, $a\neq 0$)로 나타날 때, 이 함수를 x에 대한 $\boxed{\text{이차함수}}$라고 한다.

2 함수 $y=f(x)$에서 x의 값이 정해지면 그에 따라 정해지는 y의 값을 $\boxed{\text{함숫값}}$이라고 한다.

개념 원리 확인

○정답과 풀이 **47쪽**

이차함수의 뜻 (1)

1-1 다음 중 y가 x에 대한 이차함수인 것에는 ○표, 이차함수가 아닌 것에는 ×표를 ( ) 안에 써넣으시오.

(1) $y = 2x + 1$　　　　　　　　(　)

(2) $y = x^2 + 2$　　　　　　　　(　)

(3) $y = \dfrac{1}{x^2} + 3$　　　　　　　　(　)

(4) $3x^2 + 2x + 1$　　　　　　　(　)

1-2 다음 보기 중 이차함수인 것을 모두 고르시오.

보기
ㄱ. $y = -x + 1$　　　ㄴ. $y = -3x(2-x)$

ㄷ. $y = -\dfrac{x^2}{5}$　　　ㄹ. $y = x^2 - (x + x^2)$

이차함수의 뜻 (2)

2-1 다음 문장에서 y를 x에 대한 식으로 나타내고, 이차함수인 것에는 ○표, 이차함수가 아닌 것에는 ×표를 ( ) 안에 써넣으시오.

(1) 5000원으로 x원짜리 공책 3권을 사고 남은 돈이 y원이다.

　　　　　　　　　　　　　(　)

(2) 한 변의 길이가 $(x+1)$ cm인 정사각형의 넓이는 y cm²이다.

　　　　　　　　　　　　　(　)

(3) 시속 60 km로 달리는 자동차가 x시간 동안 이동한 거리는 y km이다.

　　　　　　　　　　　　　(　)

2-2 다음 문장에서 y를 x에 대한 식으로 나타내고, 이차함수인 것에는 ○표, 이차함수가 아닌 것에는 ×표를 ( ) 안에 써넣으시오.

(1) 한 개에 300원 하는 지우개 x개의 가격은 y원이다.

　　　　　　　　　　　　　(　)

(2) 반지름의 길이가 x cm인 원의 넓이는 y cm²이다.

　　　　　　　　　　　　　(　)

(3) 밑변의 길이가 x cm이고 높이가 $(x+1)$ cm인 삼각형의 넓이는 y cm²이다.

　　　　　　　　　　　　　(　)

4주

2일

이차함수의 함숫값

3-1 이차함수 $f(x) = x^2 + 1$에 대하여 다음을 구하시오.

(1) $f(1)$

(2) $f(-1)$

3-2 이차함수 $f(x) = -2x^2 + x - 3$에 대하여 다음을 구하시오.

(1) $f(2)$

(2) $f(-1)$

4. 이차함수 $y=x^2$, $y=-x^2$의 그래프

이차함수 $y=x^2$의 그래프

(1) 원점을 지나고 **아래로** 볼록한 곡선이다.

(2) y축에 대칭이다.

(3) $x<0$일 때, x의 값이 증가하면 y의 값은 감소한다.

　　$x>0$일 때, x의 값이 증가하면 y의 값도 증가한다.

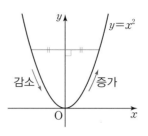

y축에 대칭이면 y축으로 접었을 때 그래프가 완전히 포개어져.

이차함수 $y=-x^2$의 그래프

(1) 원점을 지나고 **위로** 볼록한 곡선이다.

(2) y축에 대칭이다.

(3) $x<0$일 때, x의 값이 증가하면 y의 값도 증가한다.

　　$x>0$일 때, x의 값이 증가하면 y의 값은 감소한다.

(4) $y=x^2$의 그래프와 x축에 대칭이다.

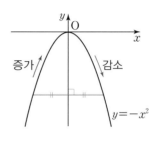

x축에 대칭이면 x축으로 접었을 때 두 그래프가 완전히 포개어져.

두 이차함수 $y=x^2$과 $y=-x^2$의 그래프를 한 좌표평면 위에 그리면 x축에 대칭임을 한눈에 알 수 있어!

아래로 볼록한 곡선!

위로 볼록한 곡선!

회색 글씨를 따라 쓰면서 개념을 정리해 보세요.

1 이차함수 $y=x^2$의 그래프

(1) 원점을 지나고 아래로 볼록한 곡선이다.

(2) y축에 대칭이다.

(3) $x<0$일 때, x의 값이 증가하면 y의 값은 감소

　　$x>0$일 때, x의 값이 증가하면 y의 값도 증가

2 이차함수 $y=-x^2$의 그래프

(1) 원점을 지나고 위로 볼록한 곡선이다.

(2) y축에 대칭이다.

(3) $x<0$일 때, x의 값이 증가하면 y의 값도 증가

　　$x>0$일 때, x의 값이 증가하면 y의 값은 감소

(4) $y=x^2$의 그래프와 x축에 대칭이다.

개념 원리 확인

○정답과 풀이 **47**쪽

이차함수 $y=x^2$, $y=-x^2$의 그래프 그리기

4-1 이차함수 $y=x^2$에 대하여 다음 물음에 답하시오.

(1) 아래 표를 완성하시오.

x	$\cdots$	-3	-2	-1	0	1	2	3	$\cdots$
y	$\cdots$								$\cdots$

(2) (1)의 표를 이용하여 이차함수 $y=x^2$의 그래프를 아래 좌표평면 위에 그리시오.

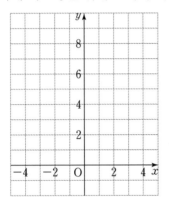

4-2 이차함수 $y=-x^2$에 대하여 다음 물음에 답하시오.

(1) 아래 표를 완성하시오.

x	$\cdots$	-3	-2	-1	0	1	2	3	$\cdots$
y	$\cdots$								$\cdots$

(2) (1)의 표를 이용하여 이차함수 $y=-x^2$의 그래프를 아래 좌표평면 위에 그리시오.

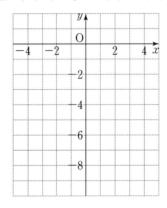

이차함수 $y=x^2$, $y=-x^2$의 그래프의 성질

5-1 다음은 이차함수 $y=x^2$의 그래프에 대한 설명이다. ( ) 안의 알맞은 것에 ○표 하시오.

(1) (위, 아래)로 볼록한 곡선이다.

(2) (x축, y축)에 대칭이다.

(3) $x<0$일 때, x의 값이 증가하면 y의 값은 (증가, 감소)한다.

(4) $x>0$일 때, x의 값이 증가하면 y의 값은 (증가, 감소)한다.

5-2 다음은 이차함수 $y=-x^2$의 그래프에 대한 설명이다. ( ) 안의 알맞은 것에 ○표 하시오.

(1) (위, 아래)로 볼록한 곡선이다.

(2) (x축, y축)에 대칭이다.

(3) $x<0$일 때, x의 값이 증가하면 y의 값은 (증가, 감소)한다.

(4) $x>0$일 때, x의 값이 증가하면 y의 값은 (증가, 감소)한다.

(5) $y=x^2$의 그래프와 (x축, y축)에 대칭이다.

주 2일 기초 집중 연습

○ 정답과 풀이 48쪽

개념 01 이차함수

이차함수 : 함수 $y=f(x)$에서 y가 x에 대한 이차식, 즉 $y=ax^2+bx+c$ (단, a, b, c는 상수, $a\neq0$)로 나타날 때, 이 함수를 x에 대한 이차함수라고 한다.

1-1

다음 중 이차함수인 것을 모두 고르면? (정답 2개)

① $y=\dfrac{1}{2}x^2+3$ ② $y=(x-1)^2-x^2$

③ $x(2x-1)$ ④ $y=1-5x^2$

⑤ $y=\dfrac{3}{x^2}-5$

1-2

다음 중 y가 x에 대한 이차함수인 것은?

① 반지름의 길이가 x cm인 구의 부피는 y cm^{3}이다.

② 꼭짓점의 개수가 x인 정다각형의 대각선의 개수는 y이다.

③ 한 통에 5자루씩 들어 있는 연필 x통의 연필의 수는 y자루이다.

④ 자동차를 타고 시속 70 km로 x시간 동안 이동한 거리는 y km이다.

⑤ 가로의 길이가 x cm이고 세로의 길이가 6 cm인 직사각형의 넓이는 y cm^{2}이다.

1-3

함수 $y=(3-k)x^2+kx+2$가 x에 대한 이차함수일 때, 다음 중 상수 k의 값으로 옳지 <u>않은</u> 것은?

① -3 ② -2 ③ 0

④ 2 ⑤ 3

개념 02 이차함수의 함숫값

함숫값 : 함수 $y=f(x)$에서 x의 값이 정해지면 그에 따라 정해지는 y의 값

2-1

이차함수 $f(x)=4x^2-6x+1$에 대하여 다음을 구하시오.

(1) $f(-1)$

(2) $f(0)$

(3) $f\left(\dfrac{1}{2}\right)$

2-2

1 m 높이의 발사대에서 쏘아 올린 물 로켓의 x초 후의 높이를 y m라고 하면 $y=-5x^2+10x+1$인 관계가 성립한다고 한다. 이때 쏘아 올린 지 2초 후의 물 로켓의 높이를 구하시오.

2-3

이차함수 $f(x)=-2x^2+x+3$에 대하여 $f(-1)-f(1)$의 값을 구하시오.

개념 03 이차함수 $y=x^2$의 그래프

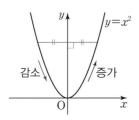

(1) 원점을 지나고 아래로 볼록한 곡선이다.
(2) y축에 대칭이다.
(3) $x<0$일 때, x의 값이 증가하면 y의 값은 감소한다.
    $x>0$일 때, x의 값이 증가하면 y의 값도 증가한다.

3-1

다음 중 이차함수 $y=x^2$의 그래프에 대한 설명으로 옳은 것에는 ○표, 옳지 않은 것에는 ×표를 (　) 안에 써넣으시오.

(1) 원점을 지나고 아래로 볼록한 곡선이다. (　　)

(2) x축에 대칭이다. (　　)

(3) 점 $(2, 2)$를 지난다. (　　)

(4) 제4사분면을 지난다. (　　)

(5) x의 값이 -4에서 -1까지 증가할 때, y의 값은 감소한다. (　　)

(6) x의 값이 3에서 5까지 증가할 때, y의 값도 증가한다. (　　)

개념 04 이차함수 $y=-x^2$의 그래프

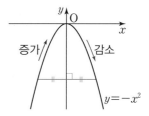

(1) 원점을 지나고 위로 볼록한 곡선이다.
(2) y축에 대칭이다.
(3) $x<0$일 때, x의 값이 증가하면 y의 값도 증가한다.
    $x>0$일 때, x의 값이 증가하면 y의 값은 감소한다.
(4) $y=x^2$의 그래프와 x축에 대칭이다.

4-1

다음 중 이차함수 $y=-x^2$의 그래프에 대한 설명으로 옳은 것에는 ○표, 옳지 않은 것에는 ×표를 (　) 안에 써넣으시오.

(1) 원점을 지나고 아래로 볼록한 곡선이다. (　　)

(2) y축에 대칭이다. (　　)

(3) 점 $(2, -2)$를 지난다. (　　)

(4) 제3, 4사분면을 지난다. (　　)

(5) x의 값이 1에서 3까지 증가할 때, y의 값도 증가한다. (　　)

(6) x의 값이 -1에서 0까지 증가할 때, y의 값도 증가한다. (　　)

이차함수의 그래프의 축과 꼭짓점

(1) 포물선 : 이차함수 $y=x^2$, $y=-x^2$의 그래프와 같은 모양의 곡선

(2) 축 : 포물선이 대칭이 되는 직선

(3) 꼭짓점 : 포물선과 축의 교점

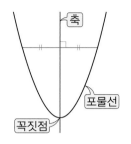

이차함수 $y=ax^2$의 그래프

(1) 원점을 꼭짓점으로 하고, y축을 축으로 하는 포물선이다.

  ① 꼭짓점의 좌표 : $(0,\ 0)$

  ② 축의 방정식 : $x=0$ (y축)

(2) $a>0$이면 아래로 볼록하고, $a<0$이면 위로 볼록하다.

(3) a의 절댓값이 클수록 그래프의 폭이 좁아진다.

(4) $y=ax^2$의 그래프와 $y=-ax^2$의 그래프는 x축에 서로 대칭이다.

참고 이차함수 $y=ax^2$의 그래프에서 a의 값의 의미

① 그래프의 모양 결정

② 그래프의 폭 결정

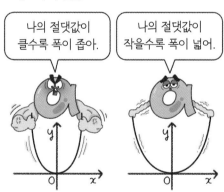

회색 글씨를 따라 쓰면서 개념을 정리해 보세요.

1 이차함수 $y=ax^2$의 그래프는 원점을 꼭짓점 으로 하고, y축을 축 으로 하는 포물선이다.

2 $a>0$이면 아래로 볼록 하고, $a<0$이면 위로 볼록 하다.

3 a의 절댓값이 클수록 그래프의 폭이 좁아 진다.

4 $y=ax^2$의 그래프와 $y=-ax^2$의 그래프는 x축에 서로 대칭 이다.

개념 원리 확인

○정답과 풀이 **48**쪽

이차함수 $y=ax^2$의 그래프 그리기

1-1 다음 보기의 이차함수의 그래프를 좌표평면 위에 각각 그리고, ☐ 안에 알맞은 것을 써넣으시오.

> 보기
> ㉠ $y=3x^2$ ㉡ $y=\dfrac{1}{8}x^2$ ㉢ $y=\dfrac{3}{4}x^2$

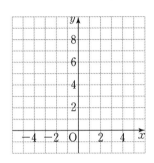

(1) 그래프의 모양은 ☐ 볼록하다.

(2) 꼭짓점의 좌표는 (☐, ☐)이다.

(3) 폭이 가장 넓은 그래프는 ☐이다.

(4) $x<0$일 때, x의 값이 증가하면 y의 값은 ☐한다.

(5) $x>0$일 때, x의 값이 증가하면 y의 값은 ☐한다.

1-2 다음 보기의 이차함수의 그래프를 좌표평면 위에 각각 그리고, ☐ 안에 알맞은 것을 써넣으시오.

> 보기
> ㉠ $y=-3x^2$ ㉡ $y=-\dfrac{1}{8}x^2$ ㉢ $y=-\dfrac{3}{4}x^2$

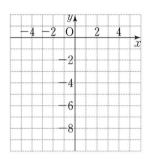

(1) 그래프의 모양은 ☐ 볼록하다.

(2) 꼭짓점의 좌표는 (☐, ☐)이다.

(3) 폭이 가장 좁은 그래프는 ☐이다.

(4) $x<0$일 때, x의 값이 증가하면 y의 값은 ☐한다.

(5) $x>0$일 때, x의 값이 증가하면 y의 값은 ☐한다.

이차함수 $y=ax^2$의 그래프의 성질

2-1 아래 보기의 이차함수에 대하여 다음을 구하시오.

> 보기
> ㉠ $y=-3x^2$ ㉡ $y=\dfrac{4}{3}x^2$ ㉢ $y=3x^2$
> ㉣ $y=-\dfrac{4}{3}x^2$ ㉤ $y=4x^2$ ㉥ $y=-2x^2$

(1) 위로 볼록한 그래프

(2) 폭이 가장 좁은 그래프

(3) x축에 서로 대칭인 두 그래프

2-2 아래 보기의 이차함수에 대하여 다음을 구하시오.

> 보기
> ㉠ $y=\dfrac{1}{5}x^2$ ㉡ $y=-\dfrac{5}{2}x^2$ ㉢ $y=\dfrac{3}{4}x^2$
> ㉣ $y=-\dfrac{3}{4}x^2$ ㉤ $y=-x^2$ ㉥ $y=\dfrac{5}{2}x^2$

(1) 아래로 볼록한 그래프

(2) 폭이 가장 넓은 그래프

(3) x축에 서로 대칭인 두 그래프

9주
3일

두 이차함수 $y=x^2$, $y=x^2+3$에 대하여 함숫값을 구하면 다음 표와 같다.

x	$\cdots$	-3	-2	-1	0	1	2	3	$\cdots$
x^2	$\cdots$	9	4	1	0	1	4	9	$\cdots$
x^2+3	$\cdots$	12	7	4	3	4	7	12	$\cdots$

$y=x^2+3$의 함숫값이 $y=x^2$의 함숫값보다 항상 3만큼 크네.

$y=x^2+3$의 그래프는 $y=x^2$의 그래프를 y축의 방향으로 3만큼 평행이동

이차함수 $y=ax^2+q$의 그래프

(1) 이차함수 $y=ax^2$의 그래프를 y축의 방향으로 q만큼 평행이동한 것이다.

$$y=ax^2 \xrightarrow[q\text{만큼 평행이동}]{y\text{축의 방향으로}} y=ax^2+q$$

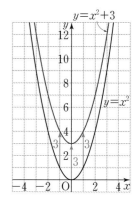

① $q>0$이면 y축의 양의 방향으로 평행이동

② $q<0$이면 y축의 음의 방향으로 평행이동

(2) 꼭짓점의 좌표 : $(0,\ q)$

(3) 축의 방정식 : $x=0$ (y축)

참고 ① $y=ax^2$의 그래프를 y축의 방향으로 q만큼 평행이동하면 꼭짓점의 좌표는 변하고, 축의 방정식은 변하지 않는다.

② x^2의 계수 a는 변하지 않으므로 그래프의 모양과 폭은 변하지 않는다.

회색 글씨를 따라 쓰면서 개념을 정리해 보세요.

식의 변화	$y=ax^2 \xrightarrow[q\text{만큼 평행이동}]{y\text{축의 방향으로}} \boxed{y=ax^2+q}$	
꼭짓점의 좌표	$(0,\ 0)$	$\boxed{(0,\ q)}$
축의 방정식	$x=0$	$\boxed{x=0}$
그래프 ($a>0$, $q>0$)		

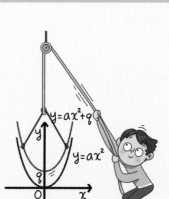

○ 정답과 풀이 **49**쪽

이차함수 $y=ax^2+q$의 그래프 (1)

3-1 다음 이차함수의 그래프는 $y=3x^2$의 그래프를 y축의 방향으로 얼마만큼 평행이동한 것인지 구하시오.

(1) $y=3x^2+2$

(2) $y=3x^2-4$

3-2 다음 이차함수의 그래프는 $y=-5x^2$의 그래프를 y축의 방향으로 얼마만큼 평행이동한 것인지 구하시오.

(1) $y=-5x^2+4$

(2) $y=-5x^2-3$

이차함수 $y=ax^2+q$의 그래프 (2)

4-1 다음 이차함수의 그래프를 y축의 방향으로 [   ] 안의 수만큼 평행이동한 그래프의 식과 꼭짓점의 좌표, 축의 방정식을 차례대로 구하시오.

(1) $y=x^2$ [5]

(2) $y=-2x^2$ [-1]

4-2 다음 이차함수의 그래프를 y축의 방향으로 [   ] 안의 수만큼 평행이동한 그래프의 식과 꼭짓점의 좌표, 축의 방정식을 차례대로 구하시오.

(1) $y=3x^2$ [-5]

(2) $y=-\dfrac{3}{4}x^2$ [2]

이차함수 $y=ax^2+q$의 그래프 그리기

5-1 이차함수 $y=\dfrac{1}{2}x^2$의 그래프를 이용하여 다음 이차함수의 그래프를 아래 좌표평면 위에 그리고, 꼭짓점의 좌표와 축의 방정식을 차례대로 구하시오.

(1) $y=\dfrac{1}{2}x^2+1$　　　　(2) $y=\dfrac{1}{2}x^2-2$

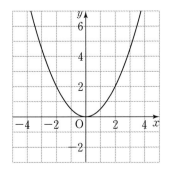

5-2 이차함수 $y=-\dfrac{2}{3}x^2$의 그래프를 이용하여 다음 이차함수의 그래프를 아래 좌표평면 위에 그리고, 꼭짓점의 좌표와 축의 방정식을 차례대로 구하시오.

(1) $y=-\dfrac{2}{3}x^2+2$　　　　(2) $y=-\dfrac{2}{3}x^2-1$

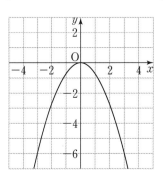

개념 01 이차함수 $y=ax^2$의 그래프

(1) 원점을 꼭짓점으로 하고, y축을 축으로 하는 포물선이다.

  ① 꼭짓점의 좌표 : $(0,\ 0)$

  ② 축의 방정식 : $x=0$ (y축)

(2) $a>0$이면 아래로 볼록하고, $a<0$이면 위로 볼록하다.

(3) a의 절댓값이 클수록 그래프의 폭이 좁아진다.

(4) $y=ax^2$의 그래프와 $y=-ax^2$의 그래프는 x축에 서로 대칭이다.

1-1

다음 이차함수의 그래프 중 이차함수 $y=\dfrac{3}{2}x^2$의 그래프와 x축에 대칭인 것은?

① $y=\dfrac{2}{3}x^2$ ② $y=\dfrac{1}{3}x^2$ ③ $y=-\dfrac{1}{3}x^2$

④ $y=-\dfrac{2}{3}x^2$ ⑤ $y=-\dfrac{3}{2}x^2$

1-2

아래 보기 의 이차함수에 대하여 다음을 구하시오.

보기

㉠ $y=2x^2$ ㉡ $y=\dfrac{1}{2}x^2$ ㉢ $y=-4x^2$

㉣ $y=-3x^2$ ㉤ $y=-\dfrac{3}{4}x^2$ ㉥ $y=\dfrac{1}{4}x^2$

(1) 아래로 볼록한 그래프

(2) 위로 볼록한 그래프

(3) 폭이 가장 좁은 그래프

(4) $x<0$일 때, x의 값이 증가하면 y의 값은 감소하는 그래프

(5) $x>0$일 때, x의 값이 증가하면 y의 값은 감소하는 그래프

1-3

두 이차함수 $y=ax^2$, $y=2x^2$의 그래프가 오른쪽 그림과 같을 때, 다음 중 상수 a의 값이 될 수 있는 것은?

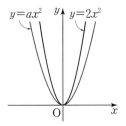

① 3   ② $\dfrac{5}{2}$

③ $\dfrac{1}{3}$ ④ -1

⑤ $-\dfrac{5}{2}$

1-4

다음 중 이차함수 $y=3x^2$의 그래프에 대한 설명으로 옳은 것은?

① 꼭짓점의 좌표는 $(1,\ 3)$이다.

② 위로 볼록한 포물선이다.

③ x축에 대칭이다.

④ 제3, 4사분면을 지난다.

⑤ $x<0$일 때, x의 값이 증가하면 y의 값은 감소한다.

1-5

이차함수 $y=ax^2$의 그래프가 오른쪽 그림과 같을 때, 상수 a의 값을 구하시오.

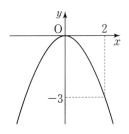

개념 02 이차함수 $y=ax^2+q$의 그래프

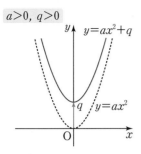

$a>0,\ q>0$

(1) 이차함수 $y=ax^2$의 그래프를 y축의 방향으로 q만큼 평행이동한 것이다.
  ① $q>0$이면 y축의 양의 방향으로 평행이동
  ② $q<0$이면 y축의 음의 방향으로 평행이동
(2) 꼭짓점의 좌표 : $(0,\ q)$
(3) 축의 방정식 : $x=0$ (y축)

2-1

다음 이차함수의 그래프에 대하여 ☐ 안에 알맞은 것을 써넣으시오.

(1) $y=3x^2-1$
  ➡ 꼭짓점의 좌표 : $(\boxed{},\ \boxed{})$
    축의 방정식 : $\boxed{}$

(2) $y=-\dfrac{1}{2}x^2+4$
  ➡ 꼭짓점의 좌표 : $(\boxed{},\ \boxed{})$
    축의 방정식 : $\boxed{}$

(3) $y=\dfrac{3}{4}x^2-\dfrac{1}{2}$
  ➡ 꼭짓점의 좌표 : $(\boxed{},\ \boxed{})$
    축의 방정식 : $\boxed{}$

2-2

이차함수 $y=\dfrac{3}{5}x^2$의 그래프를 y축의 방향으로 -3만큼 평행이동하면 꼭짓점의 좌표가 $(a,\ b)$이다. 이때 $a+b$의 값을 구하시오.

2-3

다음은 이차함수 $y=x^2-4$의 그래프에 대한 설명이다. 밑줄 친 부분이 옳은 것은 ◯표, 옳지 않은 것은 옳게 고치시오.

(1) 축의 방정식은 $\underline{x=-4}$이다. _____

(2) 꼭짓점의 좌표는 $\underline{(0,\ -4)}$이다. _____

(3) $y=x^2$의 그래프를 y축의 방향으로 $\underline{4}$만큼 평행이동한 것이다. _____

(4) $y=-2x^2$의 그래프보다 폭이 $\underline{넓다}$. _____

2-4

다음 중 이차함수 $y=-\dfrac{1}{3}x^2+5$의 그래프에 대한 설명으로 옳은 것을 모두 고르면? (정답 2개)

① 이차함수 $y=-\dfrac{1}{3}x^2$의 그래프를 y축의 방향으로 5만큼 평행이동한 것이다.
② 아래로 볼록한 포물선이다.
③ 꼭짓점의 좌표는 $(0,\ -5)$이다.
④ 축의 방정식은 $y=0$이다.
⑤ 이차함수 $y=-\dfrac{1}{3}x^2$의 그래프와 폭이 같다.

4주
3일

2-5

이차함수 $y=-\dfrac{1}{4}x^2$의 그래프를 y축의 방향으로 3만큼 평행이동하면 점 $(-4,\ k)$를 지날 때, k의 값을 구하시오.

7. 이차함수 $y=a(x-p)^2$의 그래프

두 이차함수 $y=x^2$, $y=(x-2)^2$에 대하여 함숫값을 구하면 다음 표와 같다.

x	$\cdots$	-3	-2	-1	0	1	2	3	$\cdots$
x^2	$\cdots$	9	4	1	0	1	4	9	$\cdots$
$(x-2)^2$	$\cdots$	25	16	9	4	1	0	1	$\cdots$

함숫값이 각각 같은 것이 있네.

$y=(x-2)^2$의 그래프는 $y=x^2$의 그래프를 x축의 방향으로 2만큼 평행이동

이차함수 $y=a(x-p)^2$의 그래프

(1) 이차함수 $y=ax^2$의 그래프를 x축의 방향으로 p만큼 평행이동한 것이다.

$$y=ax^2 \xrightarrow[\substack{x\text{축의 방향으로} \\ p\text{만큼 평행이동}}]{} y=a(x-p)^2$$

① $p>0$이면 x축의 양의 방향으로 평행이동

② $p<0$이면 x축의 음의 방향으로 평행이동

(2) 꼭짓점의 좌표 : $(p,\ 0)$

(3) 축의 방정식 : $x=p$

참고 $y=ax^2$의 그래프를 x축의 방향으로 p만큼 평행이동하면 꼭짓점의 좌표와 축의 방정식이 모두 변한다.

회색 글씨를 따라 쓰면서 개념을 정리해 보세요.

식의 변화	$y=ax^2 \xrightarrow[\substack{x\text{축의 방향으로} \\ p\text{만큼 평행이동}}]{} y=a(x-p)^2$	
꼭짓점의 좌표	$(0,\ 0)$	$(p,\ 0)$
축의 방정식	$x=0$	$x=p$
그래프 ($a>0$, $p>0$)		

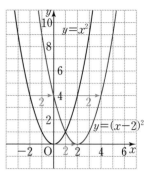

개념 원리 확인

○ 정답과 풀이 **50**쪽

이차함수 $y=a(x-p)^2$의 그래프 (1)

1-1 다음 이차함수의 그래프는 $y=-3x^2$의 그래프를 x축의 방향으로 얼마만큼 평행이동한 것인지 구하시오.

(1) $y=-3(x+6)^2$

(2) $y=-3\left(x-\dfrac{4}{3}\right)^2$

1-2 다음 이차함수의 그래프는 $y=5x^2$의 그래프를 x축의 방향으로 얼마만큼 평행이동한 것인지 구하시오.

(1) $y=5(x-4)^2$

(2) $y=5\left(x+\dfrac{2}{9}\right)^2$

이차함수 $y=a(x-p)^2$의 그래프 (2)

2-1 다음 이차함수의 그래프를 x축의 방향으로 [　] 안의 수만큼 평행이동한 그래프의 식과 꼭짓점의 좌표, 축의 방정식을 차례대로 구하시오.

(1) $y=\dfrac{1}{4}x^2$ [3]

(2) $y=-2x^2$ [-7]

2-2 다음 이차함수의 그래프를 x축의 방향으로 [　] 안의 수만큼 평행이동한 그래프의 식과 꼭짓점의 좌표, 축의 방정식을 차례대로 구하시오.

(1) $y=3x^2$ [-10]

(2) $y=-\dfrac{5}{2}x^2$ [5]

이차함수 $y=a(x-p)^2$의 그래프 그리기

3-1 이차함수 $y=2x^2$의 그래프를 이용하여 다음 이차함수의 그래프를 아래 좌표평면 위에 그리고, 꼭짓점의 좌표와 축의 방정식을 차례대로 구하시오.

(1) $y=2(x+2)^2$　　(2) $y=2(x-1)^2$

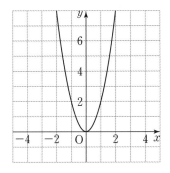

3-2 이차함수 $y=-x^2$의 그래프를 이용하여 다음 이차함수의 그래프를 아래 좌표평면 위에 그리고, 꼭짓점의 좌표와 축의 방정식을 차례대로 구하시오.

(1) $y=-(x+1)^2$　　(2) $y=-(x-2)^2$

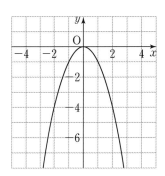

이차함수 $y=x^2$의 그래프를 평행이동하여 $y=(x-2)^2+3$의 그래프를 그릴 수 있다.

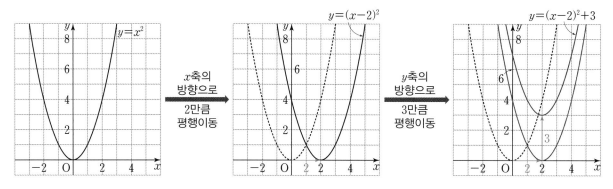

▶ **이차함수 $y=a(x-p)^2+q$의 그래프**

(1) 이차함수 $y=ax^2$의 그래프를 x축의 방향으로 p만큼, y축의 방향으로 q만큼 평행이동한 것이다.

$$y=ax^2 \xrightarrow[\text{y축의 방향으로 q만큼 평행이동}]{\text{x축의 방향으로 p만큼,}} y=a(x-p)^2+q$$

(2) 꼭짓점의 좌표 : (p, q)

(3) 축의 방정식 : $x=p$

참고 $y=ax^2$의 그래프를 x축의 방향으로 p만큼, y축의 방향으로 q만큼 평행이동하면 꼭짓점의 좌표와 축의 방정식이 모두 변한다.

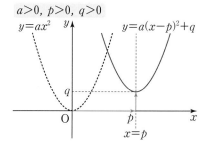

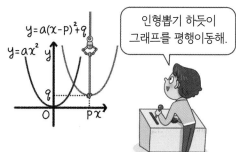

인형뽑기 하듯이 그래프를 평행이동해.

회색 글씨를 따라 쓰면서 개념을 정리해 보세요.

식의 변화	$y=ax^2$ $\xrightarrow[\text{$y$축의 방향으로 q만큼 평행이동}]{\text{x축의 방향으로 p만큼,}}$	$y=a(x-p)^2+q$
꼭짓점의 좌표	$(0, 0)$	(p, q)
축의 방정식	$x=0$	$x=p$
그래프 $(a>0, p>0, q>0)$		

개념 원리 확인

○ 정답과 풀이 51쪽

이차함수 $y=a(x-p)^2+q$의 그래프 (1)

4-1 다음 이차함수의 그래프는 $y=-2x^2$의 그래프를 x축과 y축의 방향으로 각각 얼마만큼 평행이동한 것인지 차례대로 구하시오.

(1) $y=-2(x+1)^2+3$

(2) $y=-2(x-5)^2+2$

4-2 다음 이차함수의 그래프는 $y=3x^2$의 그래프를 x축과 y축의 방향으로 각각 얼마만큼 평행이동한 것인지 차례대로 구하시오.

(1) $y=3(x+4)^2-5$

(2) $y=3(x-2)^2-1$

이차함수 $y=a(x-p)^2+q$의 그래프 (2)

5-1 다음 이차함수의 그래프를 x축의 방향으로 p만큼, y축의 방향으로 q만큼 평행이동한 그래프의 식과 꼭짓점의 좌표, 축의 방정식을 차례대로 구하시오.

(1) $y=2x^2$ [$p=1$, $q=7$]

(2) $y=-\dfrac{2}{3}x^2$ [$p=-3$, $q=4$]

5-2 다음 이차함수의 그래프를 x축의 방향으로 p만큼, y축의 방향으로 q만큼 평행이동한 그래프의 식과 꼭짓점의 좌표, 축의 방정식을 차례대로 구하시오.

(1) $y=3x^2$ [$p=2$, $q=-6$]

(2) $y=-\dfrac{1}{2}x^2$ [$p=-5$, $q=-3$]

이차함수 $y=a(x-p)^2+q$의 그래프 그리기

6-1 이차함수 $y=2x^2$의 그래프를 이용하여 다음 이차함수의 그래프를 아래 좌표평면 위에 그리고, 꼭짓점의 좌표와 축의 방정식을 차례대로 구하시오.

(1) $y=2(x-2)^2+3$　(2) $y=2(x+1)^2+1$

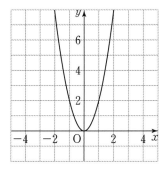

6-2 이차함수 $y=-2x^2$의 그래프를 이용하여 다음 이차함수의 그래프를 아래 좌표평면 위에 그리고, 꼭짓점의 좌표와 축의 방정식을 차례대로 구하시오.

(1) $y=-2(x-2)^2-1$ (2) $y=-2(x+1)^2-3$

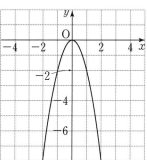

개념 01 이차함수 $y=a(x-p)^2$의 그래프

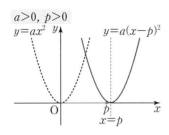

(1) 이차함수 $y=ax^2$의 그래프를 x축의 방향으로 p만큼 평행이동한 것이다.
　① $p>0$이면 x축의 양의 방향으로 평행이동
　② $p<0$이면 x축의 음의 방향으로 평행이동
(2) 꼭짓점의 좌표 : $(p, 0)$
(3) 축의 방정식 : $x=p$

1-1

다음 이차함수의 그래프의 꼭짓점의 좌표와 축의 방정식을 차례대로 구하시오.

(1) $y=3(x-2)^2$

(2) $y=-\dfrac{1}{2}(x+3)^2$

1-2

다음은 이차함수 $y=2(x-3)^2$의 그래프에 대한 설명이다. 밑줄 친 부분이 옳은 것은 ○표, 옳지 않은 것은 옳게 고치시오.

(1) 축의 방정식은 $x=3$이다.　　　_____

(2) 꼭짓점의 좌표는 $(0, 3)$이다.　　　_____

(3) $y=2x^2$의 그래프를 x축의 방향으로 -3만큼 평행이동한 것이다.　　　_____

(4) $x>0$일 때, x의 값이 증가하면 y의 값도 증가한다.　　　_____

1-3

다음 중 이차함수 $y=-\dfrac{1}{3}(x+7)^2$의 그래프에 대한 설명으로 옳지 **않은** 것을 모두 고르면? (정답 2개)

① 이차함수 $y=\dfrac{1}{3}x^2$의 그래프를 x축의 방향으로 -7만큼 평행이동한 것이다.

② 점 $(-4, -3)$을 지난다.

③ 꼭짓점의 좌표는 $(-7, 0)$이다.

④ 축의 방정식은 $x=-7$이다.

⑤ 이차함수 $y=-\dfrac{1}{2}x^2$의 그래프보다 폭이 좁다.

1-4

다음 중 이차함수 $y=-(x+2)^2$의 그래프는?

① 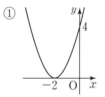　② 　③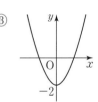

④ 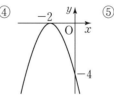　⑤

1-5

이차함수 $y=-x^2$의 그래프를 x축의 방향으로 -4만큼 평행이동하면 점 $(-1, k)$를 지날 때, k의 값을 구하시오.

개념 02 이차함수 $y=a(x-p)^2+q$의 그래프

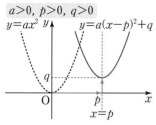

$a>0,\ p>0,\ q>0$

(1) 이차함수 $y=ax^2$의 그래프를 x축의 방향으로 p만큼, y축의 방향으로 q만큼 평행이동한 것이다.

(2) 꼭짓점의 좌표 : $(p,\ q)$

(3) 축의 방정식 : $x=p$

2-1

다음 이차함수의 그래프의 꼭짓점의 좌표와 축의 방정식을 차례대로 구하시오.

(1) $y=-2(x-4)^2+5$

(2) $y=3(x+2)^2-4$

2-2

다음은 이차함수 $y=\dfrac{2}{3}(x+1)^2-2$의 그래프에 대한 설명이다. 밑줄 친 부분이 옳은 것은 ○표, 옳지 <u>않은</u> 것은 옳게 고치시오.

(1) 축의 방정식은 $\underline{x=-1}$이다. _____

(2) 꼭짓점의 좌표는 $\underline{(1,\ -2)}$이다. _____

(3) $\underline{y=-\dfrac{2}{3}x^2}$의 그래프를 x축의 방향으로 -1만큼, y축의 방향으로 -2만큼 평행이동한 것이다. _____

(4) $\underline{x<-1}$일 때, x의 값이 증가하면 y의 값은 감소한다. _____

2-3

다음 중 이차함수 $y=-5\left(x+\dfrac{1}{2}\right)^2-1$의 그래프에 대한 설명으로 옳지 <u>않은</u> 것을 모두 고르면? (정답 2개)

① 위로 볼록한 포물선이다.

② 꼭짓점의 좌표는 $\left(-\dfrac{1}{2},\ -1\right)$이다.

③ 축의 방정식은 $x=\dfrac{1}{2}$이다.

④ 이차함수 $y=-5x^2$의 그래프와 폭이 같다.

⑤ 이차함수 $y=-5x^2$의 그래프를 x축의 방향으로 $\dfrac{1}{2}$만큼, y축의 방향으로 -1만큼 평행이동한 것이다.

2-4

다음 중 이차함수 $y=(x-2)^2-3$의 그래프는?

① 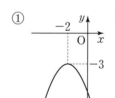 ② 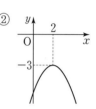 ③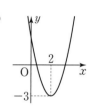

④ 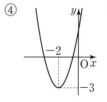 ⑤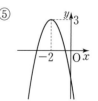

2-5

이차함수 $y=4x^2$의 그래프를 x축의 방향으로 3만큼, y축의 방향으로 -9만큼 평행이동하면 점 $(5,\ k)$를 지날 때, k의 값을 구하시오.

▶ 이차함수 $y=ax^2+bx+c$의 그래프 그리기

이차함수 $y=ax^2+bx+c$의 그래프는 $y=a(x-p)^2+q$의 꼴로 바꿔서 그린다.

❶ $y=a(x-p)^2+q$의 꼴로 바꾼다.	❷ 꼭짓점의 좌표, 축의 방정식과 y축과의 교점의 좌표를 구한다.	❸ ❷를 이용하여 이차함수의 그래프를 그린다.
$y=2x^2-8x+3$ $=2(x^2-4x)+3$ $=2(x^2-4x+4-4)+3$ $=2(x^2-4x+4)-8+3$ $=2(x-2)^2-5$	꼭짓점의 좌표 : $(2, -5)$ 축의 방정식 : $x=2$ y축과의 교점의 좌표 : $(0, 3)$ ↳ $x=0$을 대입하여 y의 값을 구한다.	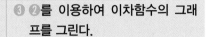

식의 꼴을 바꾸면 그래프를 쉽게 그릴 수 있어.

▶ 이차함수 $y=ax^2+bx+c$의 그래프의 성질

(1) $a>0$이면 아래로 볼록하고, $a<0$이면 위로 볼록한 포물선이다.

(2) a의 절댓값이 클수록 그래프의 폭이 좁아진다.

(3) y축과의 교점의 좌표는 $(0, c)$이다.

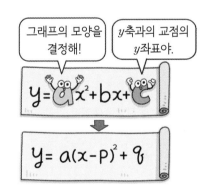

그래프의 모양을 결정해!

y축과의 교점의 y좌표야.

회색 글씨를 따라 쓰면서 개념을 정리해 보세요.

1 이차함수 $y=ax^2+bx+c$의 그래프는 $y=a(x-p)^2+q$의 꼴로 바꿔서 그린다.

2 $a>0$이면 아래로 볼록 하고, $a<0$이면 위로 볼록 한 포물선이다.

3 a의 절댓값이 클수록 그래프의 폭이 좁아 진다.

4 y축과의 교점의 좌표는 $(0, c)$ 이다.

개념 원리 확인

정답과 풀이 **51**쪽

이차함수 $y=a(x-p)^2+q$의 꼴로 고치기

1-1 다음은 이차함수 $y=\dfrac{1}{2}x^2-4x-1$을 $y=a(x-p)^2+q$의 꼴로 나타내는 과정이다. ☐ 안에 알맞은 수를 써넣으시오.

$$y=\frac{1}{2}x^2-4x-1$$
$$=\frac{1}{2}(x^2-\boxed{}x)-1$$
$$=\frac{1}{2}(x^2-\boxed{}x+\boxed{}-\boxed{})-1$$
$$=\frac{1}{2}(x^2-\boxed{}x+\boxed{})-\boxed{}-1$$
$$=\frac{1}{2}(x-\boxed{})^2-\boxed{}$$

1-2 다음은 이차함수 $y=3x^2+6x+4$를 $y=a(x-p)^2+q$의 꼴로 나타내는 과정이다. ☐ 안에 알맞은 수를 써넣으시오.

$$y=3x^2+6x+4$$
$$=3(x^2+\boxed{}x)+4$$
$$=3(x^2+\boxed{}x+\boxed{}-\boxed{})+4$$
$$=3(x^2+\boxed{}x+\boxed{})-\boxed{}+4$$
$$=3(x+\boxed{})^2+\boxed{}$$

이차함수 $y=ax^2+bx+c$의 그래프 그리기

2-1 이차함수 $y=-x^2+4x-3$의 그래프에 대하여 다음 물음에 답하시오.

(1) $y=a(x-p)^2+q$의 꼴로 나타내시오.

(2) 꼭짓점의 좌표와 축의 방정식을 차례대로 구하시오.

(3) y축과의 교점의 좌표를 구하시오.

(4) 이차함수 $y=-x^2+4x-3$의 그래프를 아래 좌표평면 위에 그리시오.

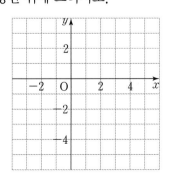

2-2 이차함수 $y=\dfrac{1}{3}x^2+2x+2$의 그래프에 대하여 다음 물음에 답하시오.

(1) $y=a(x-p)^2+q$의 꼴로 나타내시오.

(2) 꼭짓점의 좌표와 축의 방정식을 차례대로 구하시오.

(3) y축과의 교점의 좌표를 구하시오.

(4) 이차함수 $y=\dfrac{1}{3}x^2+2x+2$의 그래프를 아래 좌표평면 위에 그리시오.

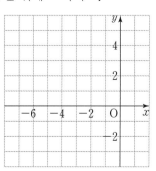

4주

5일

꼭짓점의 좌표 (p, q)와 다른 한 점의 좌표를 알 때

꼭짓점의 좌표가 $(1, 4)$이고 점 $(2, 2)$를 지날 때

❶ 이차함수의 식을 $y=a(x-1)^2+4$로 놓는다.

❷ $y=a(x-1)^2+4$에 $x=2$, $y=2$를 대입하면

$2=a\times(2-1)^2+4$, $a+4=2$ $\qquad\therefore a=-2$

$\therefore y=-2(x-1)^2+4=-2x^2+4x+2$

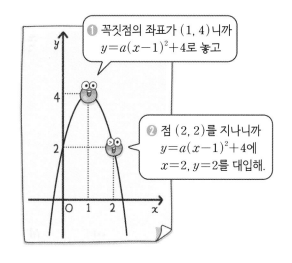

축의 방정식 $x=p$와 서로 다른 두 점의 좌표를 알 때

축의 방정식이 $x=1$이고 두 점 $(-1, 5)$, $(2, 2)$를 지날 때

❶ 이차함수의 식을 $y=a(x-1)^2+q$로 놓는다.

❷ $y=a(x-1)^2+q$에 $x=-1$, $y=5$를 대입하면

$5=a\times(-1-1)^2+q$에서 $4a+q=5$ $\quad\cdots\cdots\ \text{㉠}$

$y=a(x-1)^2+q$에 $x=2$, $y=2$를 대입하면

$2=a\times(2-1)^2+q$에서 $a+q=2$ $\quad\cdots\cdots\ \text{㉡}$

㉠, ㉡을 연립하여 풀면 $a=1$, $q=1$

$\therefore y=(x-1)^2+1=x^2-2x+2$

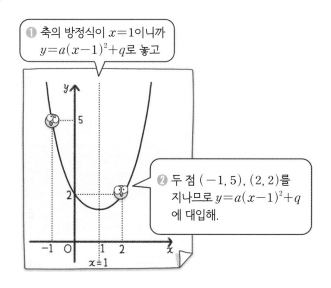

회색 글씨를 따라 쓰면서 개념을 정리해 보세요.

1 꼭짓점의 좌표가 $(\bullet, \blacktriangle)$이다. ➡ 이차함수의 식을 $\boxed{y=a(x-\bullet)^2+\blacktriangle}$로 놓는다.

2 축의 방정식이 $x=\bullet$이다. ➡ 이차함수의 식을 $\boxed{y=a(x-\bullet)^2+q}$로 놓는다.

개념 원리 확인

○정답과 풀이 **52쪽**

이차함수의 식 구하기 – 꼭짓점의 좌표가 주어질 때

3-1 다음을 만족하는 포물선을 그래프로 하는 이차함수의 식을 $y=ax^2+bx+c$의 꼴로 나타내시오.

(1) 꼭짓점의 좌표가 $(1, 4)$이고, 점 $(2, 3)$을 지난다.

(2) 꼭짓점의 좌표가 $(-2, 5)$이고, 점 $(0, 2)$를 지난다.

3-2 다음을 만족하는 포물선을 그래프로 하는 이차함수의 식을 $y=ax^2+bx+c$의 꼴로 나타내시오.

(1) 꼭짓점의 좌표가 $(2, -8)$이고, 점 $(-2, 0)$을 지난다.

(2) 꼭짓점의 좌표가 $(-4, -6)$이고, 점 $(-1, 3)$을 지난다.

이차함수의 식 구하기 – 축의 방정식이 주어질 때

4-1 다음을 만족하는 포물선을 그래프로 하는 이차함수의 식을 $y=ax^2+bx+c$의 꼴로 나타내시오.

(1) 축의 방정식이 $x=2$이고 두 점 $(-1, -2)$, $(1, 6)$을 지난다.

(2) 축의 방정식이 $x=-1$이고 두 점 $(-2, 1)$, $(1, 10)$을 지난다.

4-2 다음을 만족하는 포물선을 그래프로 하는 이차함수의 식을 $y=ax^2+bx+c$의 꼴로 나타내시오.

(1) 축의 방정식이 $x=1$이고 두 점 $(-1, 1)$, $(0, -2)$를 지난다.

(2) 축의 방정식이 $x=-4$이고 두 점 $(-2, -2)$, $(0, 1)$을 지난다.

이차함수의 식 구하기 – 그래프가 주어질 때

5-1 오른쪽 그림과 같은 포물선을 그래프로 하는 이차함수의 식을 $y=ax^2+bx+c$의 꼴로 나타내시오.

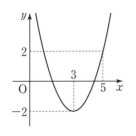

5-2 오른쪽 그림과 같은 포물선을 그래프로 하는 이차함수의 식을 $y=ax^2+bx+c$의 꼴로 나타내시오.

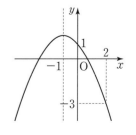

개념 01 이차함수 $y=ax^2+bx+c$의 그래프

(1) 이차함수 $y=ax^2+bx+c$의 그래프는
$y=a(x-p)^2+q$의 꼴로 바꿔서 그린다.
(2) $a>0$이면 아래로 볼록하고, $a<0$이면 위로 볼록한 포물선이다.
(3) a의 절댓값이 클수록 그래프의 폭이 좁아진다.
(4) y축과의 교점의 좌표는 $(0, c)$이다.

1-1

다음 이차함수를 $y=a(x-p)^2+q$의 꼴로 나타낼 때, 상수 a, p, q의 값을 각각 구하시오.

(1) $y=3x^2-12x+7$

(2) $y=-x^2-8x+5$

1-2

다음 이차함수 그래프의 꼭짓점의 좌표와 축의 방정식을 차례대로 구하시오.

(1) $y=-5x^2+10x-2$

(2) $y=\dfrac{1}{3}x^2+2x-5$

1-3

다음 중 이차함수 $y=-2x^2+4x+1$의 그래프에 대한 설명으로 옳지 <u>않은</u> 것을 모두 고르면? (정답 2개)

① 이차함수 $y=-2x^2$의 그래프를 x축의 방향으로 1만큼, y축의 방향으로 3만큼 평행이동한 것이다.

② 꼭짓점의 좌표는 $(1, 3)$이다.

③ 축의 방정식은 $x=1$이다.

④ y축과의 교점의 좌표는 $(0, -1)$이다.

⑤ $x>1$일 때, x의 값이 증가하면 y의 값도 증가한다.

1-4

다음 중 이차함수 $y=-\dfrac{1}{2}x^2+2x+1$의 그래프는?

① 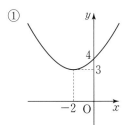 ②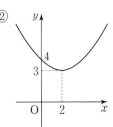

③ 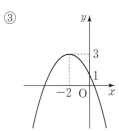 ④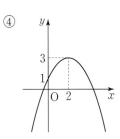

⑤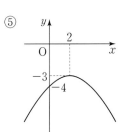

개념 02 이차함수의 식 구하기 (1)

꼭짓점의 좌표 (p, q)와 다른 한 점의 좌표가 주어진 포물선을 그래프로 하는 이차함수의 식은 다음과 같은 순서로 구한다.

❶ 이차함수의 식을 $y=a(x-p)^2+q$로 놓는다.
❷ 주어진 한 점의 좌표를 대입하여 a의 값을 구한다.

2-1

꼭짓점의 좌표가 $(1, -1)$이고 점 $(2, 1)$을 지나는 포물선을 그래프로 하는 이차함수에 대하여 다음 물음에 답하시오.

(1) 이차함수의 식을 $y=ax^2+bx+c$의 꼴로 나타내시오.

(2) 이 이차함수의 그래프와 y축과의 교점의 좌표를 구하시오.

2-2

이차함수 $y=ax^2+bx+c$의 그래프가 오른쪽 그림과 같을 때, 상수 a, b, c에 대하여 $a+b+c$의 값은?

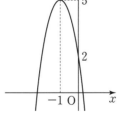

① -7 ② -5
③ 2 ④ 5
⑤ 7

개념 03 이차함수의 식 구하기 (2)

축의 방정식 $x=p$와 서로 다른 두 점의 좌표가 주어진 포물선을 그래프로 하는 이차함수의 식은 다음과 같은 순서로 구한다.

❶ 이차함수의 식을 $y=a(x-p)^2+q$로 놓는다.
❷ 주어진 두 점의 좌표를 각각 대입하여 a, q의 값을 구한다.

3-1

축의 방정식이 $x=-1$이고 두 점 $(-2, 2)$, $(1, -4)$를 지나는 포물선을 그래프로 하는 이차함수에 대하여 다음 물음에 답하시오.

(1) 이차함수의 식을 $y=ax^2+bx+c$의 꼴로 나타내시오.

(2) 이 이차함수의 그래프와 y축과의 교점의 좌표를 구하시오.

3-2

오른쪽 그림과 같이 직선 $x=2$를 축으로 하는 포물선을 그래프로 하는 이차함수의 식은?

① $y=x^2+4x+1$
② $y=x^2+4x-1$
③ $y=x^2-4x+1$
④ $y=x^2-4x-1$
⑤ $y=x^2-4x+2$

01 다음 이차방정식을 푸시오.

(1) $x(x-3)=2(x^2+1)$

(2) $0.3x^2+0.8x+0.2=0$

(3) $\dfrac{1}{2}x^2+\dfrac{5}{4}x-1=0$

(4) $\dfrac{1}{5}x^2-0.1x-\dfrac{3}{2}=0$

02 다음 물음에 답하시오.

(1) 어떤 자연수의 3배에 1을 더한 수는 어떤 자연수에서 1을 뺀 수의 제곱과 같다고 한다. 어떤 자연수를 구하시오.

(2) 세로의 길이가 가로의 길이보다 5 cm만큼 더 긴 직사각형의 넓이가 150 cm²일 때, 이 직사각형의 가로의 길이를 구하시오.

03 다음 보기 중 이차함수인 것을 모두 고르시오.

보기
㉠ $y=x^2-1$ ㉡ $y=-x-4$
㉢ $y=x(x+2)$ ㉣ x^2+x-8
㉤ $y=3$ ㉥ $y=x^2-(x-1)^2$

04 다음 중 이차함수 $y=-3x^2$의 그래프에 대한 설명으로 옳은 것은?

① x축을 축으로 한다.
② 아래로 볼록한 포물선이다.
③ 꼭짓점의 좌표는 $(-3,\ 0)$이다.
④ $y=3x^2$의 그래프와 x축에 대칭이다.
⑤ $x<0$일 때, x의 값이 증가하면 y의 값은 감소한다.

05 다음 이차함수 중 그래프의 폭이 가장 좁은 것은?

① $y=-2x^2$ ② $y=-\dfrac{1}{5}x^2$ ③ $y=\dfrac{1}{2}x^2$
④ $y=\dfrac{3}{2}x^2$ ⑤ $y=3x^2$

06 이차함수 $y=5x^2$의 그래프를 y축의 방향으로 q만큼 평행이동하였더니 이차함수 $y=ax^2+7$의 그래프와 일치하였다. 이때 $a+q$의 값을 구하시오.

(단, a는 상수)

07 이차함수 $y=\dfrac{2}{3}x^2$의 그래프를 x축의 방향으로 -2만큼 평행이동하면 점 $(-5, k)$를 지난다. 이때 k의 값을 구하시오.

그래프가 점 $(-5, k)$를 지나므로 평행이동한 식에 $x=-5$, $y=k$를 대입하면 등식이 성립해.

08 다음 중 이차함수 $y=3x^2$의 그래프를 x축의 방향으로 1만큼, y축의 방향으로 -3만큼 평행이동한 그래프를 나타내는 이차함수의 식은?

① $y=3(x-1)^2-3$
② $y=3(x-1)^2+3$
③ $y=3(x+1)^2-3$
④ $y=3(x+1)^2+3$
⑤ $y=-3(x-1)^2-3$

09 다음 중 이차함수 $y=-x^2+4x+2$의 그래프에 대한 설명으로 옳은 것을 모두 고르시오.

> ㉠ 꼭짓점의 좌표는 $(-2, 6)$이다.
> ㉡ 축의 방정식은 $x=2$이다.
> ㉢ y축과의 교점의 좌표는 $(0, 2)$이다.
> ㉣ $y=-x^2$의 그래프를 x축의 방향으로 -2만큼, y축의 방향으로 4만큼 평행이동한 그래프이다.

10 다음 포물선을 그래프로 하는 이차함수의 식을 $y=ax^2+bx+c$의 꼴로 나타내시오.

(1)

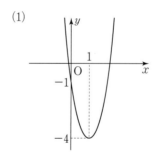

(2) 축의 방정식이 $x=-2$이고 두 점 $(-1, 4)$, $(0, -2)$를 지나는 포물선

특강 | 창의, 융합, 코딩

1 다음 ☐ 안에 알맞은 것을 써넣으시오.

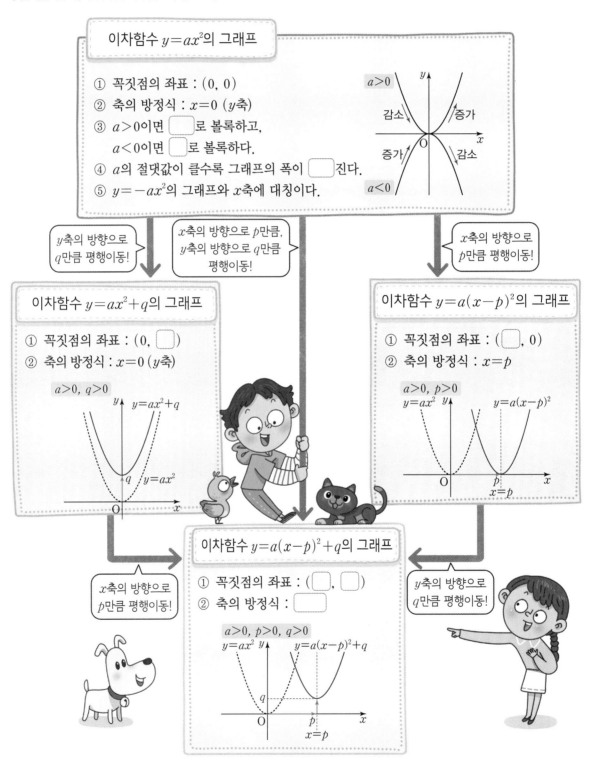

이차함수 $y=ax^2$의 그래프

① 꼭짓점의 좌표 : $(0, 0)$
② 축의 방정식 : $x=0$ (y축)
③ $a>0$이면 ☐로 볼록하고,
   $a<0$이면 ☐로 볼록하다.
④ a의 절댓값이 클수록 그래프의 폭이 ☐진다.
⑤ $y=-ax^2$의 그래프와 x축에 대칭이다.

$a>0$
감소 증가
증가 감소
$a<0$

y축의 방향으로 q만큼 평행이동!

x축의 방향으로 p만큼, y축의 방향으로 q만큼 평행이동!

x축의 방향으로 p만큼 평행이동!

이차함수 $y=ax^2+q$의 그래프

① 꼭짓점의 좌표 : $(0, ☐)$
② 축의 방정식 : $x=0$ (y축)

$a>0, q>0$
$y=ax^2+q$
q $y=ax^2$

이차함수 $y=a(x-p)^2$의 그래프

① 꼭짓점의 좌표 : $(☐, 0)$
② 축의 방정식 : $x=p$

$a>0, p>0$
$y=ax^2$ $y=a(x-p)^2$
p
$x=p$

이차함수 $y=a(x-p)^2+q$의 그래프

① 꼭짓점의 좌표 : $(☐, ☐)$
② 축의 방정식 : ☐

x축의 방향으로 p만큼 평행이동!

y축의 방향으로 q만큼 평행이동!

$a>0, p>0, q>0$
$y=ax^2$ $y=a(x-p)^2+q$
q
p
$x=p$

2 다음 각 이차방정식과 그 해를 선으로 연결하시오.

(1)
$$(7x+8)(x-1)=-9x$$ •

• ㉠ $x=\dfrac{4\pm\sqrt{46}}{2}$

(2)
$$0.4x^2-x+0.3=0$$ •

• ㉡ $x=-2$ 또는 $x=\dfrac{4}{7}$

(3)
$$\dfrac{1}{10}x^2-\dfrac{2}{5}x=\dfrac{3}{4}$$ •

• ㉢ $x=\dfrac{10\pm2\sqrt{7}}{3}$

(4)
$$\dfrac{1}{2}x^2-0.3x-\dfrac{1}{5}=0$$ •

• ㉣ $x=1$ 또는 $x=-\dfrac{2}{5}$

(5)
$$0.3x^2-2\left(x-\dfrac{5}{4}\right)=0.1$$ •

• ㉤ $x=\dfrac{5\pm\sqrt{13}}{4}$

3 인도의 수학자 바스카라(Bhaskara, A. ; 1114~1185)는 수학 문제를 시로 제시한 것으로 유명하다. 바스카라가 쓴 책에 실린 이차방정식과 관련된 다음 시를 읽고 숲속에 있는 원숭이는 모두 몇 마리인지 구하려고 한다. 물음에 답하시오.

숲속에서 원숭이 무리가
신나게 놀고 있네.
이 무리의 원숭이의 수는
숲 전체 원숭이의 수의
$\frac{1}{8}$의 제곱이라네.
전체 원숭이의 수에서
이 무리의 원숭이의 수를
제외한 나머지 12마리는
산들바람이 불 때마다
서로 소리를 지른다네.
이 숲에 있는 전체 원숭이는
몇 마리인지?

(1) 전체 원숭이의 수를 x마리라고 할 때, 이차방정식을 세우시오.

(2) (1)에서 세운 이차방정식을 푸시오.

(3) 전체 원숭이는 모두 몇 마리인지 구하시오.

4 4명의 학생들이 다음 규칙에 따라 여행지를 정하려고 한다. 각 학생이 가게 될 여행지를 각각 말하시오.

> 주어진 이차함수에 대하여 ①~⑥의 설명이 옳으면 화살표 ──→, 옳지 않으면 화살표 ┄┄→의 방향을 따라간다.

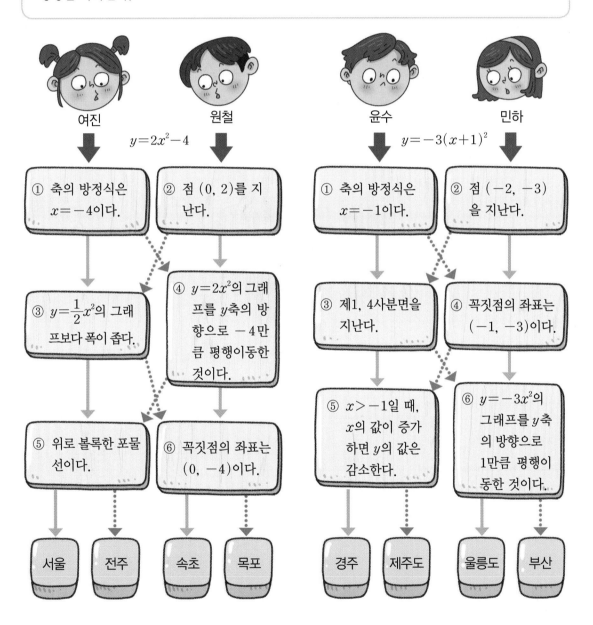

여진   원철   윤수   민하

$y=2x^2-4$ $y=-3(x+1)^2$

① 축의 방정식은 $x=-4$이다.

② 점 $(0,\ 2)$를 지난다.

① 축의 방정식은 $x=-1$이다.

② 점 $(-2,\ -3)$을 지난다.

③ $y=\dfrac{1}{2}x^2$의 그래프보다 폭이 좁다.

④ $y=2x^2$의 그래프를 y축의 방향으로 -4만큼 평행이동한 것이다.

③ 제1, 4사분면을 지난다.

④ 꼭짓점의 좌표는 $(-1,\ -3)$이다.

⑤ 위로 볼록한 포물선이다.

⑥ 꼭짓점의 좌표는 $(0,\ -4)$이다.

⑤ $x>-1$일 때, x의 값이 증가하면 y의 값은 감소한다.

⑥ $y=-3x^2$의 그래프를 y축의 방향으로 1만큼 평행이동한 것이다.

서울   전주   속초   목포   경주   제주도   울릉도   부산

5 다음은 경아가 이차함수 $y=3x^2-6x+4$의 그래프에 대해 떠오르는 것을 그림으로 나타낸 것이다. ☐ 안에 알맞은 것을 써넣으시오.

(1) $y=a(x-p)^2+q$의 꼴로 나타내면
   $y=$ ☐

(2) 꼭짓점의 좌표는 ☐

(3) 축의 방정식은 ☐

(4) y축과의 교점의 좌표는 ☐

6 꼭짓점의 좌표가 $(1, -2)$이고, 점 $(0, 1)$을 지나는 포물선을 그래프로 하는 이차함수의 식을 $y=ax^2+bx+c$라고 하자. 이 그래프의 성질에 해당하는 카드를 찾아 카드에 적혀 있는 글을 이용하여 문장을 완성하시오.

(1)
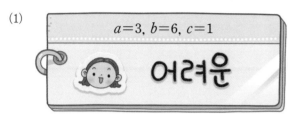
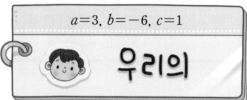

(2)

(3)

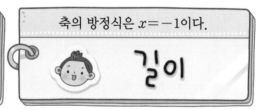

(4)

(1) _____ (2) _____ (3) _____ (4) _____

Memo

Memo

시작해 봐, 하루시리즈로!

#기초력_쌓고!
#공부습관_만들고!

시작은 하루 중학 국어

- 시
- 소설(개념)
- 소설(작품)
- 문법
- 비문학
- 수필

이 교재도 추천해요!

- 중학 국어 DNA 깨우기 시리즈 (비문학 독해 / 문법 / 어휘)

시작은 하루 중학 수학

- 1-1, 1-2
- 2-1, 2-2
- 3-1, 3-2

이 교재도 추천해요!

- 해결의 법칙 (개념 / 유형)
- 빅터연산

정답과 풀이

중학 ★ 바탕 학습

수학 3-1

시작은
하루
수학

정답과 풀이

▶ 혼자서도 이해할 수 있는 친절한 문제 풀이

중3-1

하루 수학

정답과 풀이

정답과 풀이

이번 주에는 무엇을 공부할까? ❷

1-1 (1) $>$ (2) $<$ (3) $>$ (4) $<$

1-2 (1) $>$ (2) $>$ (3) $>$ (4) $<$

2-1 (1) ○ (2) × (3) ×

2-2 ④, ⑤

3-1 (1) 5 (2) 15

3-2 (1) 13 (2) 12

4-1 (1) -15 (2) 64 (3) $-\dfrac{3}{5}$ (4) 15

4-2 (1) -9 (2) $\dfrac{4}{9}$ (3) 2 (4) -3

1-1 (3) $\dfrac{3}{4}=\dfrac{15}{20}$, $\dfrac{2}{5}=\dfrac{8}{20}$ 이므로 $\dfrac{3}{4}>\dfrac{2}{5}$

1-2 (3) $\dfrac{4}{3}=\dfrac{16}{12}$, $\dfrac{5}{4}=\dfrac{15}{12}$ 이므로 $\dfrac{4}{3}>\dfrac{5}{4}$

2-1 (2) 순환소수는 유리수이다.

(3) 무한소수 중 순환소수가 아닌 무한소수는 유리수가 아니다.

2-2 ④, ⑤ 순환소수가 아닌 무한소수이므로 유리수가 아니다.

3-1 (1) $x^2=4^2+3^2=25=5^2$ $\quad\therefore x=5\ (\because x>0)$

(2) $x^2=17^2-8^2=225=15^2$ $\quad\therefore x=15\ (\because x>0)$

3-2 (1) $x^2=12^2+5^2=169=13^2$ $\quad\therefore x=13\ (\because x>0)$

(2) $x^2=15^2-9^2=144=12^2$ $\quad\therefore x=12\ (\because x>0)$

4-1 (1) $5\times(-3)=-(5\times3)=-15$

(2) $(-16)\div\left(-\dfrac{1}{4}\right)=+(16\times4)=64$

(3) $\left(-\dfrac{9}{2}\right)\times\left(-\dfrac{8}{5}\right)\div(-12)$

$=-\left(\dfrac{9}{2}\times\dfrac{8}{5}\times\dfrac{1}{12}\right)=-\dfrac{3}{5}$

(4) $2\div\left(-\dfrac{1}{3}\right)\times\left(-\dfrac{5}{2}\right)=+\left(2\times3\times\dfrac{5}{2}\right)=15$

4-2 (1) $\left(-\dfrac{3}{5}\right)\times15=-\left(\dfrac{3}{5}\times15\right)=-9$

(2) $\left(-\dfrac{5}{18}\right)\div\left(-\dfrac{5}{8}\right)=+\left(\dfrac{5}{18}\times\dfrac{8}{5}\right)=\dfrac{4}{9}$

(3) $\left(-\dfrac{5}{6}\right)\times4\div\left(-\dfrac{5}{3}\right)=+\left(\dfrac{5}{6}\times4\times\dfrac{3}{5}\right)=2$

(4) $\dfrac{4}{3}\div\dfrac{7}{6}\times\left(-\dfrac{21}{8}\right)=-\left(\dfrac{4}{3}\times\dfrac{6}{7}\times\dfrac{21}{8}\right)=-3$

1일

1. 제곱근의 뜻과 표현

개념 원리 확인

1-1 (1) 4, 4, 2, -2 (2) $\dfrac{1}{9}, \dfrac{1}{9}, \dfrac{1}{3}, -\dfrac{1}{3}$

(3) 0.16, 0.16, 0.4, -0.4

1-2 (1) 4, -4 (2) 9, -9 (3) $\dfrac{3}{2}, -\dfrac{3}{2}$

(4) $\dfrac{1}{4}, -\dfrac{1}{4}$ (5) 0.1, -0.1 (6) 0.5, -0.5

2-1 (1) $\pm\sqrt{3}$ (2) $\pm\sqrt{7}$ (3) $\pm\sqrt{0.1}$ (4) $\pm\sqrt{\dfrac{2}{5}}$

2-2 (1) $\pm\sqrt{5}$ (2) $\pm\sqrt{11}$ (3) $\pm\sqrt{0.3}$ (4) $\pm\sqrt{\dfrac{3}{7}}$

3-1 (1) $\sqrt{6}$ (2) $-\sqrt{6}$ (3) $\pm\sqrt{6}$ (4) $\sqrt{6}$

3-2 (1) $\sqrt{5}$ (2) $-\sqrt{5}$ (3) $\pm\sqrt{5}$ (4) $\sqrt{5}$

---

2. 제곱근의 성질

개념 원리 확인

4-1 (1) 3 (2) $\dfrac{2}{5}$ (3) -4 (4) -0.8

4-2 (1) 10 (2) $\dfrac{1}{7}$ (3) -6 (4) -1.1

5-1 (1) 6, -6 (2) 6, -6 (3) 6, -6 (4) 6, -6

5-2 (1) 5 (2) 5 (3) -5 (4) -5

(5) 5 (6) 5 (7) -5 (8) -5

6-1 (1) 6, 9 (2) 5, -3 (3) 3, 15 (4) 12, 4

6-2 (1) 10 (2) 8 (3) 21 (4) -3

6-2 (1) $(-\sqrt{8})^2+(-\sqrt{2})^2=8+2=10$
(2) $\sqrt{100}-\sqrt{(-2)^2}=10-2=8$
(3) $(-\sqrt{7})^2\times\sqrt{(-3)^2}=7\times3=21$
(4) $-\sqrt{9^2}\div(-\sqrt{3})^2=-9\div3=-3$

(4) $(-\sqrt{25})^2=25$이므로 $(-\sqrt{25})^2$의 제곱근은 5, -5이다.
(5) $\sqrt{121}=\sqrt{11^2}=11$이므로 $\sqrt{121}$의 제곱근은 $\sqrt{11}$, $-\sqrt{11}$이다.

3-6 (1) 36의 양의 제곱근은 6이므로 $a=6$
(2) $\sqrt{(-4)^2}=4$이므로 $\sqrt{(-4)^2}$의 음의 제곱근은 -2이다. $\quad\therefore b=-2$
(3) $a+b=6+(-2)=4$

1일 기초 집중 연습 p14 ~ p15

1-1 (1) 6, -6 (2) 8, -8 (3) $\dfrac{1}{5}$, $-\dfrac{1}{5}$
(4) $\dfrac{1}{10}$, $-\dfrac{1}{10}$ (5) 0.2, -0.2 (6) 0.7, -0.7

1-2 x, 5 **1-3** (1) ○ (2) × (3) ×

2-1 (1) $\pm\sqrt{3}$ (2) $\sqrt{3}$

2-2 (1) $\sqrt{7}$ (2) $-\sqrt{3.2}$ (3) $\sqrt{10}$ (4) $\pm\sqrt{\dfrac{2}{7}}$

2-3 ② **3-1** (1) 5 (2) -12 (3) $-\dfrac{1}{2}$ (4) 1.4

3-2 (1) 2 (2) 3 (3) 7 (4) 11 (5) -13 (6) -15

3-3 ③ **3-4** (1) 2 (2) -2 (3) 15 (4) 5

3-5 (1) 4, 2, -2 (2) 3, -3 (3) 1, -1
(4) 5, -5 (5) $\sqrt{11}$, $-\sqrt{11}$

3-6 (1) 6 (2) -2 (3) 4

1-3 (2) 0은 제곱근은 0이다.
(3) -9의 제곱근은 없다.

2-3 ①, ③, ④, ⑤ $\pm\sqrt{2}$
② $\sqrt{2}$

3-3 ①, ②, ④, ⑤ -3
③ 3

3-4 (1) $-\sqrt{6^2}+\sqrt{(-8)^2}=-6+8=2$
(2) $\sqrt{25}-(-\sqrt{7})^2=5-7=-2$
(3) $\sqrt{9}\times\sqrt{(-5)^2}=3\times5=15$
(4) $\sqrt{(-30)^2}\div\sqrt{(-6)^2}=30\div6=5$

3-5 (2) $(\sqrt{9})^2=9$이므로 $(\sqrt{9})^2$의 제곱근은 3, -3이다.
(3) $\sqrt{(-1)^2}=1$이므로 $\sqrt{(-1)^2}$의 제곱근은 1, -1이다.

2일

3. 제곱근의 대소 관계

개념 원리 확인 p17

1-1 (1) $<$ (2) $>$ (3) 5, 6, $<$, $<$
1-2 (1) $<$ (2) $>$ (3) $<$
2-1 (1) 9, $<$ (2) $>$ (3) $>$
2-2 (1) $<$ (2) $>$ (3) $<$
3-1 (1) $>$, $<$ (2) $>$ (3) $<$
3-2 (1) $>$ (2) $<$ (3) $>$

1-1 (1) $3<5$이므로 $\sqrt{3}<\sqrt{5}$
(2) $8>6$이므로 $\sqrt{8}>\sqrt{6}$

1-2 (1) $5<10$이므로 $\sqrt{5}<\sqrt{10}$
(2) $0.6>0.2$이므로 $\sqrt{0.6}>\sqrt{0.2}$
(3) $\dfrac{1}{7}=\dfrac{6}{42}$, $\dfrac{1}{6}=\dfrac{7}{42}$이므로 $\dfrac{1}{7}<\dfrac{1}{6}$
$\therefore \sqrt{\dfrac{1}{7}}<\sqrt{\dfrac{1}{6}}$

2-1 (2) $8=\sqrt{64}$이므로 $8>\sqrt{60}$
(3) $\dfrac{2}{3}=\sqrt{\dfrac{4}{9}}$이므로 $\sqrt{\dfrac{5}{9}}>\dfrac{2}{3}$

2-2 (1) $4=\sqrt{16}$이므로 $\sqrt{15}<4$
(2) $7=\sqrt{49}$이므로 $7>\sqrt{48}$
(3) $\dfrac{1}{2}=\sqrt{\dfrac{1}{4}}$이므로 $\sqrt{\dfrac{1}{5}}<\dfrac{1}{2}$

3-1 (2) $6=\sqrt{36}$이므로 $\sqrt{35}<6$ $\therefore -\sqrt{35}>-6$

   (3) $5=\sqrt{25}$이므로 $5>\sqrt{24}$ $\therefore -5<-\sqrt{24}$

3-2 (1) $\sqrt{15}<\sqrt{17}$이므로 $-\sqrt{15}>-\sqrt{17}$

   (2) $3=\sqrt{9}$이므로 $\sqrt{12}>3$ $\therefore -\sqrt{12}<-3$

   (3) $8=\sqrt{64}$이므로 $8<\sqrt{65}$ $\therefore -8>-\sqrt{65}$

---

4. 무리수와 실수

개념 원리 확인   p19

4-1 (1) 7, 유리수 (2) 무리수 (3) 유리수 (4) 무리수

4-2 (1) 유 (2) 유 (3) 무 (4) 유 (5) 무 (6) 유

5-1 (1) ×, ×, ○, ○ (2) ○, ○, ×, ○

   (3) ×, ○, ×, ○ (4) ×, ×, ○, ○

5-2 (1) -2, $\sqrt{25}$ (2) -2, $0.\dot{4}$, $\sqrt{25}$ (3) $\sqrt{8}$, π, $-\sqrt{0.02}$

   (4) $\sqrt{8}$, -2, $0.\dot{4}$, $\sqrt{25}$, π, $-\sqrt{0.02}$

6-1 (1) 2.030 (2) 2.083 (3) 2.057 (4) 2.098

6-2 (1) 3.256 (2) 3.450 (3) 3.564 (4) 3.715

4-2 (6) $\sqrt{16}=4$

5-1 (2) $-\sqrt{64}=-8$

   (3) $\sqrt{\dfrac{4}{9}}=\dfrac{2}{3}$

5-2 $\sqrt{25}=5$

2일 **기초 집중 연습**   p20 ~ p21

1-1 (1) > (2) > (3) < (4) <

1-2 (1) > (2) < (3) $\sqrt{\dfrac{1}{5}}$, $\dfrac{1}{3}$, $-\sqrt{8}$, -3

1-3 ④

2-1 (1) 유 (2) 유 (3) 무 (4) 유 (5) 무

2-2 ③, ⑤

2-3 (1) × (2) ○ (3) ○ (4) × (5) ○

2-4 ⑤

3-1 (1) 2.345 (2) 2.373 (3) 2.412 (4) 2.431

3-2 11.664

1-1 (1) $0.2=\sqrt{0.04}$이므로 $\sqrt{0.2}>0.2$

   (2) $\dfrac{3}{4}=\dfrac{9}{12}$, $\dfrac{2}{3}=\dfrac{8}{12}$이므로 $\dfrac{3}{4}>\dfrac{2}{3}$

   $\therefore \sqrt{\dfrac{3}{4}}>\sqrt{\dfrac{2}{3}}$

   (3) (음수)<(양수)이므로 $-\dfrac{1}{2}<\sqrt{\dfrac{1}{5}}$

   (4) $\sqrt{7}>\sqrt{6}$이므로 $-\sqrt{7}<-\sqrt{6}$

1-2 (1) $\dfrac{1}{3}=\sqrt{\dfrac{1}{9}}$이므로 $\sqrt{\dfrac{1}{5}}>\dfrac{1}{3}$

   (2) $3=\sqrt{9}$이므로 $3>\sqrt{8}$ $\therefore -3<-\sqrt{8}$

1-3 ① $2=\sqrt{4}$이므로 $2>\sqrt{3}$

   ② $\sqrt{8}>\sqrt{7}$이므로 $-\sqrt{8}<-\sqrt{7}$

   ③ $\dfrac{1}{2}=\dfrac{3}{6}$, $\dfrac{1}{3}=\dfrac{2}{6}$이므로 $\dfrac{1}{2}>\dfrac{1}{3}$ $\therefore \sqrt{\dfrac{1}{2}}>\sqrt{\dfrac{1}{3}}$

   ④ $4=\sqrt{16}$이므로 $\sqrt{11}<4$ $\therefore -\sqrt{11}>-4$

   ⑤ $0.1=\sqrt{0.01}$이므로 $\sqrt{0.1}>0.1$

   따라서 옳은 것은 ④이다.

2-1 (1) $\sqrt{36}=6$

   (2) $\sqrt{(-5)^2}=5$

2-2 ① $\sqrt{9}=3$

   ② $\sqrt{0.\dot{4}}=\sqrt{\dfrac{4}{9}}=\dfrac{2}{3}$

2-3 (1) 무한소수 중 순환소수는 유리수이다.

   (4) $\sqrt{4}=2$, $\sqrt{9}=3$, …이므로 근호가 있는 수가 모두 무리수인 것은 아니다.

2-4 ① $\sqrt{\dfrac{12}{3}}=\sqrt{4}=2$이므로 유리수이다.

   ② $\sqrt{8}-4$는 무리수이다.

   ③ $\sqrt{2}$는 무리수이면서 실수이다.

   ④ 0은 유리수이다.

   ⑤ 넓이가 9인 정사각형의 한 변의 길이는 $\sqrt{9}$, 즉 3이므로 유리수이다.

   따라서 옳은 것은 ⑤이다.

3-2 $\sqrt{8.61}=2.934$이므로 $a=2.934$

   $\sqrt{8.73}=2.955$이므로 $b=8.73$

   $\therefore a+b=2.934+8.73=11.664$

5. 실수와 수직선

개념 원리 확인   p23

1-1 (1) $\sqrt{2}$ (2) $-\sqrt{2}$

1-2 (1) $2+\sqrt{2}$ (2) $-3-\sqrt{2}$

2-1 P : $1-\sqrt{5}$, Q : $1+\sqrt{5}$

2-2 P : $-1-\sqrt{5}$, Q : $-1+\sqrt{5}$

3-1 (1) ◯   (2) ×   (3) ◯

3-2 (1) ×   (2) ×   (3) ◯

1-1 (1) △DBC에서 $\overline{BD}=\sqrt{1^2+1^2}=\sqrt{2}$
이때 점 B에 대응하는 수는 0이고, $\overline{BP}=\overline{BD}=\sqrt{2}$
이므로 점 P에 대응하는 수는 $\sqrt{2}$이다.

    (2) △ABC에서 $\overline{CA}=\sqrt{1^2+1^2}=\sqrt{2}$
이때 점 C에 대응하는 수는 0이고, $\overline{CP}=\overline{CA}=\sqrt{2}$
이므로 점 P에 대응하는 수는 $-\sqrt{2}$이다.

1-2 (1) △DBC에서 $\overline{BD}=\sqrt{1^2+1^2}=\sqrt{2}$
이때 점 B에 대응하는 수는 2이고, $\overline{BP}=\overline{BD}=\sqrt{2}$
이므로 점 P에 대응하는 수는 $2+\sqrt{2}$이다.

    (2) △ABC에서 $\overline{CA}=\sqrt{1^2+1^2}=\sqrt{2}$
이때 점 C에 대응하는 수는 -3이고, $\overline{CP}=\overline{CA}=\sqrt{2}$
이므로 점 P에 대응하는 수는 $-3-\sqrt{2}$이다.

2-1 △ABC에서 $\overline{AC}=\sqrt{1^2+2^2}=\sqrt{5}$
이때 점 A에 대응하는 수는 1이고,
$\overline{AP}=\overline{AQ}=\overline{AC}=\sqrt{5}$이므로 점 P에 대응하는 수는
$1-\sqrt{5}$, 점 Q에 대응하는 수는 $1+\sqrt{5}$이다.

2-2 △ABC에서 $\overline{CA}=\sqrt{1^2+2^2}=\sqrt{5}$
이때 점 C에 대응하는 수는 -1이고,
$\overline{CP}=\overline{CQ}=\overline{CA}=\sqrt{5}$이므로 점 P에 대응하는 수는
$-1-\sqrt{5}$, 점 Q에 대응하는 수는 $-1+\sqrt{5}$이다.

3-1 (2) 서로 다른 두 유리수 사이에는 무수히 많은 무리수
가 있다.

3-2 (1) -1과 1 사이에는 무수히 많은 유리수가 있다.

    (2) 서로 다른 두 무리수 사이에는 무수히 많은 유리수
가 있다.

6. 실수의 대소 관계

개념 원리 확인   p25

4-1 (1) >   (2) <   (3) <   (4) >

4-2 (1) >   (2) <   (3) >   (4) >

5-1 1, 2, 4, <, <, <

5-2 (1) >   (2) <   (3) >

4-2 (3) $0.4=\sqrt{0.16}$이므로
$|\sqrt{0.3}|>|\sqrt{0.16}|$ ∴ $\sqrt{0.3}>0.4$

    (4) $-2=-\sqrt{4}$이므로
$\left|-\sqrt{\dfrac{1}{3}}\right|<|-\sqrt{4}|$ ∴ $-\sqrt{\dfrac{1}{3}}>-2$

5-2 (1) $2-\sqrt{3}-(2-\sqrt{6})=2-\sqrt{3}-2+\sqrt{6}$
$=-\sqrt{3}+\sqrt{6}$
이때 $-\sqrt{3}+\sqrt{6}>0$이므로 $2-\sqrt{3}>2-\sqrt{6}$

    (2) $\sqrt{2}+3-5=\sqrt{2}-2=\sqrt{2}-\sqrt{4}$
이때 $\sqrt{2}-\sqrt{4}<0$이므로 $\sqrt{2}+3<5$

    (3) $\sqrt{5}-3-(-3+\sqrt{2})=\sqrt{5}-3+3-\sqrt{2}$
$=\sqrt{5}-\sqrt{2}$
이때 $\sqrt{5}-\sqrt{2}>0$이므로 $\sqrt{5}-3>-3+\sqrt{2}$

3일 기초 집중 연습   p26 ~ p27

1-1 (1) $-3+\sqrt{2}$ (2) $1-\sqrt{2}$

1-2 (1) $\sqrt{13}$ (2) $-1-\sqrt{13}$ (3) $-1+\sqrt{13}$

1-3 11

2-1 (1) ◯   (2) ×   (3) ◯   (4) ×

2-2 ②

3-1 (1) >   (2) <   (3) >

3-2 ㉠ : B, ㉡ : A, ㉢ : D, ㉣ : C

4-1 (1) >   (2) <   (3) >   (4) <

4-2 ④

1-1 (1) △DBC에서 $\overline{BD}=\sqrt{1^2+1^2}=\sqrt{2}$
이때 점 B에 대응하는 수는 -3이고, $\overline{BP}=\overline{BD}=\sqrt{2}$
이므로 점 P에 대응하는 수는 $-3+\sqrt{2}$이다.

(2) △EFG에서 $\overline{GE}=\sqrt{1^2+1^2}=\sqrt{2}$
이때 점 G에 대응하는 수는 1이고, $\overline{GQ}=\overline{GE}=\sqrt{2}$
이므로 점 Q에 대응하는 수는 $1-\sqrt{2}$이다.

1-2 (1) △ABC에서 $\overline{AC}=\sqrt{2^2+3^2}=\sqrt{13}$

(2) 점 C에 대응하는 수는 -1이고, $\overline{CP}=\overline{CA}=\sqrt{13}$
이므로 점 P에 대응하는 수는 $-1-\sqrt{13}$이다.

(3) 점 C에 대응하는 수는 -1이고, $\overline{CQ}=\overline{CA}=\sqrt{13}$
이므로 점 Q에 대응하는 수는 $-1+\sqrt{13}$이다.

1-3 △ABC에서 $\overline{AC}=\sqrt{1^2+3^2}=\sqrt{10}$
이때 점 A에 대응하는 수는 1이고, $\overline{AP}=\overline{AC}=\sqrt{10}$
이므로 점 P에 대응하는 수는 $1-\sqrt{10}$이다.
따라서 $a=1$, $b=10$이므로 $a+b=1+10=11$

2-1 (2) 수직선은 유리수에 대응하는 점으로 완전히 메울 수 없다.

(4) $\sqrt{10}$에 대응하는 점은 수직선 위에 나타낼 수 있다.

2-2 ① π에 대응하는 점은 수직선 위에 나타낼 수 있다.
③ 수직선 위의 점은 모두 유리수나 무리수에 대응된다.
④ 순환소수가 아닌 무한소수, 즉 무리수는 수직선 위의 점에 대응시킬 수 있다.
⑤ 무리수에 대응하는 모든 점들로 수직선을 완전히 메울 수 없다.

3-1 (3) $-\dfrac{5}{2}=-\sqrt{\dfrac{25}{4}}$이므로

$$\left|-\sqrt{2}\right|<\left|-\sqrt{\dfrac{25}{4}}\right| \qquad \therefore -\sqrt{2}>-\dfrac{5}{2}$$

3-2 ㉠ $-2<-\dfrac{3}{2}<-1$이므로 $-\dfrac{3}{2}$에 대응하는 점은 B이다.

㉡ $2=\sqrt{4}$, $3=\sqrt{9}$이므로 $2<\sqrt{5}<3$
$\therefore -3<-\sqrt{5}<-2$
즉 $-\sqrt{5}$에 대응하는 점은 A이다.

㉢ $1=\sqrt{1}$, $2=\sqrt{4}$이므로 $1<\sqrt{3}<2$
즉 $\sqrt{3}$에 대응하는 점은 D이다.

㉣ -1에 대응하는 점은 C이다.

4-1 (1) $3-\sqrt{2}-(3-\sqrt{5})=3-\sqrt{2}-3+\sqrt{5}$
$$=-\sqrt{2}+\sqrt{5}$$
이때 $-\sqrt{2}+\sqrt{5}>0$이므로 $3-\sqrt{2}>3-\sqrt{5}$

(2) $\sqrt{3}+1-(\sqrt{5}+1)=\sqrt{3}+1-\sqrt{5}-1$
$$=\sqrt{3}-\sqrt{5}$$
이때 $\sqrt{3}-\sqrt{5}<0$이므로 $\sqrt{3}+1<\sqrt{5}+1$

(3) $\sqrt{10}-2-1=\sqrt{10}-3=\sqrt{10}-\sqrt{9}$
이때 $\sqrt{10}-\sqrt{9}>0$이므로 $\sqrt{10}-2>1$

(4) $\sqrt{3}+3-5=\sqrt{3}-2=\sqrt{3}-\sqrt{4}$
이때 $\sqrt{3}-\sqrt{4}<0$이므로 $\sqrt{3}+3<5$

4-2 ① $2+\sqrt{2}-4=\sqrt{2}-2=\sqrt{2}-\sqrt{4}$
이때 $\sqrt{2}-\sqrt{4}<0$이므로 $2+\sqrt{2}<4$

② $4-(3-\sqrt{2})=4-3+\sqrt{2}$
$$=1+\sqrt{2}$$
이때 $1+\sqrt{2}>0$이므로 $4>3-\sqrt{2}$

③ $\sqrt{7}-3-(-3+\sqrt{3})=\sqrt{7}-3+3-\sqrt{3}$
$$=\sqrt{7}-\sqrt{3}$$
이때 $\sqrt{7}-\sqrt{3}>0$이므로 $\sqrt{7}-3>-3+\sqrt{3}$

④ $1-\sqrt{2}-(-\sqrt{5}+1)=1-\sqrt{2}+\sqrt{5}-1$
$$=-\sqrt{2}+\sqrt{5}$$
이때 $-\sqrt{2}+\sqrt{5}>0$이므로 $1-\sqrt{2}>-\sqrt{5}+1$

⑤ $\sqrt{2}-1-(-1+\sqrt{3})=\sqrt{2}-1+1-\sqrt{3}$
$$=\sqrt{2}-\sqrt{3}$$
이때 $\sqrt{2}-\sqrt{3}<0$이므로 $\sqrt{2}-1<-1+\sqrt{3}$
따라서 옳은 것은 ④이다.

4일

7. 제곱근의 곱셈과 나눗셈

개념 원리 확인
p29

1-1 (1) $\sqrt{15}$ (2) $-\sqrt{5}$ (3) $6\sqrt{21}$ (4) $8\sqrt{30}$ (5) $3\sqrt{5}$

1-2 (1) $\sqrt{2}$ (2) $-\sqrt{66}$ (3) $4\sqrt{15}$ (4) $2\sqrt{10}$ (5) $-2\sqrt{6}$

2-1 (1) $\sqrt{5}$ (2) $-\sqrt{3}$ (3) -3 (4) $3\sqrt{3}$ (5) $2\sqrt{3}$

2-2 (1) $\sqrt{5}$ (2) $-2\sqrt{3}$ (3) $-4\sqrt{5}$ (4) $4\sqrt{2}$ (5) $\dfrac{3}{2}\sqrt{7}$

1-1 (1) $\sqrt{3}\sqrt{5}=\sqrt{3\times5}=\sqrt{15}$

(2) $\sqrt{\dfrac{1}{2}}\times(-\sqrt{10})=-\sqrt{\dfrac{1}{2}\times10}=-\sqrt{5}$

(3) $2\sqrt{3}\times3\sqrt{7}=(2\times3)\times\sqrt{3\times7}=6\sqrt{21}$

(4) $(-2\sqrt{6})\times(-4\sqrt{5})$
$=\{(-2)\times(-4)\}\times\sqrt{6\times5}=8\sqrt{30}$

(5) $3\sqrt{6}\times\sqrt{\dfrac{5}{6}}=3\times\sqrt{6\times\dfrac{5}{6}}=3\sqrt{5}$

1-2 (1) $\sqrt{15}\sqrt{\dfrac{2}{15}}=\sqrt{15\times\dfrac{2}{15}}=\sqrt{2}$

(2) $(-\sqrt{6})\times\sqrt{11}=-\sqrt{6\times11}=-\sqrt{66}$

(3) $\sqrt{3}\times4\sqrt{5}=4\times\sqrt{3\times5}=4\sqrt{15}$

(4) $\dfrac{2}{3}\sqrt{2}\times3\sqrt{5}=\left(\dfrac{2}{3}\times3\right)\times\sqrt{2\times5}=2\sqrt{10}$

(5) $10\sqrt{2}\times\left(-\dfrac{1}{5}\sqrt{3}\right)$
$=\left\{10\times\left(-\dfrac{1}{5}\right)\right\}\times\sqrt{2\times3}=-2\sqrt{6}$

2-1 (1) $\dfrac{\sqrt{10}}{\sqrt{2}}=\sqrt{\dfrac{10}{2}}=\sqrt{5}$

(2) $(-\sqrt{21})\div\sqrt{7}=-\dfrac{\sqrt{21}}{\sqrt{7}}=-\sqrt{\dfrac{21}{7}}=-\sqrt{3}$

(3) $3\sqrt{2}\div(-\sqrt{2})=-\dfrac{3\sqrt{2}}{\sqrt{2}}=-3\sqrt{\dfrac{2}{2}}=-3$

(4) $9\sqrt{24}\div3\sqrt{8}=\dfrac{9\sqrt{24}}{3\sqrt{8}}=\dfrac{9}{3}\sqrt{\dfrac{24}{8}}=3\sqrt{3}$

(5) $(-4\sqrt{15})\div(-2\sqrt{5})=\dfrac{4\sqrt{15}}{2\sqrt{5}}$
$=\dfrac{4}{2}\sqrt{\dfrac{15}{5}}=2\sqrt{3}$

2-2 (1) $\dfrac{\sqrt{15}}{\sqrt{3}}=\sqrt{\dfrac{15}{3}}=\sqrt{5}$

(2) $(-2\sqrt{6})\div\sqrt{2}=-\dfrac{2\sqrt{6}}{\sqrt{2}}=-2\sqrt{\dfrac{6}{2}}=-2\sqrt{3}$

(3) $4\sqrt{30}\div(-\sqrt{6})=-\dfrac{4\sqrt{30}}{\sqrt{6}}=-4\sqrt{\dfrac{30}{6}}=-4\sqrt{5}$

(4) $12\sqrt{14}\div3\sqrt{7}=\dfrac{12\sqrt{14}}{3\sqrt{7}}=\dfrac{12}{3}\sqrt{\dfrac{14}{7}}=4\sqrt{2}$

(5) $(-3\sqrt{21})\div(-2\sqrt{3})=\dfrac{3\sqrt{21}}{2\sqrt{3}}$
$=\dfrac{3}{2}\sqrt{\dfrac{21}{3}}=\dfrac{3}{2}\sqrt{7}$

8. 근호가 있는 식의 변형

개념 원리 확인   **p31**

3-1 (1) $3\sqrt{2}$ (2) $2\sqrt{10}$ (3) $\dfrac{\sqrt{2}}{3}$ (4) $\dfrac{\sqrt{11}}{5}$

3-2 (1) $2\sqrt{5}$ (2) $5\sqrt{2}$ (3) $\dfrac{\sqrt{3}}{2}$ (4) $\dfrac{\sqrt{5}}{7}$

4-1 (1) $\sqrt{12}$ (2) $-\sqrt{28}$ (3) $-\sqrt{\dfrac{7}{4}}$ (4) $\sqrt{\dfrac{20}{9}}$

4-2 (1) $\sqrt{32}$ (2) $-\sqrt{54}$ (3) $\sqrt{\dfrac{7}{9}}$ (4) $\sqrt{\dfrac{27}{4}}$

5-1 (1) $4\sqrt{6}$ (2) $6\sqrt{6}$ (3) $3\sqrt{15}$ (4) $15\sqrt{6}$

5-2 (1) $10\sqrt{6}$ (2) $4\sqrt{30}$ (3) $6\sqrt{35}$ (4) $8\sqrt{39}$

3-1 (1) $\sqrt{18}=\sqrt{3^2\times2}=3\sqrt{2}$

(2) $\sqrt{40}=\sqrt{2^2\times10}=2\sqrt{10}$

(3) $\sqrt{\dfrac{2}{9}}=\sqrt{\dfrac{2}{3^2}}=\dfrac{\sqrt{2}}{3}$

(4) $\sqrt{\dfrac{11}{25}}=\sqrt{\dfrac{11}{5^2}}=\dfrac{\sqrt{11}}{5}$

3-2 (1) $\sqrt{20}=\sqrt{2^2\times5}=2\sqrt{5}$

(2) $\sqrt{50}=\sqrt{5^2\times2}=5\sqrt{2}$

(3) $\sqrt{\dfrac{3}{4}}=\sqrt{\dfrac{3}{2^2}}=\dfrac{\sqrt{3}}{2}$

(4) $\sqrt{\dfrac{5}{49}}=\sqrt{\dfrac{5}{7^2}}=\dfrac{\sqrt{5}}{7}$

4-1 (1) $2\sqrt{3}=\sqrt{2^2\times3}=\sqrt{12}$

(2) $-2\sqrt{7}=-\sqrt{2^2\times7}=-\sqrt{28}$

(3) $-\dfrac{\sqrt{7}}{2}=-\sqrt{\dfrac{7}{2^2}}=-\sqrt{\dfrac{7}{4}}$

(4) $\dfrac{2\sqrt{5}}{3}=\sqrt{\dfrac{2^2\times5}{3^2}}=\sqrt{\dfrac{20}{9}}$

4-2 (1) $4\sqrt{2}=\sqrt{4^2\times2}=\sqrt{32}$

(2) $-3\sqrt{6}=-\sqrt{3^2\times6}=-\sqrt{54}$

(3) $\dfrac{\sqrt{7}}{3}=\sqrt{\dfrac{7}{3^2}}=\sqrt{\dfrac{7}{9}}$

(4) $\dfrac{3\sqrt{3}}{2}=\sqrt{\dfrac{3^2\times3}{2^2}}=\sqrt{\dfrac{27}{4}}$

5-1 (1) $2\sqrt{3}\times\sqrt{8}=2\sqrt{3}\times2\sqrt{2}=4\sqrt{6}$

(2) $\sqrt{12}\times\sqrt{18}=2\sqrt{3}\times3\sqrt{2}=6\sqrt{6}$

(3) $\sqrt{3}\times\sqrt{45}=\sqrt{3}\times3\sqrt{5}=3\sqrt{15}$

(4) $\sqrt{27}\times\sqrt{50}=3\sqrt{3}\times5\sqrt{2}=15\sqrt{6}$

5-2 (1) $5\sqrt{2}\times\sqrt{12}=5\sqrt{2}\times2\sqrt{3}=10\sqrt{6}$

(2) $\sqrt{20}\times\sqrt{24}=2\sqrt{5}\times2\sqrt{6}=4\sqrt{30}$

(3) $\sqrt{63}\times2\sqrt{5}=3\sqrt{7}\times2\sqrt{5}=6\sqrt{35}$

(4) $\sqrt{48}\times\sqrt{52}=4\sqrt{3}\times2\sqrt{13}=8\sqrt{39}$

4일 **기초 집중 연습** p32 ~ p33

1-1 (1) $\sqrt{14}$ (2) $\sqrt{2}$ (3) $-15\sqrt{10}$ (4) $14\sqrt{6}$

1-2 ⑤   **1-3** -1

2-1 (1) $\sqrt{5}$ (2) $\sqrt{6}$ (3) $-3\sqrt{5}$ (4) $2\sqrt{7}$

2-2 ⑤

3-1 (1) $3\sqrt{3}$ (2) $4\sqrt{2}$ (3) $\dfrac{\sqrt{6}}{5}$ (4) $-\dfrac{\sqrt{15}}{7}$

3-2 (1) $\sqrt{20}$ (2) $-\sqrt{18}$ (3) $\sqrt{\dfrac{7}{16}}$ (4) $-\sqrt{\dfrac{11}{36}}$

3-3 ②   **3-4** ㉠, ㉢

3-5 (1) $3\sqrt{5}$ (2) $24\sqrt{3}$ (3) $-9\sqrt{2}$ (4) $36\sqrt{2}$

1-1 (1) $\sqrt{2}\times\sqrt{7}=\sqrt{2\times7}=\sqrt{14}$

(2) $\sqrt{\dfrac{3}{7}}\times\sqrt{\dfrac{14}{3}}=\sqrt{\dfrac{3}{7}\times\dfrac{14}{3}}=\sqrt{2}$

(3) $(-3\sqrt{2})\times5\sqrt{5}=\{(-3)\times5\}\times\sqrt{2\times5}$
$=-15\sqrt{10}$

(4) $(-7\sqrt{2})\times(-2\sqrt{3})=\{(-7)\times(-2)\}\times\sqrt{2\times3}$
$=14\sqrt{6}$

1-2 ① $\sqrt{2}\sqrt{3}=\sqrt{2\times3}=\sqrt{6}$

② $-3\sqrt{5}\times\sqrt{2}=-3\times\sqrt{5\times2}=-3\sqrt{10}$

③ $\sqrt{\dfrac{1}{3}}\times\sqrt{15}=\sqrt{\dfrac{1}{3}\times15}=\sqrt{5}$

④ $\sqrt{\dfrac{5}{4}}\times\sqrt{\dfrac{12}{5}}=\sqrt{\dfrac{5}{4}\times\dfrac{12}{5}}=\sqrt{3}$

⑤ $5\sqrt{2}\times2\sqrt{2}=(5\times2)\times\sqrt{2\times2}=10\sqrt{4}=20$

따라서 옳지 않은 것은 ⑤이다.

1-3 $\sqrt{\dfrac{1}{5}}\times\sqrt{20}=\sqrt{\dfrac{1}{5}\times20}=\sqrt{4}=2$ $\therefore a=2$

$-\sqrt{39}\times\sqrt{\dfrac{3}{13}}=-\sqrt{39\times\dfrac{3}{13}}=-\sqrt{9}=-3$

$\therefore b=-3$

$\therefore a+b=2+(-3)=-1$

2-1 (1) $\sqrt{10}\div\sqrt{2}=\dfrac{\sqrt{10}}{\sqrt{2}}=\sqrt{\dfrac{10}{2}}=\sqrt{5}$

(2) $\dfrac{\sqrt{36}}{\sqrt{6}}=\sqrt{\dfrac{36}{6}}=\sqrt{6}$

(3) $(-6\sqrt{15})\div2\sqrt{3}=-\dfrac{6\sqrt{15}}{2\sqrt{3}}$
$=-\dfrac{6}{2}\sqrt{\dfrac{15}{3}}=-3\sqrt{5}$

(4) $(-8\sqrt{14})\div(-4\sqrt{2})=\dfrac{8\sqrt{14}}{4\sqrt{2}}$
$=\dfrac{8}{4}\sqrt{\dfrac{14}{2}}=2\sqrt{7}$

2-2 ① $\sqrt{28}\div\sqrt{7}=\dfrac{\sqrt{28}}{\sqrt{7}}=\sqrt{\dfrac{28}{7}}=\sqrt{4}=2$

② $\dfrac{\sqrt{63}}{\sqrt{7}}=\sqrt{\dfrac{63}{7}}=\sqrt{9}=3$

③ $3\sqrt{2}\div(-\sqrt{2})=-\dfrac{3\sqrt{2}}{\sqrt{2}}=-3\sqrt{\dfrac{2}{2}}=-3$

④ $2\sqrt{12}\div\sqrt{3}=\dfrac{2\sqrt{12}}{\sqrt{3}}=2\sqrt{\dfrac{12}{3}}=2\sqrt{4}=4$

⑤ $6\sqrt{15}\div3\sqrt{5}=\dfrac{6\sqrt{15}}{3\sqrt{5}}=\dfrac{6}{3}\sqrt{\dfrac{15}{5}}=2\sqrt{3}$

따라서 계산 결과가 무리수인 것은 ⑤이다.

3-1 (1) $\sqrt{27}=\sqrt{3^2\times3}=3\sqrt{3}$

(2) $\sqrt{32}=\sqrt{4^2\times2}=4\sqrt{2}$

(3) $\sqrt{\dfrac{6}{25}}=\sqrt{\dfrac{6}{5^2}}=\dfrac{\sqrt{6}}{5}$

(4) $-\sqrt{\dfrac{15}{49}}=-\sqrt{\dfrac{15}{7^2}}=-\dfrac{\sqrt{15}}{7}$

3-2 (1) $2\sqrt{5}=\sqrt{2^2\times5}=\sqrt{20}$

(2) $-3\sqrt{2}=-\sqrt{3^2\times2}=-\sqrt{18}$

(3) $\dfrac{\sqrt{7}}{4}=\sqrt{\dfrac{7}{4^2}}=\sqrt{\dfrac{7}{16}}$

(4) $-\dfrac{\sqrt{11}}{6}=-\sqrt{\dfrac{11}{6^2}}=-\sqrt{\dfrac{11}{36}}$

3-3 $\sqrt{48}=\sqrt{4^2\times3}=4\sqrt{3}$ $\quad\therefore a=4$

$\sqrt{72}=\sqrt{6^2\times2}=6\sqrt{2}$ $\quad\therefore b=6$

$\therefore \sqrt{ab}=\sqrt{4\times6}=\sqrt{24}=\sqrt{2^2\times6}=2\sqrt{6}$

3-4 ㉠ $\sqrt{45}=\sqrt{3^2\times5}=3\sqrt{5}$

㉡ $-4\sqrt{6}=-\sqrt{4^2\times6}=-\sqrt{96}$

㉢ $\sqrt{\dfrac{4}{121}}=\sqrt{\left(\dfrac{2}{11}\right)^2}=\dfrac{2}{11}$

㉣ $2\sqrt{\dfrac{5}{2}}=\sqrt{2^2\times\dfrac{5}{2}}=\sqrt{10}$

따라서 옳은 것은 ㉠, ㉢이다.

3-5 (1) $\sqrt{3}\times\sqrt{15}=\sqrt{45}=3\sqrt{5}$

(2) $4\sqrt{6}\times\sqrt{18}=4\sqrt{6}\times3\sqrt{2}=12\sqrt{12}$
$=12\times2\sqrt{3}=24\sqrt{3}$

(3) $(-\sqrt{27})\times\sqrt{6}=-3\sqrt{3}\times\sqrt{6}=-3\sqrt{18}$
$=-3\times3\sqrt{2}=-9\sqrt{2}$

(4) $\sqrt{48}\times\sqrt{54}=4\sqrt{3}\times3\sqrt{6}=12\sqrt{18}$
$=12\times3\sqrt{2}=36\sqrt{2}$

(3) $\dfrac{\sqrt{5}}{\sqrt{13}}=\dfrac{\sqrt{5}\times\sqrt{13}}{\sqrt{13}\times\sqrt{13}}=\dfrac{\sqrt{65}}{13}$

(4) $\dfrac{3}{\sqrt{15}}=\dfrac{3\times\sqrt{15}}{\sqrt{15}\times\sqrt{15}}=\dfrac{3\sqrt{15}}{15}=\dfrac{\sqrt{15}}{5}$

2-2 (1) $\dfrac{1}{3\sqrt{2}}=\dfrac{1\times\sqrt{2}}{3\sqrt{2}\times\sqrt{2}}=\dfrac{\sqrt{2}}{6}$

(2) $-\dfrac{3}{2\sqrt{5}}=-\dfrac{3\times\sqrt{5}}{2\sqrt{5}\times\sqrt{5}}=-\dfrac{3\sqrt{5}}{10}$

(3) $\dfrac{\sqrt{5}}{4\sqrt{6}}=\dfrac{\sqrt{5}\times\sqrt{6}}{4\sqrt{6}\times\sqrt{6}}=\dfrac{\sqrt{30}}{24}$

(4) $\dfrac{5}{3\sqrt{5}}=\dfrac{5\times\sqrt{5}}{3\sqrt{5}\times\sqrt{5}}=\dfrac{5\sqrt{5}}{15}=\dfrac{\sqrt{5}}{3}$

3-2 (1) $\dfrac{5}{\sqrt{18}}=\dfrac{5}{3\sqrt{2}}=\dfrac{5\times\sqrt{2}}{3\sqrt{2}\times\sqrt{2}}=\dfrac{5\sqrt{2}}{6}$

(2) $-\dfrac{2}{\sqrt{27}}=-\dfrac{2}{3\sqrt{3}}=-\dfrac{2\times\sqrt{3}}{3\sqrt{3}\times\sqrt{3}}=-\dfrac{2\sqrt{3}}{9}$

(3) $\dfrac{\sqrt{3}}{\sqrt{32}}=\dfrac{\sqrt{3}}{4\sqrt{2}}=\dfrac{\sqrt{3}\times\sqrt{2}}{4\sqrt{2}\times\sqrt{2}}=\dfrac{\sqrt{6}}{8}$

(4) $\dfrac{3\sqrt{3}}{\sqrt{20}}=\dfrac{3\sqrt{3}}{2\sqrt{5}}=\dfrac{3\sqrt{3}\times\sqrt{5}}{2\sqrt{5}\times\sqrt{5}}=\dfrac{3\sqrt{15}}{10}$

5일

9. 분모의 유리화

개념 원리 확인 p35

1-1 (1) $\sqrt{2}$, $\sqrt{2}$, $\dfrac{3\sqrt{2}}{2}$ (2) $\sqrt{5}$, $\sqrt{5}$, $\dfrac{\sqrt{10}}{5}$

1-2 (1) $\dfrac{2\sqrt{7}}{7}$ (2) $-\dfrac{\sqrt{22}}{11}$ (3) $\dfrac{\sqrt{65}}{13}$ (4) $\dfrac{\sqrt{15}}{5}$

2-1 (1) $\sqrt{2}$, $\sqrt{2}$, $\dfrac{\sqrt{2}}{4}$ (2) $\sqrt{3}$, $\sqrt{3}$, $\dfrac{\sqrt{15}}{9}$

2-2 (1) $\dfrac{\sqrt{2}}{6}$ (2) $-\dfrac{3\sqrt{5}}{10}$ (3) $\dfrac{\sqrt{30}}{24}$ (4) $\dfrac{\sqrt{5}}{3}$

3-1 (1) 2, $\sqrt{3}$, 2, $\sqrt{3}$, $\dfrac{\sqrt{3}}{6}$ (2) 6, $\sqrt{6}$, 6, $\sqrt{6}$, $\dfrac{\sqrt{30}}{12}$

3-2 (1) $\dfrac{5\sqrt{2}}{6}$ (2) $-\dfrac{2\sqrt{3}}{9}$ (3) $\dfrac{\sqrt{6}}{8}$ (4) $\dfrac{3\sqrt{15}}{10}$

1-2 (1) $\dfrac{2}{\sqrt{7}}=\dfrac{2\times\sqrt{7}}{\sqrt{7}\times\sqrt{7}}=\dfrac{2\sqrt{7}}{7}$

(2) $-\dfrac{\sqrt{2}}{\sqrt{11}}=-\dfrac{\sqrt{2}\times\sqrt{11}}{\sqrt{11}\times\sqrt{11}}=-\dfrac{\sqrt{22}}{11}$

10. 제곱근의 곱셈과 나눗셈의 혼합 계산

개념 원리 확인 p37

4-1 (1) $\dfrac{\sqrt{10}}{5}$ (2) $\dfrac{2\sqrt{6}}{3}$

4-2 (1) $\dfrac{2\sqrt{3}}{3}$ (2) $4\sqrt{6}$

5-1 (1) $\sqrt{2}$ (2) $\dfrac{2\sqrt{10}}{5}$

5-2 (1) $\dfrac{\sqrt{6}}{3}$ (2) $\dfrac{\sqrt{10}}{40}$

6-1 (1) $\dfrac{5\sqrt{2}}{3}$ (2) $2\sqrt{3}$

6-2 (1) $\dfrac{\sqrt{5}}{5}$ (2) $\dfrac{2\sqrt{3}}{9}$

4-1 (1) $\sqrt{\dfrac{2}{3}}\times\sqrt{\dfrac{3}{5}}=\sqrt{\dfrac{2}{3}\times\dfrac{3}{5}}=\sqrt{\dfrac{2}{5}}$
$=\dfrac{\sqrt{2}}{\sqrt{5}}=\dfrac{\sqrt{2}\times\sqrt{5}}{\sqrt{5}\times\sqrt{5}}=\dfrac{\sqrt{10}}{5}$

(2) $\dfrac{6}{\sqrt{3}} \times \dfrac{2}{3\sqrt{2}} = \dfrac{4}{\sqrt{6}} = \dfrac{4 \times \sqrt{6}}{\sqrt{6} \times \sqrt{6}}$

$= \dfrac{4\sqrt{6}}{6} = \dfrac{2\sqrt{6}}{3}$

4-2 (1) $\sqrt{\dfrac{1}{6}} \times \sqrt{8} = \sqrt{\dfrac{1}{6} \times 8} = \sqrt{\dfrac{4}{3}}$

$= \dfrac{2}{\sqrt{3}} = \dfrac{2 \times \sqrt{3}}{\sqrt{3} \times \sqrt{3}} = \dfrac{2\sqrt{3}}{3}$

(2) $4\sqrt{5} \times \dfrac{3\sqrt{2}}{\sqrt{15}} = \dfrac{12\sqrt{2}}{\sqrt{3}} = \dfrac{12\sqrt{2} \times \sqrt{3}}{\sqrt{3} \times \sqrt{3}}$

$= \dfrac{12\sqrt{6}}{3} = 4\sqrt{6}$

5-1 (1) $2\sqrt{5} \div \sqrt{10} = \dfrac{2\sqrt{5}}{\sqrt{10}} = \dfrac{2}{\sqrt{2}}$

$= \dfrac{2 \times \sqrt{2}}{\sqrt{2} \times \sqrt{2}} = \dfrac{2\sqrt{2}}{2} = \sqrt{2}$

(2) $\sqrt{3} \div \dfrac{\sqrt{15}}{\sqrt{8}} = \sqrt{3} \times \dfrac{\sqrt{8}}{\sqrt{15}} = \dfrac{2\sqrt{2}}{\sqrt{5}}$

$= \dfrac{2\sqrt{2} \times \sqrt{5}}{\sqrt{5} \times \sqrt{5}} = \dfrac{2\sqrt{10}}{5}$

5-2 (1) $2\sqrt{3} \div 3\sqrt{2} = \dfrac{2\sqrt{3}}{3\sqrt{2}} = \dfrac{2\sqrt{3} \times \sqrt{2}}{3\sqrt{2} \times \sqrt{2}} = \dfrac{2\sqrt{6}}{6} = \dfrac{\sqrt{6}}{3}$

(2) $\dfrac{\sqrt{6}}{4\sqrt{5}} \div 2\sqrt{3} = \dfrac{\sqrt{6}}{4\sqrt{5}} \times \dfrac{1}{2\sqrt{3}} = \dfrac{\sqrt{2}}{8\sqrt{5}}$

$= \dfrac{\sqrt{2} \times \sqrt{5}}{8\sqrt{5} \times \sqrt{5}} = \dfrac{\sqrt{10}}{40}$

6-1 (1) $\dfrac{\sqrt{2}}{3} \times \dfrac{\sqrt{10}}{\sqrt{3}} \div \sqrt{\dfrac{2}{15}} = \dfrac{\sqrt{20}}{3\sqrt{3}} \times \dfrac{\sqrt{15}}{\sqrt{2}}$

$= \dfrac{\sqrt{50}}{3} = \dfrac{5\sqrt{2}}{3}$

(2) $\dfrac{6}{\sqrt{3}} \div \dfrac{\sqrt{2}}{\sqrt{5}} \times \dfrac{\sqrt{6}}{\sqrt{15}}$

$= \dfrac{6}{\sqrt{3}} \times \dfrac{\sqrt{5}}{\sqrt{2}} \times \dfrac{\sqrt{6}}{\sqrt{15}} = \dfrac{6}{\sqrt{3}}$

$= \dfrac{6 \times \sqrt{3}}{\sqrt{3} \times \sqrt{3}} = \dfrac{6\sqrt{3}}{3} = 2\sqrt{3}$

6-2 (1) $\dfrac{3}{\sqrt{5}} \times \dfrac{\sqrt{2}}{\sqrt{3}} \div \sqrt{6}$

$= \dfrac{3\sqrt{2}}{\sqrt{15}} \times \dfrac{1}{\sqrt{6}} = \dfrac{3}{\sqrt{45}}$

$= \dfrac{3}{3\sqrt{5}} = \dfrac{1}{\sqrt{5}} = \dfrac{1 \times \sqrt{5}}{\sqrt{5} \times \sqrt{5}} = \dfrac{\sqrt{5}}{5}$

---

(2) $\dfrac{\sqrt{2}}{\sqrt{15}} \div \dfrac{\sqrt{6}}{\sqrt{5}} \times \dfrac{2}{\sqrt{3}}$

$= \dfrac{\sqrt{2}}{\sqrt{15}} \times \dfrac{\sqrt{5}}{\sqrt{6}} \times \dfrac{2}{\sqrt{3}} = \dfrac{2}{3\sqrt{3}}$

$= \dfrac{2 \times \sqrt{3}}{3\sqrt{3} \times \sqrt{3}} = \dfrac{2\sqrt{3}}{9}$

5일 기초 집중 연습 p38 ~ p39

1-1 (1) $\dfrac{\sqrt{2}}{2}$ (2) $\dfrac{6\sqrt{5}}{5}$ (3) $\dfrac{\sqrt{55}}{11}$ (4) $\dfrac{\sqrt{30}}{5}$ (5) $\dfrac{\sqrt{3}}{15}$

(6) $\dfrac{2\sqrt{5}}{3}$ (7) $\dfrac{\sqrt{2}}{6}$ (8) $\dfrac{4\sqrt{3}}{9}$ (9) $\dfrac{\sqrt{6}}{10}$ (10) $\dfrac{2\sqrt{5}}{15}$

1-2 ③   **1-3** 15

1-4 (1) 10 (2) $\dfrac{5}{9}$ (3) 18

2-1 (1) $\sqrt{6}$ (2) $7\sqrt{3}$ (3) -12 (4) $\sqrt{70}$

2-2 ④   **2-3** ④

2-4 $\dfrac{\sqrt{14}}{3}$ **2-5** ⑤

1-1 (1) $\dfrac{1}{\sqrt{2}} = \dfrac{1 \times \sqrt{2}}{\sqrt{2} \times \sqrt{2}} = \dfrac{\sqrt{2}}{2}$

(2) $\dfrac{6}{\sqrt{5}} = \dfrac{6 \times \sqrt{5}}{\sqrt{5} \times \sqrt{5}} = \dfrac{6\sqrt{5}}{5}$

(3) $\dfrac{\sqrt{5}}{\sqrt{11}} = \dfrac{\sqrt{5} \times \sqrt{11}}{\sqrt{11} \times \sqrt{11}} = \dfrac{\sqrt{55}}{11}$

(4) $\dfrac{3\sqrt{2}}{\sqrt{15}} = \dfrac{3\sqrt{2} \times \sqrt{15}}{\sqrt{15} \times \sqrt{15}} = \dfrac{3\sqrt{30}}{15} = \dfrac{\sqrt{30}}{5}$

(5) $\dfrac{1}{5\sqrt{3}} = \dfrac{1 \times \sqrt{3}}{5\sqrt{3} \times \sqrt{3}} = \dfrac{\sqrt{3}}{15}$

(6) $\dfrac{10}{3\sqrt{5}} = \dfrac{10 \times \sqrt{5}}{3\sqrt{5} \times \sqrt{5}} = \dfrac{10\sqrt{5}}{15} = \dfrac{2\sqrt{5}}{3}$

(7) $\dfrac{1}{\sqrt{18}} = \dfrac{1}{3\sqrt{2}} = \dfrac{1 \times \sqrt{2}}{3\sqrt{2} \times \sqrt{2}} = \dfrac{\sqrt{2}}{6}$

(8) $\dfrac{4}{\sqrt{27}} = \dfrac{4}{3\sqrt{3}} = \dfrac{4 \times \sqrt{3}}{3\sqrt{3} \times \sqrt{3}} = \dfrac{4\sqrt{3}}{9}$

(9) $\dfrac{\sqrt{3}}{\sqrt{50}} = \dfrac{\sqrt{3}}{5\sqrt{2}} = \dfrac{\sqrt{3} \times \sqrt{2}}{5\sqrt{2} \times \sqrt{2}} = \dfrac{\sqrt{6}}{10}$

(10) $\dfrac{2}{\sqrt{45}} = \dfrac{2}{3\sqrt{5}} = \dfrac{2 \times \sqrt{5}}{3\sqrt{5} \times \sqrt{5}} = \dfrac{2\sqrt{5}}{15}$

1-2 ① $\dfrac{1}{\sqrt{3}}=\dfrac{1\times\sqrt{3}}{\sqrt{3}\times\sqrt{3}}=\dfrac{\sqrt{3}}{3}$

② $\dfrac{\sqrt{11}}{\sqrt{3}}=\dfrac{\sqrt{11}\times\sqrt{3}}{\sqrt{3}\times\sqrt{3}}=\dfrac{\sqrt{33}}{3}$

③ $\dfrac{6}{\sqrt{2}}=\dfrac{6\times\sqrt{2}}{\sqrt{2}\times\sqrt{2}}=\dfrac{6\sqrt{2}}{2}=3\sqrt{2}$

④ $\dfrac{\sqrt{5}}{\sqrt{18}}=\dfrac{\sqrt{5}}{3\sqrt{2}}=\dfrac{\sqrt{5}\times\sqrt{2}}{3\sqrt{2}\times\sqrt{2}}=\dfrac{\sqrt{10}}{6}$

⑤ $\dfrac{3}{2\sqrt{5}}=\dfrac{3\times\sqrt{5}}{2\sqrt{5}\times\sqrt{5}}=\dfrac{3\sqrt{5}}{10}$

따라서 옳지 않은 것은 ③이다.

1-3 $\dfrac{\sqrt{5}}{\sqrt{12}}=\dfrac{\sqrt{5}}{2\sqrt{3}}=\dfrac{\sqrt{5}\times\sqrt{3}}{2\sqrt{3}\times\sqrt{3}}=\dfrac{\sqrt{15}}{6}$ ∴ $a=15$

1-4 (1) $\dfrac{1}{2\sqrt{5}}=\dfrac{1\times\sqrt{5}}{2\sqrt{5}\times\sqrt{5}}=\dfrac{\sqrt{5}}{10}$ ∴ $a=10$

(2) $\dfrac{5}{\sqrt{27}}=\dfrac{5}{3\sqrt{3}}=\dfrac{5\times\sqrt{3}}{3\sqrt{3}\times\sqrt{3}}=\dfrac{5\sqrt{3}}{9}$ ∴ $b=\dfrac{5}{9}$

(3) $a\div b=10\div\dfrac{5}{9}=10\times\dfrac{9}{5}=18$

2-1 (1) $\sqrt{3}\times\sqrt{10}\div\sqrt{5}=\sqrt{30}\div\sqrt{5}=\dfrac{\sqrt{30}}{\sqrt{5}}=\sqrt{6}$

(2) $7\sqrt{2}\div\sqrt{6}\times3=\dfrac{7\sqrt{2}}{\sqrt{6}}\times3=\dfrac{21}{\sqrt{3}}$

$=\dfrac{21\times\sqrt{3}}{\sqrt{3}\times\sqrt{3}}=\dfrac{21\sqrt{3}}{3}=7\sqrt{3}$

(3) $-\sqrt{39}\times4\sqrt{3}\div\sqrt{13}=-4\sqrt{117}\div\sqrt{13}$

$=-\dfrac{4\sqrt{117}}{\sqrt{13}}=-4\sqrt{9}=-12$

(4) $\dfrac{5\sqrt{5}}{3}\div\dfrac{\sqrt{15}}{\sqrt{7}}\times\dfrac{6\sqrt{3}}{\sqrt{10}}$

$=\dfrac{5\sqrt{5}}{3}\times\dfrac{\sqrt{7}}{\sqrt{15}}\times\dfrac{6\sqrt{3}}{\sqrt{10}}$

$=\dfrac{10\sqrt{7}}{\sqrt{10}}=\dfrac{10\sqrt{7}\times\sqrt{10}}{\sqrt{10}\times\sqrt{10}}$

$=\dfrac{10\sqrt{70}}{10}=\sqrt{70}$

2-2 $\sqrt{24}\div\sqrt{27}\times\sqrt{63}=2\sqrt{6}\div3\sqrt{3}\times3\sqrt{7}$

$=\dfrac{2\sqrt{6}}{3\sqrt{3}}\times3\sqrt{7}=2\sqrt{14}$

∴ $a=14$

2-3 $\dfrac{4}{\sqrt{3}}\times\dfrac{2}{\sqrt{2}}\div\sqrt{\dfrac{9}{8}}=\dfrac{8}{\sqrt{6}}\times\dfrac{2\sqrt{2}}{3}=\dfrac{16}{3\sqrt{3}}$

$=\dfrac{16\times\sqrt{3}}{3\sqrt{3}\times\sqrt{3}}=\dfrac{16\sqrt{3}}{9}$

∴ $a=\dfrac{16}{9}$

2-4 $\sqrt{\dfrac{7}{2}}\div\sqrt{\dfrac{15}{2}}\div\sqrt{\dfrac{3}{10}}=\dfrac{\sqrt{7}}{\sqrt{2}}\times\dfrac{\sqrt{2}}{\sqrt{15}}\times\dfrac{\sqrt{10}}{\sqrt{3}}$

$=\dfrac{\sqrt{14}}{3}$

2-5 ① $-\sqrt{27}\times\sqrt{50}=-3\sqrt{3}\times5\sqrt{2}=-15\sqrt{6}$

② $5\sqrt{20}\div2\sqrt{75}=10\sqrt{5}\div10\sqrt{3}=\dfrac{10\sqrt{5}}{10\sqrt{3}}=\dfrac{\sqrt{5}}{\sqrt{3}}$

$=\dfrac{\sqrt{5}\times\sqrt{3}}{\sqrt{3}\times\sqrt{3}}=\dfrac{\sqrt{15}}{3}$

③ $\sqrt{72}\times\sqrt{108}\div\sqrt{48}=6\sqrt{2}\times6\sqrt{3}\div4\sqrt{3}$

$=36\sqrt{6}\div4\sqrt{3}$

$=\dfrac{36\sqrt{6}}{4\sqrt{3}}=9\sqrt{2}$

④ $5\sqrt{2}\div\dfrac{\sqrt{5}}{\sqrt{2}}\times\sqrt{7}=5\sqrt{2}\times\dfrac{\sqrt{2}}{\sqrt{5}}\times\sqrt{7}=\dfrac{10\sqrt{7}}{\sqrt{5}}$

$=\dfrac{10\sqrt{7}\times\sqrt{5}}{\sqrt{5}\times\sqrt{5}}=\dfrac{10\sqrt{35}}{5}$

$=2\sqrt{35}$

⑤ $3\sqrt{2}\times(-2\sqrt{6})\div\dfrac{\sqrt{3}}{2}=-6\sqrt{12}\times\dfrac{2}{\sqrt{3}}=-24$

따라서 옳지 않은 것은 ⑤이다.

누구나 100점 테스트 p40 ~ p41

01 (1) ±1 (2) 0 (3) $\pm\dfrac{3}{4}$ (4) ±0.5 (5) $\pm\sqrt{13}$ (6) $\pm\sqrt{26}$

02 $A=2,\ B=-5$ **03** ④ **04** ⑤

05 5.092 **06** $P:1-\sqrt{13},\ Q:1+\sqrt{13}$

07 (1) ○ (2) ○ (3) × **08** ⑤ **09** ⑤

10 (1) $2\sqrt{21}$ (2) $3\sqrt{2}$ (3) $2\sqrt{2}$ (4) -2 (5) 24 (6) 3

02 $\sqrt{16}=4$이므로 $\sqrt{16}$의 양의 제곱근은 2이다.

$\quad \therefore A=2$

$\quad (-5)^2=25$이므로 $(-5)^2$의 음의 제곱근은 -5이다.

$\quad \therefore B=-5$

03 ① $(\sqrt{6})^2+(-\sqrt{2})^2=6+2$
$\qquad\qquad\qquad\qquad\quad =8$

$\quad$② $\sqrt{100}-\sqrt{(-3)^2}=10-3$
$\qquad\qquad\qquad\qquad\quad\ =7$

$\quad$③ $-\sqrt{14^2}\times\left(\sqrt{\dfrac{1}{7}}\right)^2=-14\times\dfrac{1}{7}$
$\qquad\qquad\qquad\qquad\qquad\ =-2$

$\quad$④ $(-\sqrt{5})^2\div\sqrt{\left(\dfrac{5}{3}\right)^2}=5\div\dfrac{5}{3}$
$\qquad\qquad\qquad\qquad\qquad\ =5\times\dfrac{3}{5}=3$

$\quad$⑤ $\sqrt{(-8)^2}\div\sqrt{4^2}=8\div4$
$\qquad\qquad\qquad\qquad\ =2$

$\quad$따라서 옳지 않은 것은 ④이다.

04 ① $0.1\dot{5}$는 순환소수이므로 유리수이다.

$\quad$② $-\sqrt{0.01}=-0.1$이므로 유리수이다.

$\quad$③ 무한소수 중 순환소수가 아닌 무한소수는 무리수이다.

$\quad$④ $\sqrt{5}$는 무리수이면서 실수이다.

05 $\sqrt{3.14}=1.772$이므로 $a=1.772$

$\quad \sqrt{3.32}=1.822$이므로 $b=3.32$

$\quad \therefore a+b=1.772+3.32=5.092$

06 $\triangle ABC$에서 $\overline{CA}=\sqrt{3^2+2^2}=\sqrt{13}$

$\quad$이때 점 C에 대응하는 수는 1이고, $\overline{CP}=\overline{CQ}=\overline{CA}=\sqrt{13}$

$\quad$이므로 점 P에 대응하는 수는 $1-\sqrt{13}$, 점 Q에 대응하는

$\quad$수는 $1+\sqrt{13}$이다.

07 ⑶ $\sqrt{10}$과 $\sqrt{15}$ 사이에는 무수히 많은 유리수가 있다.

08 ① $8>5$이므로 $\sqrt{8}>\sqrt{5}$

$\quad$② $4=\sqrt{16}$이므로 $\sqrt{14}<4$

$\qquad \therefore -\sqrt{14}>-4$

$\quad$③ $\sqrt{2}+3-(\sqrt{3}+3)=\sqrt{2}+3-\sqrt{3}-3$
$\qquad\qquad\qquad\qquad\quad =\sqrt{2}-\sqrt{3}$

$\quad$이때 $\sqrt{2}-\sqrt{3}<0$이므로 $\sqrt{2}+3<\sqrt{3}+3$

$\quad$④ $\sqrt{5}-1-2=\sqrt{5}-3=\sqrt{5}-\sqrt{9}$

$\quad$이때 $\sqrt{5}-\sqrt{9}<0$이므로 $\sqrt{5}-1<2$

$\quad$⑤ $1-(\sqrt{6}-2)=1-\sqrt{6}+2$
$\qquad\qquad\qquad\quad =3-\sqrt{6}$
$\qquad\qquad\qquad\quad =\sqrt{9}-\sqrt{6}$

$\quad$이때 $\sqrt{9}-\sqrt{6}>0$이므로 $1>\sqrt{6}-2$

$\quad$따라서 옳지 않은 것은 ⑤이다.

09 ① $\dfrac{3}{\sqrt{2}}=\dfrac{3\times\sqrt{2}}{\sqrt{2}\times\sqrt{2}}=\dfrac{3\sqrt{2}}{2}$

$\quad$② $\dfrac{10}{\sqrt{5}}=\dfrac{10\times\sqrt{5}}{\sqrt{5}\times\sqrt{5}}=\dfrac{10\sqrt{5}}{5}=2\sqrt{5}$

$\quad$③ $\dfrac{1}{2\sqrt{2}}=\dfrac{1\times\sqrt{2}}{2\sqrt{2}\times\sqrt{2}}=\dfrac{\sqrt{2}}{4}$

$\quad$④ $\dfrac{\sqrt{8}}{2\sqrt{3}}=\dfrac{2\sqrt{2}}{2\sqrt{3}}=\dfrac{\sqrt{2}}{\sqrt{3}}$
$\qquad\quad =\dfrac{\sqrt{2}\times\sqrt{3}}{\sqrt{3}\times\sqrt{3}}=\dfrac{\sqrt{6}}{3}$

$\quad$⑤ $\dfrac{2}{\sqrt{20}}=\dfrac{2}{2\sqrt{5}}=\dfrac{1}{\sqrt{5}}$
$\qquad\quad =\dfrac{1\times\sqrt{5}}{\sqrt{5}\times\sqrt{5}}=\dfrac{\sqrt{5}}{5}$

$\quad$따라서 옳지 않은 것은 ⑤이다.

10 ⑴ $2\sqrt{3}\times\sqrt{7}=2\times\sqrt{3\times7}$
$\qquad\qquad\qquad =2\sqrt{21}$

$\quad$⑵ $\sqrt{7}\times3\sqrt{\dfrac{2}{7}}=3\times\sqrt{7\times\dfrac{2}{7}}$
$\qquad\qquad\qquad\quad =3\sqrt{2}$

$\quad$⑶ $4\sqrt{6}\div2\sqrt{3}=\dfrac{4\sqrt{6}}{2\sqrt{3}}=2\sqrt{2}$

$\quad$⑷ $-\dfrac{\sqrt{7}}{\sqrt{3}}\div\dfrac{\sqrt{14}}{\sqrt{24}}=-\dfrac{\sqrt{7}}{\sqrt{3}}\times\dfrac{2\sqrt{6}}{\sqrt{14}}$
$\qquad\qquad\qquad\qquad =-2$

$\quad$⑸ $3\sqrt{2}\times2\sqrt{6}\div\dfrac{\sqrt{3}}{2}=6\sqrt{12}\times\dfrac{2}{\sqrt{3}}$
$\qquad\qquad\qquad\qquad\quad =12\sqrt{4}=24$

$\quad$⑹ $2\sqrt{7}\div\dfrac{\sqrt{7}}{\sqrt{3}}\times\dfrac{\sqrt{3}}{2}=2\sqrt{7}\times\dfrac{\sqrt{3}}{\sqrt{7}}\times\dfrac{\sqrt{3}}{2}$
$\qquad\qquad\qquad\qquad\quad =3$

1 제곱근, a, a / 실수, 작다, $>$, $<$

2 사상누각

3 샌드위치

4 L, N

5 필리핀

6 (1) $\sqrt{5}$　(2) $2\sqrt{3}$　(3) $\sqrt{2}$　(4) $20\sqrt{2}$　(5) $3\sqrt{6}$

---

2 (1) 제곱근 7은 $\sqrt{7}$이다.

(2) 8의 제곱근은 $\pm\sqrt{8}$이다.

(4) $\sqrt{9}=3$이므로 $\sqrt{9}$의 제곱근은 $\pm\sqrt{3}$이다.

(6) 12의 제곱근은 $\pm\sqrt{12}$이다.

따라서 사자성어는 '사상누각'이다.

3

4

5 $3=\sqrt{9}$이므로 $\sqrt{8}<3$ ➡ 러시아

$0.4=\sqrt{0.16}$이므로 $\sqrt{0.4}>0.4$ ➡ 터키

$3-(\sqrt{10}-1)=3-\sqrt{10}+1=4-\sqrt{10}=\sqrt{16}-\sqrt{10}$

이때 $\sqrt{16}-\sqrt{10}>0$이므로 $3>\sqrt{10}-1$ ➡ 인도

$\sqrt{7}-2-(1+\sqrt{7})=\sqrt{7}-2-1-\sqrt{7}=-3$

이때 $-3<0$이므로 $\sqrt{7}-2<1+\sqrt{7}$ ➡ 필리핀

따라서 마지막에 도착하는 나라는 필리핀이다.

6 (1) $\sqrt{3}\div\sqrt{6}\times\sqrt{10}=\dfrac{\sqrt{3}}{\sqrt{6}}\times\sqrt{10}=\sqrt{5}$

(2) $\sqrt{5}\times\dfrac{\sqrt{2}}{\sqrt{3}}\div\dfrac{\sqrt{10}}{6}=\dfrac{\sqrt{10}}{\sqrt{3}}\times\dfrac{6}{\sqrt{10}}=\dfrac{6}{\sqrt{3}}$

$\qquad\qquad=\dfrac{6\times\sqrt{3}}{\sqrt{3}\times\sqrt{3}}=\dfrac{6\sqrt{3}}{3}=2\sqrt{3}$

(3) $\sqrt{\dfrac{5}{3}}\div\sqrt{10}\times\sqrt{12}=\dfrac{\sqrt{5}}{\sqrt{3}}\times\dfrac{1}{\sqrt{10}}\times2\sqrt{3}=\dfrac{2}{\sqrt{2}}$

$\qquad\qquad=\dfrac{2\times\sqrt{2}}{\sqrt{2}\times\sqrt{2}}=\dfrac{2\sqrt{2}}{2}=\sqrt{2}$

(4) $\sqrt{8}\times\sqrt{20}\times\sqrt{5}=2\sqrt{2}\times2\sqrt{5}\times\sqrt{5}=20\sqrt{2}$

(5) $\sqrt{28}\times\sqrt{27}\div\sqrt{14}=2\sqrt{7}\times3\sqrt{3}\div\sqrt{14}$

$\qquad\qquad=6\sqrt{21}\div\sqrt{14}=\dfrac{6\sqrt{21}}{\sqrt{14}}$

$\qquad\qquad=\dfrac{6\sqrt{3}}{\sqrt{2}}=\dfrac{6\sqrt{3}\times\sqrt{2}}{\sqrt{2}\times\sqrt{2}}$

$\qquad\qquad=\dfrac{6\sqrt{6}}{2}=3\sqrt{6}$

2주

1-1 (1) $(2a+3b)+(3a-2b)$
$=2a+3b+3a-2b$
$=2a+3a+3b-2b$
$=5a+b$

(2) $(3a+2b)-(2a-4b)$
$=3a+2b-2a+4b$
$=3a-2a+2b+4b$
$=a+6b$

1-2 (1) $3(2a+4b)+2(3a-5b)$
$=6a+12b+6a-10b$
$=6a+6a+12b-10b$
$=12a+2b$

(2) $4(3a-b)-5(-a+2b)$
$=12a-4b+5a-10b$
$=12a+5a-4b-10b$
$=17a-14b$

2-1 (1) $2x(3x+y)=2x \times 3x+2x \times y$
$=6x^2+2xy$

(2) $(9x^2-3xy) \div \dfrac{3}{2}x=(9x^2-3xy) \times \dfrac{2}{3x}$
$=9x^2 \times \dfrac{2}{3x}-3xy \times \dfrac{2}{3x}$
$=6x-2y$

2-2 (1) $2x(5x+y)-3x(4x-2y)$
$=2x \times 5x+2x \times y-3x \times 4x-3x \times (-2y)$
$=10x^2+2xy-12x^2+6xy$
$=-2x^2+8xy$

(2) $(4x^2-6xy) \div 2x+(9xy+6y^2) \div 3y$
$=\dfrac{4x^2-6xy}{2x}+\dfrac{9xy+6y^2}{3y}$
$=2x-3y+3x+2y$
$=5x-y$

(3) $(2x^2-4x) \div \left(-\dfrac{2}{3}x\right)+5x(x-1)$
$=(2x^2-4x) \times \left(-\dfrac{3}{2x}\right)+5x(x-1)$
$=2x^2 \times \left(-\dfrac{3}{2x}\right)-4x \times \left(-\dfrac{3}{2x}\right)$
$\qquad\qquad\qquad +5x \times x+5x \times (-1)$
$=-3x+6+5x^2-5x$
$=5x^2-8x+6$

3-2 (1) $18 \begin{array}{c} 2 \\ 9 \begin{array}{c} 3 \\ 3 \end{array} \end{array}$

$\therefore 18=2 \times 3^2$

(2) $84 \begin{array}{c} 2 \\ 42 \begin{array}{c} 2 \\ 21 \begin{array}{c} 3 \\ 7 \end{array} \end{array} \end{array}$

$\therefore 84=2^2 \times 3 \times 7$

(3) $180 \begin{array}{c} 2 \\ 90 \begin{array}{c} 2 \\ 45 \begin{array}{c} 3 \\ 15 \begin{array}{c} 3 \\ 5 \end{array} \end{array} \end{array} \end{array}$

$\therefore 180=2^2 \times 3^2 \times 5$

4-2 (1) $\dfrac{2}{\sqrt{7}}=\dfrac{2 \times \sqrt{7}}{\sqrt{7} \times \sqrt{7}}=\dfrac{2\sqrt{7}}{7}$

(2) $\dfrac{1}{\sqrt{12}}=\dfrac{1}{2\sqrt{3}}=\dfrac{1 \times \sqrt{3}}{2\sqrt{3} \times \sqrt{3}}=\dfrac{\sqrt{3}}{6}$

(3) $\dfrac{4}{\sqrt{18}}=\dfrac{4}{3\sqrt{2}}=\dfrac{4 \times \sqrt{2}}{3\sqrt{2} \times \sqrt{2}}=\dfrac{4\sqrt{2}}{6}=\dfrac{2\sqrt{2}}{3}$

(4) $\dfrac{\sqrt{3}}{\sqrt{50}}=\dfrac{\sqrt{3}}{5\sqrt{2}}=\dfrac{\sqrt{3} \times \sqrt{2}}{5\sqrt{2} \times \sqrt{2}}=\dfrac{\sqrt{6}}{10}$

1일

1. 제곱근의 덧셈과 뺄셈

개념 원리 확인　　　　　　　　　p53

1-1 (1) $5\sqrt{5}$ (2) $5\sqrt{6}$ (3) $8\sqrt{5}$ (4) $2\sqrt{3}$

1-2 (1) $10\sqrt{2}$ (2) $7\sqrt{2}$ (3) $9\sqrt{7}$ (4) $\sqrt{5}$

2-1 (1) $-\sqrt{2}$ (2) $\sqrt{5}$ (3) $-6\sqrt{2}$ (4) $\dfrac{\sqrt{3}}{3}$

2-2 (1) $-5\sqrt{7}$ (2) $\sqrt{6}$ (3) $-4\sqrt{3}$ (4) $\dfrac{2\sqrt{5}}{5}$

3-1 (1) $-2\sqrt{2}+2\sqrt{5}$ (2) $2\sqrt{3}-\sqrt{2}$

3-2 (1) $5\sqrt{10}-8\sqrt{7}$ (2) $10\sqrt{2}-8\sqrt{3}$

1-1 (1) $3\sqrt{5}+2\sqrt{5}=(3+2)\sqrt{5}=5\sqrt{5}$

(2) $\sqrt{24}+3\sqrt{6}=2\sqrt{6}+3\sqrt{6}=(2+3)\sqrt{6}=5\sqrt{6}$

(3) $2\sqrt{20}+\sqrt{5}+\sqrt{45}=2\times2\sqrt{5}+\sqrt{5}+3\sqrt{5}$
$=4\sqrt{5}+\sqrt{5}+3\sqrt{5}$
$=(4+1+3)\sqrt{5}=8\sqrt{5}$

(4) $\dfrac{\sqrt{3}}{3}+\dfrac{5}{\sqrt{3}}=\dfrac{\sqrt{3}}{3}+\dfrac{5\times\sqrt{3}}{\sqrt{3}\times\sqrt{3}}$
$=\dfrac{\sqrt{3}}{3}+\dfrac{5\sqrt{3}}{3}$
$=\dfrac{6\sqrt{3}}{3}=2\sqrt{3}$

1-2 (1) $7\sqrt{2}+3\sqrt{2}=(7+3)\sqrt{2}=10\sqrt{2}$

(2) $\sqrt{18}+\sqrt{32}=3\sqrt{2}+4\sqrt{2}=(3+4)\sqrt{2}=7\sqrt{2}$

(3) $2\sqrt{7}+\sqrt{63}+2\sqrt{28}=2\sqrt{7}+3\sqrt{7}+2\times2\sqrt{7}$
$=2\sqrt{7}+3\sqrt{7}+4\sqrt{7}$
$=(2+3+4)\sqrt{7}=9\sqrt{7}$

(4) $\dfrac{\sqrt{5}}{5}+\dfrac{4}{\sqrt{5}}=\dfrac{\sqrt{5}}{5}+\dfrac{4\times\sqrt{5}}{\sqrt{5}\times\sqrt{5}}$
$=\dfrac{\sqrt{5}}{5}+\dfrac{4\sqrt{5}}{5}$
$=\dfrac{5\sqrt{5}}{5}=\sqrt{5}$

2-1 (1) $2\sqrt{2}-3\sqrt{2}=(2-3)\sqrt{2}=-\sqrt{2}$

(2) $\sqrt{45}-\sqrt{20}=3\sqrt{5}-2\sqrt{5}=(3-2)\sqrt{5}=\sqrt{5}$

(3) $\sqrt{18}-\sqrt{32}-\sqrt{50}=3\sqrt{2}-4\sqrt{2}-5\sqrt{2}$
$=(3-4-5)\sqrt{2}=-6\sqrt{2}$

(4) $\dfrac{2\sqrt{3}}{3}-\dfrac{1}{\sqrt{3}}=\dfrac{2\sqrt{3}}{3}-\dfrac{1\times\sqrt{3}}{\sqrt{3}\times\sqrt{3}}$
$=\dfrac{2\sqrt{3}}{3}-\dfrac{\sqrt{3}}{3}=\dfrac{\sqrt{3}}{3}$

2-2 (1) $-3\sqrt{7}-2\sqrt{7}=(-3-2)\sqrt{7}=-5\sqrt{7}$

(2) $\sqrt{54}-\sqrt{24}=3\sqrt{6}-2\sqrt{6}=(3-2)\sqrt{6}=\sqrt{6}$

(3) $\sqrt{48}-\sqrt{27}-\sqrt{75}=4\sqrt{3}-3\sqrt{3}-5\sqrt{3}$
$=(4-3-5)\sqrt{3}=-4\sqrt{3}$

(4) $\dfrac{3}{\sqrt{5}}-\dfrac{\sqrt{5}}{5}=\dfrac{3\times\sqrt{5}}{\sqrt{5}\times\sqrt{5}}-\dfrac{\sqrt{5}}{5}$
$=\dfrac{3\sqrt{5}}{5}-\dfrac{\sqrt{5}}{5}=\dfrac{2\sqrt{5}}{5}$

3-1 (1) $2\sqrt{2}+3\sqrt{5}-4\sqrt{2}-\sqrt{5}$
$=2\sqrt{2}-4\sqrt{2}+3\sqrt{5}-\sqrt{5}$
$=-2\sqrt{2}+2\sqrt{5}$

(2) $\sqrt{48}+4\sqrt{2}-\sqrt{50}-\sqrt{12}$
$=4\sqrt{3}+4\sqrt{2}-5\sqrt{2}-2\sqrt{3}$
$=4\sqrt{3}-2\sqrt{3}+4\sqrt{2}-5\sqrt{2}$
$=2\sqrt{3}-\sqrt{2}$

3-2 (1) $7\sqrt{10}-10\sqrt{7}-2\sqrt{10}+2\sqrt{7}$
$=7\sqrt{10}-2\sqrt{10}-10\sqrt{7}+2\sqrt{7}$
$=5\sqrt{10}-8\sqrt{7}$

(2) $\sqrt{72}-\sqrt{75}+\sqrt{32}-\sqrt{27}$
$=6\sqrt{2}-5\sqrt{3}+4\sqrt{2}-3\sqrt{3}$
$=6\sqrt{2}+4\sqrt{2}-5\sqrt{3}-3\sqrt{3}$
$=10\sqrt{2}-8\sqrt{3}$

2. 근호를 포함한 식의 계산

개념 원리 확인　　　　　　　　　p55

4-1 (1) $3\sqrt{2}-2\sqrt{10}$ (2) $5\sqrt{2}+10$ (3) $2\sqrt{3}-2$
(4) $\dfrac{3\sqrt{5}+\sqrt{15}}{5}$

4-2 (1) $-\sqrt{6}-\sqrt{30}$ (2) $2\sqrt{3}+9\sqrt{2}$ (3) $-\sqrt{3}+2$
(4) $\dfrac{2\sqrt{3}-\sqrt{6}}{2}$

5-1 (1) $-\sqrt{3}$ (2) $4\sqrt{6}$ (3) 3 (4) $5\sqrt{3}-4\sqrt{2}$

5-2 (1) $7\sqrt{3}$ (2) $2\sqrt{2}$ (3) $\sqrt{5}+3$ (4) $22\sqrt{2}$

4-1

(1) $\sqrt{2}(3-2\sqrt{5})=\sqrt{2}\times 3-\sqrt{2}\times 2\sqrt{5}$
$\qquad\qquad\quad =3\sqrt{2}-2\sqrt{10}$

(2) $(\sqrt{10}+\sqrt{20})\sqrt{5}=\sqrt{10}\sqrt{5}+\sqrt{20}\sqrt{5}$
$\qquad\qquad\qquad\quad =\sqrt{50}+\sqrt{100}$
$\qquad\qquad\qquad\quad =5\sqrt{2}+10$

(3) $(\sqrt{24}-\sqrt{8})\div\sqrt{2}=\dfrac{\sqrt{24}-\sqrt{8}}{\sqrt{2}}$
$\qquad\qquad\qquad\qquad =\sqrt{12}-\sqrt{4}$
$\qquad\qquad\qquad\qquad =2\sqrt{3}-2$

(4) $\dfrac{3+\sqrt{3}}{\sqrt{5}}=\dfrac{(3+\sqrt{3})\times\sqrt{5}}{\sqrt{5}\times\sqrt{5}}$
$\qquad\quad =\dfrac{3\sqrt{5}+\sqrt{15}}{5}$

4-2

(1) $-\sqrt{3}(\sqrt{2}+\sqrt{10})=-\sqrt{3}\sqrt{2}-\sqrt{3}\sqrt{10}$
$\qquad\qquad\qquad\qquad =-\sqrt{6}-\sqrt{30}$

(2) $(\sqrt{2}+3\sqrt{3})\sqrt{6}=\sqrt{2}\sqrt{6}+3\sqrt{3}\sqrt{6}$
$\qquad\qquad\qquad\quad =\sqrt{12}+3\sqrt{18}$
$\qquad\qquad\qquad\quad =2\sqrt{3}+9\sqrt{2}$

(3) $(\sqrt{15}-\sqrt{20})\div(-\sqrt{5})=\dfrac{\sqrt{15}-\sqrt{20}}{-\sqrt{5}}$
$\qquad\qquad\qquad\qquad\qquad =-\sqrt{3}+\sqrt{4}$
$\qquad\qquad\qquad\qquad\qquad =-\sqrt{3}+2$

(4) $\dfrac{\sqrt{6}-\sqrt{3}}{\sqrt{2}}=\dfrac{(\sqrt{6}-\sqrt{3})\times\sqrt{2}}{\sqrt{2}\times\sqrt{2}}$
$\qquad\quad =\dfrac{\sqrt{12}-\sqrt{6}}{2}$
$\qquad\quad =\dfrac{2\sqrt{3}-\sqrt{6}}{2}$

5-1

(1) $\sqrt{6}\times\sqrt{2}-3\sqrt{3}=\sqrt{12}-3\sqrt{3}$
$\qquad\qquad\qquad\quad =2\sqrt{3}-3\sqrt{3}$
$\qquad\qquad\qquad\quad =-\sqrt{3}$

(2) $6\div\sqrt{6}+\sqrt{54}=\dfrac{6}{\sqrt{6}}+3\sqrt{6}$
$\qquad\qquad\qquad =\dfrac{6\times\sqrt{6}}{\sqrt{6}\times\sqrt{6}}+3\sqrt{6}$
$\qquad\qquad\qquad =\sqrt{6}+3\sqrt{6}$
$\qquad\qquad\qquad =4\sqrt{6}$

(3) $\sqrt{12}-\sqrt{3}(2-\sqrt{3})=2\sqrt{3}-2\sqrt{3}+3$
$\qquad\qquad\qquad\qquad\quad =3$

(4) $\dfrac{3\sqrt{6}-4}{\sqrt{2}}-\sqrt{2}(2-\sqrt{6})$
$\quad =3\sqrt{3}-\dfrac{4}{\sqrt{2}}-2\sqrt{2}+\sqrt{12}$
$\quad =3\sqrt{3}-\dfrac{4\times\sqrt{2}}{\sqrt{2}\times\sqrt{2}}-2\sqrt{2}+2\sqrt{3}$
$\quad =3\sqrt{3}-2\sqrt{2}-2\sqrt{2}+2\sqrt{3}$
$\quad =5\sqrt{3}-4\sqrt{2}$

5-2

(1) $\dfrac{9}{\sqrt{3}}+\sqrt{2}\times\sqrt{24}=\dfrac{9\times\sqrt{3}}{\sqrt{3}\times\sqrt{3}}+\sqrt{48}$
$\qquad\qquad\qquad\qquad =3\sqrt{3}+4\sqrt{3}$
$\qquad\qquad\qquad\qquad =7\sqrt{3}$

(2) $\dfrac{16}{\sqrt{8}}-\sqrt{40}\div\sqrt{5}=\dfrac{16}{2\sqrt{2}}-\dfrac{\sqrt{40}}{\sqrt{5}}$
$\qquad\qquad\qquad\qquad =\dfrac{8}{\sqrt{2}}-\sqrt{8}$
$\qquad\qquad\qquad\qquad =\dfrac{8\times\sqrt{2}}{\sqrt{2}\times\sqrt{2}}-2\sqrt{2}$
$\qquad\qquad\qquad\qquad =4\sqrt{2}-2\sqrt{2}=2\sqrt{2}$

(3) $\sqrt{3}(\sqrt{15}+\sqrt{3})-\sqrt{20}=\sqrt{45}+3-2\sqrt{5}$
$\qquad\qquad\qquad\qquad\qquad =3\sqrt{5}+3-2\sqrt{5}$
$\qquad\qquad\qquad\qquad\qquad =\sqrt{5}+3$

(4) $4\sqrt{3}\times2\sqrt{6}-8\sqrt{10}\div4\sqrt{5}=8\sqrt{18}-\dfrac{8\sqrt{10}}{4\sqrt{5}}$
$\qquad\qquad\qquad\qquad\qquad\quad =8\times3\sqrt{2}-2\sqrt{2}$
$\qquad\qquad\qquad\qquad\qquad\quad =24\sqrt{2}-2\sqrt{2}$
$\qquad\qquad\qquad\qquad\qquad\quad =22\sqrt{2}$

1일 기초 집중 연습   p56 ~ p57

1-1 (1) $8\sqrt{2}$ (2) $\sqrt{3}$ (3) $9\sqrt{5}$ (4) $4\sqrt{5}+2\sqrt{7}$

1-2 (1) ① 2 ② 4 ③ 3 (2) $3\sqrt{3}$

1-3 ④   **1-4** -2

2-1 (1) $3+8\sqrt{3}$ (2) $3\sqrt{2}-4\sqrt{3}$ (3) 7

2-2 (1) $\dfrac{\sqrt{2}-2}{2}$ (2) $\dfrac{3-\sqrt{6}}{3}$ (3) $\dfrac{3\sqrt{30}-5}{10}$

3-1 (1) $\dfrac{4\sqrt{3}}{3}$ (2) $-5\sqrt{6}$ (3) $5\sqrt{2}-\dfrac{\sqrt{3}}{3}$

      (4) $-2\sqrt{5}+5\sqrt{2}$

3-2 ④   **3-3** ②

3-4 5

1-1 (1) $5\sqrt{2}+3\sqrt{2}=(5+3)\sqrt{2}=8\sqrt{2}$

(2) $4\sqrt{3}-3\sqrt{3}=(4-3)\sqrt{3}=\sqrt{3}$

(3) $8\sqrt{5}-2\sqrt{5}+3\sqrt{5}=(8-2+3)\sqrt{5}=9\sqrt{5}$

(4) $\sqrt{5}-2\sqrt{7}+3\sqrt{5}+4\sqrt{7}=\sqrt{5}+3\sqrt{5}-2\sqrt{7}+4\sqrt{7}$
$\qquad\qquad\qquad\qquad\qquad\quad=4\sqrt{5}+2\sqrt{7}$

1-2 (2) $\sqrt{12}+\sqrt{48}-\sqrt{27}=2\sqrt{3}+4\sqrt{3}-3\sqrt{3}$
$\qquad\qquad\qquad\qquad=(2+4-3)\sqrt{3}$
$\qquad\qquad\qquad\qquad=3\sqrt{3}$

1-3 ① $7\sqrt{3}+3\sqrt{3}+5\sqrt{3}=(7+3+5)\sqrt{3}$
$\qquad\qquad\qquad\qquad\quad=15\sqrt{3}$

② $\sqrt{27}+\sqrt{48}-\sqrt{3}=3\sqrt{3}+4\sqrt{3}-\sqrt{3}$
$\qquad\qquad\qquad\qquad=(3+4-1)\sqrt{3}$
$\qquad\qquad\qquad\qquad=6\sqrt{3}$

③ $\sqrt{8}+\sqrt{18}+\sqrt{32}=2\sqrt{2}+3\sqrt{2}+4\sqrt{2}$
$\qquad\qquad\qquad\qquad=(2+3+4)\sqrt{2}$
$\qquad\qquad\qquad\qquad=9\sqrt{2}$

④ $\sqrt{24}-\sqrt{54}+5\sqrt{6}=2\sqrt{6}-3\sqrt{6}+5\sqrt{6}$
$\qquad\qquad\qquad\qquad=(2-3+5)\sqrt{6}$
$\qquad\qquad\qquad\qquad=4\sqrt{6}$

⑤ $-5\sqrt{2}-7\sqrt{2}-6\sqrt{2}=(-5-7-6)\sqrt{2}$
$\qquad\qquad\qquad\qquad\quad=-18\sqrt{2}$

따라서 옳지 않은 것은 ④이다.

1-4 $3\sqrt{18}+6\sqrt{20}-\sqrt{8}-7\sqrt{45}$
$=3\times3\sqrt{2}+6\times2\sqrt{5}-2\sqrt{2}-7\times3\sqrt{5}$
$=9\sqrt{2}+12\sqrt{5}-2\sqrt{2}-21\sqrt{5}$
$=9\sqrt{2}-2\sqrt{2}+12\sqrt{5}-21\sqrt{5}$
$=7\sqrt{2}-9\sqrt{5}$
따라서 $a=7$, $b=-9$이므로
$a+b=7+(-9)=-2$

2-1 (1) $\sqrt{3}(\sqrt{3}+8)=\sqrt{3}\sqrt{3}+\sqrt{3}\times8=3+8\sqrt{3}$

(2) $\sqrt{6}(\sqrt{3}-2\sqrt{2})=\sqrt{6}\sqrt{3}-\sqrt{6}\times2\sqrt{2}$
$\qquad\qquad\qquad=\sqrt{18}-2\sqrt{12}$
$\qquad\qquad\qquad=3\sqrt{2}-2\times2\sqrt{3}$
$\qquad\qquad\qquad=3\sqrt{2}-4\sqrt{3}$

(3) $(\sqrt{75}+\sqrt{12})\div\sqrt{3}=\dfrac{\sqrt{75}+\sqrt{12}}{\sqrt{3}}$
$\qquad\qquad\qquad\qquad=\sqrt{25}+\sqrt{4}$
$\qquad\qquad\qquad\qquad=5+2=7$

2-2 (1) $\dfrac{1-\sqrt{2}}{\sqrt{2}}=\dfrac{(1-\sqrt{2})\times\sqrt{2}}{\sqrt{2}\times\sqrt{2}}=\dfrac{\sqrt{2}-2}{2}$

(2) $\dfrac{\sqrt{3}-\sqrt{2}}{\sqrt{3}}=\dfrac{(\sqrt{3}-\sqrt{2})\times\sqrt{3}}{\sqrt{3}\times\sqrt{3}}=\dfrac{3-\sqrt{6}}{3}$

(3) $\dfrac{3\sqrt{6}-\sqrt{5}}{\sqrt{20}}=\dfrac{3\sqrt{6}-\sqrt{5}}{2\sqrt{5}}$
$\qquad\qquad=\dfrac{(3\sqrt{6}-\sqrt{5})\times\sqrt{5}}{2\sqrt{5}\times\sqrt{5}}$
$\qquad\qquad=\dfrac{3\sqrt{30}-5}{10}$

3-1 (1) $\sqrt{2}\times\sqrt{6}-2\div\sqrt{3}$
$=\sqrt{12}-\dfrac{2}{\sqrt{3}}$
$=2\sqrt{3}-\dfrac{2\times\sqrt{3}}{\sqrt{3}\times\sqrt{3}}$
$=2\sqrt{3}-\dfrac{2\sqrt{3}}{3}$
$=\dfrac{4\sqrt{3}}{3}$

(2) $\sqrt{72}\div2\sqrt{3}-2\sqrt{2}\times\sqrt{27}$
$=\dfrac{6\sqrt{2}}{2\sqrt{3}}-2\sqrt{2}\times3\sqrt{3}$
$=\dfrac{3\sqrt{2}}{\sqrt{3}}-6\sqrt{6}$
$=\dfrac{3\sqrt{2}\times\sqrt{3}}{\sqrt{3}\times\sqrt{3}}-6\sqrt{6}$
$=\sqrt{6}-6\sqrt{6}$
$=-5\sqrt{6}$

(3) $(4\sqrt{3}-\sqrt{2})\div\sqrt{6}+3\sqrt{2}$
$=\dfrac{4\sqrt{3}-\sqrt{2}}{\sqrt{6}}+3\sqrt{2}$
$=\dfrac{4}{\sqrt{2}}-\dfrac{1}{\sqrt{3}}+3\sqrt{2}$
$=\dfrac{4\times\sqrt{2}}{\sqrt{2}\times\sqrt{2}}-\dfrac{1\times\sqrt{3}}{\sqrt{3}\times\sqrt{3}}+3\sqrt{2}$
$=2\sqrt{2}-\dfrac{\sqrt{3}}{3}+3\sqrt{2}$
$=5\sqrt{2}-\dfrac{\sqrt{3}}{3}$

(4) $(\sqrt{30}-2\sqrt{15})\div\sqrt{3}+\sqrt{5}(\sqrt{10}-\sqrt{2})$
$=\dfrac{\sqrt{30}-2\sqrt{15}}{\sqrt{3}}+\sqrt{50}-\sqrt{10}$
$=\sqrt{10}-2\sqrt{5}+5\sqrt{2}-\sqrt{10}$
$=-2\sqrt{5}+5\sqrt{2}$

3-2 $\dfrac{6}{\sqrt{3}}+\sqrt{3}(2-\sqrt{3})-2\sqrt{12}$

$\quad=\dfrac{6\times\sqrt{3}}{\sqrt{3}\times\sqrt{3}}+2\sqrt{3}-3-2\times2\sqrt{3}$

$\quad=2\sqrt{3}+2\sqrt{3}-3-4\sqrt{3}$

$\quad=-3$

3-3 $\sqrt{3}(2\sqrt{3}+\sqrt{6})-(\sqrt{24}-\sqrt{15})\div\sqrt{3}$

$\quad=6+\sqrt{18}-\dfrac{\sqrt{24}-\sqrt{15}}{\sqrt{3}}$

$\quad=6+3\sqrt{2}-(\sqrt{8}-\sqrt{5})$

$\quad=6+3\sqrt{2}-2\sqrt{2}+\sqrt{5}$

$\quad=6+\sqrt{2}+\sqrt{5}$

3-4 $\dfrac{\sqrt{18}+\sqrt{6}}{\sqrt{3}}+2\sqrt{8}-\sqrt{3}(4\sqrt{2}+\sqrt{6})$

$\quad=\sqrt{6}+\sqrt{2}+2\times2\sqrt{2}-4\sqrt{6}-\sqrt{18}$

$\quad=\sqrt{6}+\sqrt{2}+4\sqrt{2}-4\sqrt{6}-3\sqrt{2}$

$\quad=2\sqrt{2}-3\sqrt{6}$

따라서 $a=2$, $b=-3$이므로

$a-b=2-(-3)=5$

3. 다항식의 곱셈과 곱셈 공식(1)

개념 원리 확인   p59

1-1 (1) $xy+3x+2y+6$ (2) $2x^2-7xy+6y^2$

1-2 (1) $2xy+10x-y-5$ (2) $6x^2+8xy-8y^2$

2-1 (1) x^2+6x+9 (2) $4x^2+20xy+25y^2$

    (3) $x^2-4xy+4y^2$

2-2 (1) $x^2+10x+25$ (2) $9x^2+24xy+16y^2$

    (3) $4x^2-4xy+y^2$

3-1 (1) $x^2-10x+25$ (2) $9x^2-12xy+4y^2$

    (3) $4x^2+20xy+25y^2$

3-2 (1) $x^2-8x+16$ (2) $4x^2-4xy+y^2$

    (3) $9x^2+12xy+4y^2$

1-1 (1) $(x+2)(y+3)=xy+3x+2y+6$

    (2) $(x-2y)(2x-3y)=2x^2-3xy-4xy+6y^2$

$\qquad\qquad\qquad\qquad\quad=2x^2-7xy+6y^2$

1-2 (1) $(2x-1)(y+5)=2xy+10x-y-5$

    (2) $(3x-2y)(2x+4y)=6x^2+12xy-4xy-8y^2$

$\qquad\qquad\qquad\qquad\quad=6x^2+8xy-8y^2$

2-1 (1) $(x+3)^2=x^2+2\times x\times3+3^2$

$\qquad\qquad=x^2+6x+9$

    (2) $(2x+5y)^2=(2x)^2+2\times2x\times5y+(5y)^2$

$\qquad\qquad\qquad=4x^2+20xy+25y^2$

    (3) $(-x+2y)^2=(-x)^2+2\times(-x)\times2y+(2y)^2$

$\qquad\qquad\qquad=x^2-4xy+4y^2$

2-2 (1) $(x+5)^2=x^2+2\times x\times5+5^2$

$\qquad\qquad=x^2+10x+25$

    (2) $(3x+4y)^2=(3x)^2+2\times3x\times4y+(4y)^2$

$\qquad\qquad\qquad=9x^2+24xy+16y^2$

    (3) $(-2x+y)^2=(-2x)^2+2\times(-2x)\times y+y^2$

$\qquad\qquad\qquad=4x^2-4xy+y^2$

3-1 (1) $(x-5)^2=x^2-2\times x\times5+5^2$

$\qquad\qquad=x^2-10x+25$

    (2) $(3x-2y)^2=(3x)^2-2\times3x\times2y+(2y)^2$

$\qquad\qquad\qquad=9x^2-12xy+4y^2$

    (3) $(-2x-5y)^2$

$\qquad=(-2x)^2-2\times(-2x)\times5y+(5y)^2$

$\qquad=4x^2+20xy+25y^2$

3-2 (1) $(x-4)^2=x^2-2\times x\times4+4^2$

$\qquad\qquad=x^2-8x+16$

    (2) $(2x-y)^2=(2x)^2-2\times2x\times y+y^2$

$\qquad\qquad\qquad=4x^2-4xy+y^2$

    (3) $(-3x-2y)^2$

$\qquad=(-3x)^2-2\times(-3x)\times2y+(2y)^2$

$\qquad=9x^2+12xy+4y^2$

개념 원리 확인　　　　　　　　　p61

4-1 (1) x^2-9　(2) $25x^2-9$　(3) $49x^2-4y^2$　(4) $9-y^2$

4-2 (1) x^2-16　(2) $4x^2-1$　(3) $9x^2-25y^2$　(4) $9-4x^2$

5-1 (1) $x^2+8x+15$　(2) x^2-2x-8

　　　(3) $x^2-8x+15$　(4) $x^2+xy-12y^2$

5-2 (1) x^2+5x+4　(2) $x^2-4x-21$

　　　(3) x^2+x-6　(4) $x^2-9xy+20y^2$

6-1 (1) $12x^2+7x+1$　(2) $6x^2+x-2$

　　　(3) $12x^2+9x-30$　(4) $4x^2+5xy-21y^2$

6-2 (1) $6x^2+11x+3$　(2) $10x^2-x-3$

　　　(3) $2x^2-9x+4$　(4) $6x^2+5xy-6y^2$

4-1 (1) $(x+3)(x-3)=x^2-3^2$
$$=x^2-9$$
(2) $(5x+3)(5x-3)=(5x)^2-3^2$
$$=25x^2-9$$
(3) $(7x+2y)(7x-2y)=(7x)^2-(2y)^2$
$$=49x^2-4y^2$$
(4) $(-3-y)(-3+y)=(-3)^2-y^2$
$$=9-y^2$$

4-2 (1) $(x+4)(x-4)=x^2-4^2$
$$=x^2-16$$
(2) $(2x+1)(2x-1)=(2x)^2-1^2$
$$=4x^2-1$$
(3) $(3x+5y)(3x-5y)=(3x)^2-(5y)^2$
$$=9x^2-25y^2$$
(4) $(-2x+3)(2x+3)=(3-2x)(3+2x)$
$$=3^2-(2x)^2$$
$$=9-4x^2$$

5-1 (1) $(x+3)(x+5)=x^2+(3+5)x+3\times5$
$$=x^2+8x+15$$
(2) $(x-4)(x+2)=x^2+(-4+2)x+(-4)\times2$
$$=x^2-2x-8$$
(3) $(x-5)(x-3)$
$$=x^2+(-5-3)x+(-5)\times(-3)$$
$$=x^2-8x+15$$

(4) $(x-3y)(x+4y)$
$$=x^2+(-3y+4y)x+(-3y)\times4y$$
$$=x^2+xy-12y^2$$

5-2 (1) $(x+1)(x+4)=x^2+(1+4)x+1\times4$
$$=x^2+5x+4$$
(2) $(x+3)(x-7)=x^2+(3-7)x+3\times(-7)$
$$=x^2-4x-21$$
(3) $(x-2)(x+3)=x^2+(-2+3)x+(-2)\times3$
$$=x^2+x-6$$
(4) $(x-5y)(x-4y)$
$$=x^2+(-5y-4y)x+(-5y)\times(-4y)$$
$$=x^2-9xy+20y^2$$

6-1 (1) $(3x+1)(4x+1)$
$$=(3\times4)x^2+(3\times1+1\times4)x+1\times1$$
$$=12x^2+7x+1$$
(2) $(2x-1)(3x+2)$
$$=(2\times3)x^2+\{2\times2+(-1)\times3\}x+(-1)\times2$$
$$=6x^2+x-2$$
(3) $(3x+6)(4x-5)$
$$=(3\times4)x^2+\{3\times(-5)+6\times4\}x+6\times(-5)$$
$$=12x^2+9x-30$$
(4) $(4x-7y)(x+3y)$
$$=(4\times1)x^2+\{4\times3y+(-7y)\times1\}x$$
$$+(-7y)\times3y$$
$$=4x^2+5xy-21y^2$$

6-2 (1) $(2x+3)(3x+1)$
$$=(2\times3)x^2+(2\times1+3\times3)x+3\times1$$
$$=6x^2+11x+3$$
(2) $(5x-3)(2x+1)$
$$=(5\times2)x^2+\{5\times1+(-3)\times2\}x+(-3)\times1$$
$$=10x^2-x-3$$
(3) $(2x-1)(x-4)$
$$=(2\times1)x^2+\{2\times(-4)+(-1)\times1\}x$$
$$+(-1)\times(-4)$$
$$=2x^2-9x+4$$
(4) $(2x+3y)(3x-2y)$
$$=(2\times3)x^2+\{2\times(-2y)+3y\times3\}x$$
$$+3y\times(-2y)$$
$$=6x^2+5xy-6y^2$$

1-1 (1) $3x^2+4x-15xy-20y$ (2) 3 (3) -20

2-1 (1) $x^2+8x+16$ (2) $9x^2+12x+4$

     (3) $4x^2-28x+49$ (4) $x^2+x+\dfrac{1}{4}$

     (5) x^2-4x+4 (6) $9x^2-6xy+y^2$

     (7) $4x^2+4x+1$ (8) $x^2-\dfrac{1}{2}x+\dfrac{1}{16}$

2-2 (1) 3, 6 (2) 5, 25

3-1 (1) x^2-25 (2) $25x^2-49$ (3) $1-16x^2$

     (4) $\dfrac{16}{25}x^2-\dfrac{1}{9}y^2$ (5) $4y^2-9x^2$

4-1 (1) $x^2+7x+10$ (2) $x^2-12x+27$ (3) x^2-x-30

     (4) $x^2+5xy-36y^2$ (5) $x^2-10xy+21y^2$

4-2 (1) 2, 16 (2) 5, 2

5-1 (1) $2x^2+11x+15$ (2) $6x^2-7x+2$

     (3) $15x^2+14x-8$ (4) $20x^2+13xy-15y^2$

     (5) $-12x^2-5xy+2y^2$

5-2 ③

1-1 (1) $(x-5y)(3x+4)=3x^2+4x-15xy-20y$

2-1 (1) $(x+4)^2=x^2+2\times x\times 4+4^2$
               $=x^2+8x+16$

     (2) $(3x+2)^2=(3x)^2+2\times 3x\times 2+2^2$
                 $=9x^2+12x+4$

     (3) $(-2x+7)^2=(-2x)^2+2\times(-2x)\times 7+7^2$
                 $=4x^2-28x+49$

     (4) $\left(x+\dfrac{1}{2}\right)^2=x^2+2\times x\times\dfrac{1}{2}+\left(\dfrac{1}{2}\right)^2$
                  $=x^2+x+\dfrac{1}{4}$

     (5) $(x-2)^2=x^2-2\times x\times 2+2^2$
                $=x^2-4x+4$

     (6) $(3x-y)^2=(3x)^2-2\times 3x\times y+y^2$
                 $=9x^2-6xy+y^2$

     (7) $(-2x-1)^2=(-2x)^2-2\times(-2x)\times 1+1^2$
                 $=4x^2+4x+1$

     (8) $\left(x-\dfrac{1}{4}\right)^2=x^2-2\times x\times\dfrac{1}{4}+\left(\dfrac{1}{4}\right)^2$
                  $=x^2-\dfrac{1}{2}x+\dfrac{1}{16}$

2-2 (1) $(x+\square)^2=x^2+2\times x\times\square+\square^2$
                $=x^2+\blacksquare x+9$

     즉 $\square^2=9$이므로 $\square=3$

     $\blacksquare=2\times 3=6$

     (2) $(x-\square)^2=x^2-2\times x\times\square+\square^2$
                $=x^2-10x+\blacksquare$

     즉 $2\times\square=10$이므로 $\square=5$

     $\blacksquare=5^2=25$

3-1 (1) $(x-5)(x+5)=x^2-5^2$
                 $=x^2-25$

     (2) $(5x+7)(5x-7)=(5x)^2-7^2$
                    $=25x^2-49$

     (3) $(-4x+1)(4x+1)=(1-4x)(1+4x)$
                    $=1^2-(4x)^2$
                    $=1-16x^2$

     (4) $\left(\dfrac{4}{5}x-\dfrac{1}{3}y\right)\left(\dfrac{4}{5}x+\dfrac{1}{3}y\right)=\left(\dfrac{4}{5}x\right)^2-\left(\dfrac{1}{3}y\right)^2$
                             $=\dfrac{16}{25}x^2-\dfrac{1}{9}y^2$

     (5) $(3x+2y)(2y-3x)=(2y+3x)(2y-3x)$
                     $=(2y)^2-(3x)^2$
                     $=4y^2-9x^2$

4-1 (1) $(x+5)(x+2)=x^2+(5+2)x+5\times 2$
                   $=x^2+7x+10$

     (2) $(x-3)(x-9)$
        $=x^2+(-3-9)x+(-3)\times(-9)$
        $=x^2-12x+27$

     (3) $(x+5)(x-6)=x^2+(5-6)x+5\times(-6)$
                   $=x^2-x-30$

     (4) $(x-4y)(x+9y)$
        $=x^2+(-4y+9y)x+(-4y)\times 9y$
        $=x^2+5xy-36y^2$

     (5) $(x-3y)(x-7y)$
        $=x^2+(-3y-7y)x+(-3y)\times(-7y)$
        $=x^2-10xy+21y^2$

4-2 (1) $(x+\square)(x-8)=x^2+(\square-8)x+\square\times(-8)$
                    $=x^2-6x-\blacksquare$

즉 $\square-8=-6$이므로 $\square=2$

$-\blacksquare=2\times(-8)=-16$이므로 $\blacksquare=16$

(2) $(x+3)(x-\square)=x^2+(3-\square)x+3\times(-\square)$

$=x^2-\blacksquare x-15$

즉 $3\times(-\square)=-15$이므로 $\square=5$

$-\blacksquare=3-5=-2$이므로 $\blacksquare=2$

5-1 (1) $(x+3)(2x+5)$

$=(1\times2)x^2+(1\times5+3\times2)x+3\times5$

$=2x^2+11x+15$

(2) $(2x-1)(3x-2)$

$=(2\times3)x^2+\{2\times(-2)+(-1)\times3\}x$

$+(-1)\times(-2)$

$=6x^2-7x+2$

(3) $(5x-2)(3x+4)$

$=(5\times3)x^2+\{5\times4+(-2)\times3\}x+(-2)\times4$

$=15x^2+14x-8$

(4) $(5x-3y)(4x+5y)$

$=(5\times4)x^2+\{5\times5y+(-3y)\times4\}x$

$+(-3y)\times5y$

$=20x^2+13xy-15y^2$

(5) $(-3x-2y)(4x-y)$

$=(-3\times4)x^2+\{-3\times(-y)+(-2y)\times4\}x$

$+(-2y)\times(-y)$

$=-12x^2-5xy+2y^2$

5-2 ① $(x+1)^2=x^2+2\times x\times1+1^2$

$=x^2+2x+1$

② $(x-2)^2=x^2-2\times x\times2+2^2$

$=x^2-4x+4$

③ $(x-3)(x+3)=x^2-3^2$

$=x^2-9$

④ $(x-4)(x+5)=x^2+(-4+5)x+(-4)\times5$

$=x^2+x-20$

⑤ $(2x-1)(3x+4)$

$=(2\times3)x^2+\{2\times4+(-1)\times3\}x+(-1)\times4$

$=6x^2+5x-4$

따라서 옳지 않은 것은 ③이다.

3일

5. 곱셈 공식을 이용한 수의 계산

개념 원리 확인   p65

1-1 (1) 2809 (2) 11025   **1**-2 (1) 5184 (2) 8281

2-1 (1) 2304 (2) 9216   **2**-2 (1) 7569 (2) 4761

3-1 (1) 2496 (2) 9991   **3**-2 (1) 899 (2) 39996

4-1 (1) 2754 (2) 10282   **4**-2 (1) 11124 (2) 2444

1-1 (1) $53^2=(50+3)^2=50^2+2\times50\times3+3^2$

$=2500+300+9=2809$

(2) $105^2=(100+5)^2=100^2+2\times100\times5+5^2$

$=10000+1000+25=11025$

1-2 (1) $72^2=(70+2)^2=70^2+2\times70\times2+2^2$

$=4900+280+4=5184$

(2) $91^2=(90+1)^2=90^2+2\times90\times1+1^2$

$=8100+180+1=8281$

2-1 (1) $48^2=(50-2)^2=50^2-2\times50\times2+2^2$

$=2500-200+4=2304$

(2) $96^2=(100-4)^2=100^2-2\times100\times4+4^2$

$=10000-800+16=9216$

2-2 (1) $87^2=(90-3)^2=90^2-2\times90\times3+3^2$

$=8100-540+9=7569$

(2) $69^2=(70-1)^2=70^2-2\times70\times1+1^2$

$=4900-140+1=4761$

3-1 (1) $52\times48=(50+2)(50-2)=50^2-2^2$

$=2500-4=2496$

(2) $97\times103=(100-3)(100+3)=100^2-3^2$

$=10000-9=9991$

3-2 (1) $31\times29=(30+1)(30-1)=30^2-1^2$

$=900-1=899$

(2) $198\times202=(200-2)(200+2)=200^2-2^2$

$=40000-4=39996$

4-1

(1) $51 \times 54 = (50+1)(50+4)$
$= 50^2 + (1+4) \times 50 + 1 \times 4$
$= 2500 + 250 + 4 = 2754$

(2) $97 \times 106 = (100-3)(100+6)$
$= 100^2 + (-3+6) \times 100 + (-3) \times 6$
$= 10000 + 300 - 18 = 10282$

4-2

(1) $103 \times 108 = (100+3)(100+8)$
$= 100^2 + (3+8) \times 100 + 3 \times 8$
$= 10000 + 1100 + 24 = 11124$

(2) $52 \times 47 = (50+2)(50-3)$
$= 50^2 + (2-3) \times 50 + 2 \times (-3)$
$= 2500 - 50 - 6 = 2444$

---

6. 곱셈 공식을 이용한 무리수의 계산

개념 원리 확인 p67

5-1 (1) $5+2\sqrt{6}$ (2) $10-4\sqrt{6}$ (3) 2 (4) $11+5\sqrt{5}$

5-2 (1) $3+2\sqrt{2}$ (2) $9-2\sqrt{14}$ (3) -2 (4) $-4+3\sqrt{6}$

6-1 (1) $\sqrt{2}+1$ (2) $-3-2\sqrt{3}$ (3) $\dfrac{\sqrt{10}-\sqrt{2}}{4}$ (4) $5+2\sqrt{6}$

6-2 (1) $4-2\sqrt{3}$ (2) $-2\sqrt{2}+3$ (3) $-2\sqrt{3}+2\sqrt{5}$

(4) $9-4\sqrt{5}$

5-1

(1) $(\sqrt{2}+\sqrt{3})^2 = (\sqrt{2})^2 + 2 \times \sqrt{2} \times \sqrt{3} + (\sqrt{3})^2$
$= 2 + 2\sqrt{6} + 3$
$= 5 + 2\sqrt{6}$

(2) $(\sqrt{6}-2)^2 = (\sqrt{6})^2 - 2 \times \sqrt{6} \times 2 + 2^2$
$= 6 - 4\sqrt{6} + 4$
$= 10 - 4\sqrt{6}$

(3) $(\sqrt{3}+1)(\sqrt{3}-1) = (\sqrt{3})^2 - 1^2$
$= 3 - 1 = 2$

(4) $(\sqrt{5}+2)(\sqrt{5}+3) = (\sqrt{5})^2 + (2+3)\sqrt{5} + 2 \times 3$
$= 5 + 5\sqrt{5} + 6$
$= 11 + 5\sqrt{5}$

5-2

(1) $(\sqrt{2}+1)^2 = (\sqrt{2})^2 + 2 \times \sqrt{2} \times 1 + 1^2$
$= 2 + 2\sqrt{2} + 1$
$= 3 + 2\sqrt{2}$

(2) $(\sqrt{7}-\sqrt{2})^2 = (\sqrt{7})^2 - 2 \times \sqrt{7} \times \sqrt{2} + (\sqrt{2})^2$
$= 7 - 2\sqrt{14} + 2$
$= 9 - 2\sqrt{14}$

(3) $(\sqrt{5}+\sqrt{7})(\sqrt{5}-\sqrt{7}) = (\sqrt{5})^2 - (\sqrt{7})^2$
$= 5 - 7 = -2$

(4) $(\sqrt{6}+5)(\sqrt{6}-2)$
$= (\sqrt{6})^2 + (5-2)\sqrt{6} + 5 \times (-2)$
$= 6 + 3\sqrt{6} - 10$
$= -4 + 3\sqrt{6}$

6-1

(1) $\dfrac{1}{\sqrt{2}-1} = \dfrac{\sqrt{2}+1}{(\sqrt{2}-1)(\sqrt{2}+1)}$
$= \dfrac{\sqrt{2}+1}{(\sqrt{2})^2 - 1^2}$
$= \sqrt{2}+1$

(2) $\dfrac{\sqrt{3}}{\sqrt{3}-2} = \dfrac{\sqrt{3}(\sqrt{3}+2)}{(\sqrt{3}-2)(\sqrt{3}+2)}$
$= \dfrac{3+2\sqrt{3}}{(\sqrt{3})^2 - 2^2}$
$= -(3+2\sqrt{3})$
$= -3 - 2\sqrt{3}$

(3) $\dfrac{\sqrt{2}}{\sqrt{5}+1} = \dfrac{\sqrt{2}(\sqrt{5}-1)}{(\sqrt{5}+1)(\sqrt{5}-1)}$
$= \dfrac{\sqrt{10}-\sqrt{2}}{(\sqrt{5})^2 - 1^2}$
$= \dfrac{\sqrt{10}-\sqrt{2}}{4}$

(4) $\dfrac{\sqrt{3}+\sqrt{2}}{\sqrt{3}-\sqrt{2}} = \dfrac{(\sqrt{3}+\sqrt{2})^2}{(\sqrt{3}-\sqrt{2})(\sqrt{3}+\sqrt{2})}$
$= \dfrac{(\sqrt{3})^2 + 2 \times \sqrt{3} \times \sqrt{2} + (\sqrt{2})^2}{(\sqrt{3})^2 - (\sqrt{2})^2}$
$= 3 + 2\sqrt{6} + 2$
$= 5 + 2\sqrt{6}$

6-2

(1) $\dfrac{2}{2+\sqrt{3}} = \dfrac{2(2-\sqrt{3})}{(2+\sqrt{3})(2-\sqrt{3})}$
$= \dfrac{4-2\sqrt{3}}{2^2 - (\sqrt{3})^2}$
$= 4 - 2\sqrt{3}$

(2) $\dfrac{1}{2\sqrt{2}+3} = \dfrac{2\sqrt{2}-3}{(2\sqrt{2}+3)(2\sqrt{2}-3)}$
$= \dfrac{2\sqrt{2}-3}{(2\sqrt{2})^2 - 3^2}$
$= -(2\sqrt{2}-3)$
$= -2\sqrt{2}+3$

(3) $\dfrac{4}{\sqrt{3}+\sqrt{5}}=\dfrac{4(\sqrt{3}-\sqrt{5})}{(\sqrt{3}+\sqrt{5})(\sqrt{3}-\sqrt{5})}$

$\qquad=\dfrac{4\sqrt{3}-4\sqrt{5}}{(\sqrt{3})^2-(\sqrt{5})^2}$

$\qquad=\dfrac{4\sqrt{3}-4\sqrt{5}}{-2}$

$\qquad=-2\sqrt{3}+2\sqrt{5}$

(4) $\dfrac{\sqrt{5}-2}{\sqrt{5}+2}=\dfrac{(\sqrt{5}-2)^2}{(\sqrt{5}+2)(\sqrt{5}-2)}$

$\qquad=\dfrac{(\sqrt{5})^2-2\times\sqrt{5}\times2+2^2}{(\sqrt{5})^2-2^2}$

$\qquad=5-4\sqrt{5}+4$

$\qquad=9-4\sqrt{5}$

3일 기초 집중 연습   p68 ~ p69

1-1 (1) 10609 (2) 2401 (3) 4899 (4) 10403 (5) 6630

1-2 ③   **1-3** 1, 1, 1, 2020, 2020

1-4 ④

2-1 (1) $8+4\sqrt{3}$ (2) $27-10\sqrt{2}$ (3) 1 (4) 3

2-2 ②   **2-3** 10

3-1 (1) $\sqrt{3}-\sqrt{2}$ (2) $\sqrt{6}+\sqrt{2}$ (3) $3+2\sqrt{2}$ (4) $17-12\sqrt{2}$

3-2 (1) $\sqrt{10}-3$ (2) $\sqrt{10}+3$ (3) $2\sqrt{10}$

1-1 (1) $103^2=(100+3)^2=100^2+2\times100\times3+3^2$

$\qquad=10000+600+9=10609$

(2) $49^2=(50-1)^2=50^2-2\times50\times1+1^2$

$\qquad=2500-100+1=2401$

(3) $71\times69=(70+1)(70-1)=70^2-1^2$

$\qquad=4900-1=4899$

(4) $101\times103=(100+1)(100+3)$

$\qquad=100^2+(1+3)\times100+1\times3$

$\qquad=10000+400+3=10403$

(5) $85\times78=(80+5)(80-2)$

$\qquad=80^2+(5-2)\times80+5\times(-2)$

$\qquad=6400+240-10=6630$

1-2 $8.9\times9.1=(9-0.1)(9+0.1)=9^2-(0.1)^2$

$\qquad=81-0.01=80.99$

따라서 가장 편리한 공식은 ③이다.

1-4 ④ 1400

2-1 (1) $(\sqrt{6}+\sqrt{2})^2=(\sqrt{6})^2+2\times\sqrt{6}\times\sqrt{2}+(\sqrt{2})^2$

$\qquad=6+2\sqrt{12}+2=8+4\sqrt{3}$

(2) $(5-\sqrt{2})^2=5^2-2\times5\times\sqrt{2}+(\sqrt{2})^2$

$\qquad=25-10\sqrt{2}+2=27-10\sqrt{2}$

(3) $(\sqrt{7}+\sqrt{6})(\sqrt{7}-\sqrt{6})=(\sqrt{7})^2-(\sqrt{6})^2$

$\qquad=7-6=1$

(4) $(2\sqrt{2}-\sqrt{5})(2\sqrt{2}+\sqrt{5})=(2\sqrt{2})^2-(\sqrt{5})^2$

$\qquad=8-5=3$

2-2 ① $(\sqrt{6}+2)^2=(\sqrt{6})^2+2\times\sqrt{6}\times2+2^2$

$\qquad=6+4\sqrt{6}+4=10+4\sqrt{6}$

② $(\sqrt{7}-\sqrt{5})^2=(\sqrt{7})^2-2\times\sqrt{7}\times\sqrt{5}+(\sqrt{5})^2$

$\qquad=7-2\sqrt{35}+5=12-2\sqrt{35}$

③ $(3+2\sqrt{2})(3-2\sqrt{2})=3^2-(2\sqrt{2})^2$

$\qquad=9-8=1$

④ $(2\sqrt{3}-\sqrt{2})(2\sqrt{3}+\sqrt{2})=(2\sqrt{3})^2-(\sqrt{2})^2$

$\qquad=12-2=10$

⑤ $(\sqrt{5}+\sqrt{2})(\sqrt{5}-3\sqrt{2})$

$\qquad=(\sqrt{5})^2+(\sqrt{2}-3\sqrt{2})\times\sqrt{5}+\sqrt{2}\times(-3\sqrt{2})$

$\qquad=5-2\sqrt{10}-6=-1-2\sqrt{10}$

따라서 옳은 것은 ②이다.

2-3 $(3\sqrt{2}-2)^2=(3\sqrt{2})^2-2\times3\sqrt{2}\times2+2^2$

$\qquad=18-12\sqrt{2}+4=22-12\sqrt{2}$

따라서 $a=22$, $b=-12$이므로

$a+b=22+(-12)=10$

3-1 (1) $\dfrac{1}{\sqrt{3}+\sqrt{2}}=\dfrac{\sqrt{3}-\sqrt{2}}{(\sqrt{3}+\sqrt{2})(\sqrt{3}-\sqrt{2})}$

$\qquad=\dfrac{\sqrt{3}-\sqrt{2}}{(\sqrt{3})^2-(\sqrt{2})^2}$

$\qquad=\sqrt{3}-\sqrt{2}$

(2) $\dfrac{4}{\sqrt{6}-\sqrt{2}}=\dfrac{4(\sqrt{6}+\sqrt{2})}{(\sqrt{6}-\sqrt{2})(\sqrt{6}+\sqrt{2})}$

$\qquad=\dfrac{4(\sqrt{6}+\sqrt{2})}{(\sqrt{6})^2-(\sqrt{2})^2}$

$\qquad=\dfrac{4(\sqrt{6}+\sqrt{2})}{4}$

$\qquad=\sqrt{6}+\sqrt{2}$

(3) $\dfrac{\sqrt{2}+1}{\sqrt{2}-1}=\dfrac{(\sqrt{2}+1)^2}{(\sqrt{2}-1)(\sqrt{2}+1)}$

$\quad=\dfrac{(\sqrt{2})^2+2\times\sqrt{2}\times1+1^2}{(\sqrt{2})^2-1^2}$

$\quad=2+2\sqrt{2}+1$

$\quad=3+2\sqrt{2}$

(4) $\dfrac{3-2\sqrt{2}}{3+2\sqrt{2}}=\dfrac{(3-2\sqrt{2})^2}{(3+2\sqrt{2})(3-2\sqrt{2})}$

$\quad=\dfrac{3^2-2\times3\times2\sqrt{2}+(2\sqrt{2})^2}{3^2-(2\sqrt{2})^2}$

$\quad=9-12\sqrt{2}+8$

$\quad=17-12\sqrt{2}$

3-2 (1) $\dfrac{1}{\sqrt{10}+3}=\dfrac{\sqrt{10}-3}{(\sqrt{10}+3)(\sqrt{10}-3)}$

$\quad=\dfrac{\sqrt{10}-3}{(\sqrt{10})^2-3^2}=\sqrt{10}-3$

(2) $\dfrac{1}{\sqrt{10}-3}=\dfrac{\sqrt{10}+3}{(\sqrt{10}-3)(\sqrt{10}+3)}$

$\quad=\dfrac{\sqrt{10}+3}{(\sqrt{10})^2-3^2}=\sqrt{10}+3$

(3) $x=\sqrt{10}-3$, $y=\sqrt{10}+3$이므로

$\quad x+y=\sqrt{10}-3+\sqrt{10}+3=2\sqrt{10}$

4일

7. 인수와 인수분해

개념 원리 확인   p71

1-1 (1) a^2-a (2) $a^2+2ab+b^2$ (3) $x^2+7x+12$

1-2 (1) x^2+2x (2) $x^2-2xy+y^2$ (3) $3x^2+5x-2$

2-1 (1) ㉡, ㉣ (2) ㉠, ㉢

2-2 (1) ㉠, ㉣ (2) ㉡, ㉢

3-1 (1) a, $a(b+c)$ (2) $2x$, $2x(y+2z)$

(3) xy, $xy(x+y-1)$

3-2 (1) $x(a-b-c)$ (2) $4ab(a-2b)$

(3) $2x(x^2-3x+5)$

8. 인수분해 공식(1)

개념 원리 확인   p73

4-1 (1) 1, 1, 1 (2) $(x+6)^2$

(3) $3x$, $3x$, $3x$ (4) $(2x+5y)^2$

4-2 (1) $(x+3)^2$ (2) $(x+5)^2$

(3) $(2x+y)^2$ (4) $(3x+2y)^2$

5-1 (1) $(x-1)^2$ (2) $(2x-1)^2$

(3) $(4x-y)^2$ (4) 25, 5

5-2 (1) $(x-4)^2$ (2) $(3x-2)^2$

(3) $(3x-5y)^2$ (4) $3(x-1)^2$

4-1 (2) $x^2+12x+36=x^2+2\times x\times6+6^2$

$\quad=(x+6)^2$

(4) $4x^2+20xy+25y^2=(2x)^2+2\times2x\times5y+(5y)^2$

$\quad=(2x+5y)^2$

4-2 (1) $x^2+6x+9=x^2+2\times x\times3+3^2$

$\quad=(x+3)^2$

(2) $x^2+10x+25=x^2+2\times x\times5+5^2$

$\quad=(x+5)^2$

(3) $4x^2+4xy+y^2=(2x)^2+2\times2x\times y+y^2$

$\quad=(2x+y)^2$

(4) $9x^2+12xy+4y^2=(3x)^2+2\times3x\times2y+(2y)^2$

$\quad=(3x+2y)^2$

5-1 (1) $x^2-2x+1=x^2-2\times x\times1+1^2$

$\quad=(x-1)^2$

(2) $4x^2-4x+1=(2x)^2-2\times2x\times1+1^2$

$\quad=(2x-1)^2$

(3) $16x^2-8xy+y^2=(4x)^2-2\times4x\times y+y^2$

$\quad=(4x-y)^2$

(4) $2x^2-20x+50=2(x^2-10x+\boxed{25})$

$\quad=2(x^2-2\times x\times5+5^2)$

$\quad=2(x-\boxed{5})^2$

5-2 (1) $x^2-8x+16=x^2-2\times x\times4+4^2$

$\quad=(x-4)^2$

(2) $9x^2-12x+4=(3x)^2-2\times3x\times2+2^2$

$\quad=(3x-2)^2$

(3) $9x^2-30xy+25y^2=(3x)^2-2\times 3x\times 5y+(5y)^2$
$\qquad\qquad\qquad\quad =(3x-5y)^2$

(4) $3x^2-6x+3=3(x^2-2x+1)$
$\qquad\qquad\quad =3(x^2-2\times x\times 1+1^2)$
$\qquad\qquad\quad =3(x-1)^2$

(4) $4x^2+24xy+36y^2=4(x^2+6xy+9y^2)$
$\qquad\qquad\qquad\quad =4\{x^2+2\times x\times 3y+(3y)^2\}$
$\qquad\qquad\qquad\quad =4(x+3y)^2$

(5) $3x^2-36xy+108y^2=3(x^2-12xy+36y^2)$
$\qquad\qquad\qquad\quad =3\{x^2-2\times x\times 6y+(6y)^2\}$
$\qquad\qquad\qquad\quad =3(x-6y)^2$

(6) $x^2-x+\dfrac{1}{4}=x^2-2\times x\times \dfrac{1}{2}+\left(\dfrac{1}{2}\right)^2$
$\qquad\qquad\quad =\left(x-\dfrac{1}{2}\right)^2$

4일 기초 집중 연습   p74 ~ p75

1-1 ③   **1**-2 ①

1-3 ㉠, ㉡, ㉢

2-1 (1) $a(ab-2)$ (2) $a(x-y+z)$
(3) $xy(x-y)$ (4) $2a(ab+2b-3)$

2-2 ②   **2**-3 ①

3-1 (1) $(x-3)^2$ (2) $(x+7)^2$ (3) $(4a-b)^2$
(4) $4(x+3y)^2$ (5) $3(x-6y)^2$ (6) $\left(x-\dfrac{1}{2}\right)^2$

3-2 ⑤   **3**-3 $A=2,\ B=3$

3-4 (1) 64, 8 (2) 14, 7

1-2 $2a+4ab=2a\times 1+2a\times 2b$
$\qquad\qquad =\boxed{2a}(1+2b)$

2-2 ② $2x^2-4xy=2x\times x-2x\times 2y$
$\qquad\qquad\quad =2x(x-2y)$

2-3 $4xy-8x=4x\times y-4x\times 2$
$\qquad\qquad =4x(y-2)$
$x^2y-4xy=xy\times x-xy\times 4$
$\qquad\qquad =xy(x-4)$
따라서 두 다항식에 공통으로 들어 있는 인수는 x이다.

3-1 (1) $x^2-6x+9=x^2-2\times x\times 3+3^2$
$\qquad\qquad\qquad =(x-3)^2$
(2) $x^2+14x+49=x^2+2\times x\times 7+7^2$
$\qquad\qquad\qquad\quad =(x+7)^2$
(3) $16a^2-8ab+b^2=(4a)^2-2\times 4a\times b+b^2$
$\qquad\qquad\qquad\qquad =(4a-b)^2$

3-2 ① (우변)$=(x-1)^2=x^2-2x+1$
즉 (좌변)$\ne$(우변)이다.
② (우변)$=(x+8)^2=x^2+16x+64$
즉 (좌변)$\ne$(우변)이다.
③ $4x^2-28x+49=(2x)^2-2\times 2x\times 7+7^2$
$\qquad\qquad\qquad =(2x-7)^2$
④ $2x^2-16xy+32y^2=2(x^2-8xy+16y^2)$
$\qquad\qquad\qquad\quad =2\{x^2-2\times x\times 4y+(4y)^2\}$
$\qquad\qquad\qquad\quad =2(x-4y)^2$
⑤ $x^2+\dfrac{1}{2}x+\dfrac{1}{16}=x^2+2\times x\times \dfrac{1}{4}+\left(\dfrac{1}{4}\right)^2$
$\qquad\qquad\qquad\quad =\left(x+\dfrac{1}{4}\right)^2$

따라서 옳은 것은 ⑤이다.

3-3 $8x^2+24x+18=2(4x^2+12x+9)$
$\qquad\qquad\qquad =2\{(2x)^2+2\times 2x\times 3+3^2\}$
$\qquad\qquad\qquad =2(2x+3)^2$
$\therefore A=2,\ B=3$

3-4 (1) $x^2-16x+\boxed{}=\left(x-\blacksquare\right)^2$
$\qquad\qquad\qquad\quad =x^2-2\times x\times \blacksquare+\blacksquare^2$
즉 $2\times \blacksquare=16$이므로 $\blacksquare=8$
$\boxed{}=8^2=64$
(2) $x^2+\boxed{}x+49=\left(x+\blacksquare\right)^2$
$\qquad\qquad\qquad\quad =x^2+2\times x\times \blacksquare+\blacksquare^2$
즉 $\blacksquare^2=49$이므로 $\blacksquare=7$
$\boxed{}=2\times 7=14$

정답과 풀이

9. 완전제곱식

개념 원리 확인   p77

1-1 ㉠, ㉢, ㉣   **1**-2 ㉡, ㉣

2-1 (1) 16 (2) 49 (3) 100

2-2 (1) 25 (2) 64 (3) 36

3-1 (1) ±4 (2) ±20 (3) ±10

3-2 (1) ±16 (2) ±18 (3) ±14

4-1 (1) ±42 (2) ±12 (3) ±8

4-2 (1) ±24 (2) ±20 (3) ±14

1-1 ㉠ $x^2-4x+4=(x-2)^2$

㉢ $2x^2+12x+18=2(x^2+6x+9)=2(x+3)^2$

㉣ $9x^2-6x+1=(3x-1)^2$

따라서 완전제곱식인 것은 ㉠, ㉢, ㉣이다.

1-2 ㉡ $x^2+10x+25=(x+5)^2$

㉣ $2x^2+4x+2=2(x^2+2x+1)=2(x+1)^2$

따라서 완전제곱식인 것은 ㉡, ㉣이다.

2-1 (1) $\boxed{}=\left(\dfrac{8}{2}\right)^2=16$

(2) $\boxed{}=\left(\dfrac{-14}{2}\right)^2=49$

(3) $\boxed{}=\left(\dfrac{20}{2}\right)^2=100$

2-2 (1) $\boxed{}=\left(\dfrac{10}{2}\right)^2=25$

(2) $\boxed{}=\left(\dfrac{-16}{2}\right)^2=64$

(3) $\boxed{}=\left(\dfrac{12}{2}\right)^2=36$

3-1 (1) $x^2+\boxed{}x+4=x^2+\boxed{}x+(\pm2)^2$

$\therefore \boxed{}=\pm2\times2=\pm4$

(2) $x^2+\boxed{}x+100=x^2+\boxed{}x+(\pm10)^2$

$\therefore \boxed{}=\pm2\times10=\pm20$

(3) $x^2+\boxed{}xy+25y^2=x^2+\boxed{}xy+(\pm5y)^2$

$\therefore \boxed{}=\pm2\times5=\pm10$

3-2 (1) $x^2+\boxed{}x+64=x^2+\boxed{}x+(\pm8)^2$

$\therefore \boxed{}=\pm2\times8=\pm16$

(2) $x^2+\boxed{}x+81=x^2+\boxed{}x+(\pm9)^2$

$\therefore \boxed{}=\pm2\times9=\pm18$

(3) $x^2+\boxed{}xy+49y^2=x^2+\boxed{}xy+(\pm7y)^2$

$\therefore \boxed{}=\pm2\times7=\pm14$

4-1 (1) $9x^2+\boxed{}x+49=(3x)^2+\boxed{}x+(\pm7)^2$

$\therefore \boxed{}=\pm2\times3\times7=\pm42$

(2) $4x^2+\boxed{}xy+9y^2=(2x)^2+\boxed{}xy+(\pm3y)^2$

$\therefore \boxed{}=\pm2\times2\times3=\pm12$

(3) $16x^2+\boxed{}xy+y^2=(4x)^2+\boxed{}xy+(\pm y)^2$

$\therefore \boxed{}=\pm2\times4\times1=\pm8$

4-2 (1) $16x^2+\boxed{}x+9=(4x)^2+\boxed{}x+(\pm3)^2$

$\therefore \boxed{}=\pm2\times4\times3=\pm24$

(2) $4x^2+\boxed{}xy+25y^2=(2x)^2+\boxed{}xy+(\pm5y)^2$

$\therefore \boxed{}=\pm2\times2\times5=\pm20$

(3) $49x^2+\boxed{}xy+y^2=(7x)^2+\boxed{}xy+(\pm y)^2$

$\therefore \boxed{}=\pm2\times7\times1=\pm14$

10. 인수분해 공식(2)

개념 원리 확인   p79

5-1 (1) $(x+3)(x-3)$ (2) $(2x+3)(2x-3)$

    (3) $(6+x)(6-x)$

5-2 (1) $(x+4)(x-4)$ (2) $(4x+1)(4x-1)$

    (3) $(7+x)(7-x)$

6-1 (1) $(x+2y)(x-2y)$ (2) $(2x+3y)(2x-3y)$

    (3) $(5y+6x)(5y-6x)$

6-2 (1) $(3x+y)(3x-y)$ (2) $(4x+7y)(4x-7y)$

    (3) $(9y+8x)(9y-8x)$

7-1 (1) $2(x+5)(x-5)$ (2) $6(x+y)(x-y)$

    (3) $3(x+4y)(x-4y)$

7-2 (1) $3(x+1)(x-1)$ (2) $4(x+3)(x-3)$

    (3) $3(x+5y)(x-5y)$

5-1 (1) $x^2-9=x^2-3^2$
$\qquad\qquad =(x+3)(x-3)$
(2) $4x^2-9=(2x)^2-3^2$
$\qquad\qquad =(2x+3)(2x-3)$
(3) $36-x^2=6^2-x^2$
$\qquad\qquad =(6+x)(6-x)$

5-2 (1) $x^2-16=x^2-4^2$
$\qquad\qquad =(x+4)(x-4)$
(2) $16x^2-1=(4x)^2-1^2$
$\qquad\qquad =(4x+1)(4x-1)$
(3) $49-x^2=7^2-x^2$
$\qquad\qquad =(7+x)(7-x)$

6-1 (1) $x^2-4y^2=x^2-(2y)^2$
$\qquad\qquad =(x+2y)(x-2y)$
(2) $4x^2-9y^2=(2x)^2-(3y)^2$
$\qquad\qquad =(2x+3y)(2x-3y)$
(3) $-36x^2+25y^2=25y^2-36x^2=(5y)^2-(6x)^2$
$\qquad\qquad =(5y+6x)(5y-6x)$

6-2 (1) $9x^2-y^2=(3x)^2-y^2$
$\qquad\qquad =(3x+y)(3x-y)$
(2) $16x^2-49y^2=(4x)^2-(7y)^2$
$\qquad\qquad =(4x+7y)(4x-7y)$
(3) $-64x^2+81y^2=81y^2-64x^2=(9y)^2-(8x)^2$
$\qquad\qquad =(9y+8x)(9y-8x)$

7-1 (1) $2x^2-50=2(x^2-25)=2(x^2-5^2)$
$\qquad\qquad =2(x+5)(x-5)$
(2) $6x^2-6y^2=6(x^2-y^2)$
$\qquad\qquad =6(x+y)(x-y)$
(3) $3x^2-48y^2=3(x^2-16y^2)=3\{x^2-(4y)^2\}$
$\qquad\qquad =3(x+4y)(x-4y)$

7-2 (1) $3x^2-3=3(x^2-1)=3(x^2-1^2)$
$\qquad\qquad =3(x+1)(x-1)$
(2) $4x^2-36=4(x^2-9)=4(x^2-3^2)$
$\qquad\qquad =4(x+3)(x-3)$
(3) $3x^2-75y^2=3(x^2-25y^2)=3\{x^2-(5y)^2\}$
$\qquad\qquad =3(x+5y)(x-5y)$

1-1 ④

1-2 (1) 4 (2) 121 (3) $\dfrac{1}{16}$ (4) $\dfrac{1}{9}$

1-3 (1) ± 8 (2) ± 12 (3) ± 12 (4) ± 70

1-4 (1) 64 (2) 3 (3) 61   **1-5** ②

2-1 (1) $(x+7)(x-7)$ (2) $(4+x)(4-x)$
(3) $(3x+4y)(3x-4y)$ (4) $\left(a+\dfrac{1}{3}\right)\left(a-\dfrac{1}{3}\right)$
(5) $(5y+x)(5y-x)$ (6) $(10+3a)(10-3a)$
(7) $3(2x+1)(2x-1)$ (8) $2(4x+3y)(4x-3y)$

2-2 ③   **2-3** ㉠, ㉢, ㉣

2-4 ④

1-1 ① $x^2+2x+1=(x+1)^2$
② $x^2-14x+49=(x-7)^2$
③ $2a^2-4ab+2b^2=2(a^2-2ab+b^2)=2(a-b)^2$
⑤ $4y^2-4y+1=(2y-1)^2$

1-2 (1) $\square=\left(\dfrac{4}{2}\right)^2=4$
(2) $\square=\left(\dfrac{-22}{2}\right)^2=121$
(3) $\square=\left(-\dfrac{1}{2}\times\dfrac{1}{2}\right)^2=\dfrac{1}{16}$
(4) $\square=\left(\dfrac{2}{3}\times\dfrac{1}{2}\right)^2=\dfrac{1}{9}$

1-3 (1) $x^2+\square x+16=x^2+\square x+(\pm 4)^2$
$\qquad \therefore \square=\pm 2\times 4=\pm 8$
(2) $9x^2+\square x+4=(3x)^2+\square x+(\pm 2)^2$
$\qquad \therefore \square=\pm 2\times 3\times 2=\pm 12$
(3) $x^2+\square xy+36y^2=x^2+\square xy+(\pm 6y)^2$
$\qquad \therefore \square=\pm 2\times 6=\pm 12$
(4) $25x^2+\square xy+49y^2=(5x)^2+\square xy+(\pm 7y)^2$
$\qquad \therefore \square=\pm 2\times 5\times 7=\pm 70$

1-4 (1) $A=\left(\dfrac{-16}{2}\right)^2=64$
(2) $x^2+Bx+\dfrac{9}{4}=x^2+Bx+\left(\pm\dfrac{3}{2}\right)^2$
이때 B는 양수이므로 $B=2\times\dfrac{3}{2}=3$
(3) $A-B=64-3=61$

정답과 풀이

1-5 $x^2+4x+k-12$가 완전제곱식이 되려면

$$k-12=\left(\frac{4}{2}\right)^2=4 \qquad \therefore k=16$$

2-1
(1) $x^2-49=x^2-7^2$
$$=(x+7)(x-7)$$

(2) $16-x^2=4^2-x^2$
$$=(4+x)(4-x)$$

(3) $9x^2-16y^2=(3x)^2-(4y)^2$
$$=(3x+4y)(3x-4y)$$

(4) $a^2-\dfrac{1}{9}=a^2-\left(\dfrac{1}{3}\right)^2$
$$=\left(a+\dfrac{1}{3}\right)\left(a-\dfrac{1}{3}\right)$$

(5) $-x^2+25y^2=25y^2-x^2=(5y)^2-x^2$
$$=(5y+x)(5y-x)$$

(6) $-9a^2+100=100-9a^2=10^2-(3a)^2$
$$=(10+3a)(10-3a)$$

(7) $12x^2-3=3(4x^2-1)=3\{(2x)^2-1^2\}$
$$=3(2x+1)(2x-1)$$

(8) $32x^2-18y^2=2(16x^2-9y^2)=2\{(4x)^2-(3y)^2\}$
$$=2(4x+3y)(4x-3y)$$

2-2
① $x^2-25=x^2-5^2$
$$=(x+5)(x-5)$$

② $9x^2-16=(3x)^2-4^2$
$$=(3x+4)(3x-4)$$

③ $27x^2-12=3(9x^2-4)=3\{(3x)^2-2^2\}$
$$=3(3x+2)(3x-2)$$

④ $x^2-y^2=(x+y)(x-y)$

⑤ $4x^2-36=4(x^2-9)=4(x^2-3^2)$
$$=4(x+3)(x-3)$$

따라서 바르게 인수분해한 것은 ③이다.

2-3 $2a^2-8=2(a^2-4)=2(a^2-2^2)$
$$=2(a+2)(a-2)$$

따라서 인수인 것은 ㉠, ㉢, ㉣이다.

2-4 $49x^2-64y^2=(7x)^2-(8y)^2$
$$=(7x+8y)(7x-8y)$$

따라서 $a=7$, $b=8$이므로 $ab=7\times 8=56$

01 5   **02** ①   **03** $2\sqrt{2}-4$ **04** ⑤

05 ④   **06** (1) 10816 (2) 3596 (3) $3-2\sqrt{2}$ (4) 4

07 14   **08** ㉡, ㉢   **09** ②, ⑤

10 (1) $3xy(x+2y)$ (2) $(x+4)^2$

(3) $(x-7)^2$ (4) $(3x+5y)^2$

(5) $(x+4)(x-4)$ (6) $(2x+1)(2x-1)$

(7) $(3x+5y)(3x-5y)$ (8) $3(x+2y)(x-2y)$

01 $5\sqrt{2}-3\sqrt{2}+7\sqrt{3}-4\sqrt{3}=(5-3)\sqrt{2}+(7-4)\sqrt{3}$
$$=2\sqrt{2}+3\sqrt{3}$$

따라서 $a=2$, $b=3$이므로
$$a+b=2+3=5$$

02 $\sqrt{20}-\sqrt{48}-\sqrt{45}+\sqrt{75}=2\sqrt{5}-4\sqrt{3}-3\sqrt{5}+5\sqrt{3}$
$$=-4\sqrt{3}+5\sqrt{3}+2\sqrt{5}-3\sqrt{5}$$
$$=\sqrt{3}-\sqrt{5}$$

03 $(\sqrt{24}-6\sqrt{2})\div\sqrt{3}-\dfrac{4}{\sqrt{2}}(\sqrt{2}-\sqrt{3})$

$$=\dfrac{2\sqrt{6}-6\sqrt{2}}{\sqrt{3}}-\dfrac{4}{\sqrt{2}}\times\sqrt{2}-\dfrac{4}{\sqrt{2}}\times(-\sqrt{3})$$

$$=2\sqrt{2}-\dfrac{6\sqrt{2}}{\sqrt{3}}-4+\dfrac{4\sqrt{3}}{\sqrt{2}}$$

$$=2\sqrt{2}-\dfrac{6\sqrt{2}\times\sqrt{3}}{\sqrt{3}\times\sqrt{3}}-4+\dfrac{4\sqrt{3}\times\sqrt{2}}{\sqrt{2}\times\sqrt{2}}$$

$$=2\sqrt{2}-2\sqrt{6}-4+2\sqrt{6}$$

$$=2\sqrt{2}-4$$

04 $(2x-y)(x+3y)=2x^2+6xy-xy-3y^2$
$$=2x^2+5xy-3y^2$$

따라서 $A=2$, $B=5$이므로
$$A+B=2+5=7$$

05
① $(x-1)^2=x^2-2x+1$

② $(-2x+1)^2=(-2x)^2+2\times(-2x)\times 1+1^2$
$$=4x^2-4x+1$$

③ $(x+3)(x-3)=x^2-3^2=x^2-9$

④ $(x-3)(x-4)=x^2+(-3-4)x+(-3)\times(-4)$
$$=x^2-7x+12$$

⑤ $(5x-2)(3x+4)$
$=(5\times3)x^2+\{5\times4+(-2)\times3\}x+(-2)\times4$
$=15x^2+14x-8$
따라서 옳은 것은 ④이다.

06 (1) $104^2=(100+4)^2=100^2+2\times100\times4+4^2$
$=10000+800+16=10816$
(2) $58\times62=(60-2)(60+2)=60^2-2^2$
$=3600-4=3596$
(3) $(\sqrt{2}-1)^2=(\sqrt{2})^2-2\times\sqrt{2}\times1+1^2$
$=2-2\sqrt{2}+1=3-2\sqrt{2}$
(4) $(\sqrt{7}+\sqrt{3})(\sqrt{7}-\sqrt{3})=(\sqrt{7})^2-(\sqrt{3})^2$
$=7-3=4$

07 $\dfrac{2-\sqrt{3}}{2+\sqrt{3}}+\dfrac{2+\sqrt{3}}{2-\sqrt{3}}$
$=\dfrac{(2-\sqrt{3})^2}{(2+\sqrt{3})(2-\sqrt{3})}+\dfrac{(2+\sqrt{3})^2}{(2-\sqrt{3})(2+\sqrt{3})}$
$=\dfrac{2^2-2\times2\times\sqrt{3}+(\sqrt{3})^2}{2^2-(\sqrt{3})^2}+\dfrac{2^2+2\times2\times\sqrt{3}+(\sqrt{3})^2}{2^2-(\sqrt{3})^2}$
$=4-4\sqrt{3}+3+4+4\sqrt{3}+3=14$

09 ② $4x^2+16x+16=4(x^2+4x+4)$
$=4(x^2+2\times x\times2+2^2)$
$=4(x+2)^2$
⑤ $x^2+x+\dfrac{1}{4}=x^2+2\times x\times\dfrac{1}{2}+\left(\dfrac{1}{2}\right)^2$
$=\left(x+\dfrac{1}{2}\right)^2$

10 (1) $3x^2y+6xy^2=3xy\times x+3xy\times2y$
$=3xy(x+2y)$
(2) $x^2+8x+16=x^2+2\times x\times4+4^2$
$=(x+4)^2$
(3) $x^2-14x+49=x^2-2\times x\times7+7^2$
$=(x-7)^2$
(4) $9x^2+30xy+25y^2=(3x)^2+2\times3x\times5y+(5y)^2$
$=(3x+5y)^2$
(5) $x^2-16=x^2-4^2=(x+4)(x-4)$
(6) $4x^2-1=(2x)^2-1^2=(2x+1)(2x-1)$
(7) $9x^2-25y^2=(3x)^2-(5y)^2=(3x+5y)(3x-5y)$
(8) $3x^2-12y^2=3(x^2-4y^2)=3\{x^2-(2y)^2\}$
$=3(x+2y)(x-2y)$

특강 | 창의, 융합, 코딩　　　　　　　　p84~p89

1 bc, $a^2+2ab+b^2$, a^2-b^2, $ad+bc$ / $(a-b)^2$, $a-b$, $\left(\dfrac{a}{2}\right)^2$

2 (1) $4\sqrt{2}$ m　(2) $3\sqrt{2}$ m　(3) $2\sqrt{2}$ m　(4) $26\sqrt{2}$ m

3 (1) $\dfrac{12\sqrt{5}}{5}-\sqrt{3}$　(2) $\dfrac{\sqrt{5}}{5}+\dfrac{\sqrt{3}}{6}$　(3) $\dfrac{11\sqrt{15}}{15}-\dfrac{\sqrt{3}}{6}$

4 22개　　　　　　**5** 힘내 너는 잘 할 수 있어

6 풀이 참조

2 (1) $\sqrt{32}=4\sqrt{2}$ (m)
(2) $\sqrt{18}=3\sqrt{2}$ (m)
(3) $\sqrt{8}=2\sqrt{2}$ (m)
(4) $(4\sqrt{2}+3\sqrt{2}+2\sqrt{2})\times2+4\sqrt{2}\times2$
$=9\sqrt{2}\times2+8\sqrt{2}$
$=18\sqrt{2}+8\sqrt{2}$
$=26\sqrt{2}$ (m)

3 (1) $2\times\sqrt{5}-\sqrt{3}+\dfrac{1}{\sqrt{15}}\div\dfrac{1}{2\sqrt{3}}$
$=2\sqrt{5}-\sqrt{3}+\dfrac{1}{\sqrt{15}}\times2\sqrt{3}$
$=2\sqrt{5}-\sqrt{3}+\dfrac{2}{\sqrt{5}}$
$=2\sqrt{5}-\sqrt{3}+\dfrac{2\times\sqrt{5}}{\sqrt{5}\times\sqrt{5}}$
$=2\sqrt{5}-\sqrt{3}+\dfrac{2\sqrt{5}}{5}$
$=\dfrac{12\sqrt{5}}{5}-\sqrt{3}$

(2) $2\div\sqrt{5}-\sqrt{3}\times\dfrac{1}{\sqrt{15}}+\dfrac{1}{2\sqrt{3}}$
$=\dfrac{2}{\sqrt{5}}-\dfrac{1}{\sqrt{5}}+\dfrac{1}{2\sqrt{3}}$
$=\dfrac{2\times\sqrt{5}}{\sqrt{5}\times\sqrt{5}}-\dfrac{1\times\sqrt{5}}{\sqrt{5}\times\sqrt{5}}+\dfrac{1\times\sqrt{3}}{2\sqrt{3}\times\sqrt{3}}$
$=\dfrac{2\sqrt{5}}{5}-\dfrac{\sqrt{5}}{5}+\dfrac{\sqrt{3}}{6}$
$=\dfrac{\sqrt{5}}{5}+\dfrac{\sqrt{3}}{6}$

(3) $2\times\sqrt{5}\div\sqrt{3}+\dfrac{1}{\sqrt{15}}-\dfrac{1}{2\sqrt{3}}$
$=2\times\sqrt{5}\times\dfrac{1}{\sqrt{3}}+\dfrac{1}{\sqrt{15}}-\dfrac{1}{2\sqrt{3}}$
$=\dfrac{2\sqrt{5}}{\sqrt{3}}+\dfrac{1}{\sqrt{15}}-\dfrac{1}{2\sqrt{3}}$

$$=\frac{2\sqrt{5}\times\sqrt{3}}{\sqrt{3}\times\sqrt{3}}+\frac{1\times\sqrt{15}}{\sqrt{15}\times\sqrt{15}}-\frac{1\times\sqrt{3}}{2\sqrt{3}\times\sqrt{3}}$$

$$=\frac{2\sqrt{15}}{3}+\frac{\sqrt{15}}{15}-\frac{\sqrt{3}}{6}$$

$$=\frac{11\sqrt{15}}{15}-\frac{\sqrt{3}}{6}$$

4 ① $\dfrac{6}{\sqrt{5}}=\dfrac{6\times\sqrt{5}}{\sqrt{5}\times\sqrt{5}}=\dfrac{6\sqrt{5}}{5}$ ➡ 3개

② $\dfrac{1-\sqrt{5}}{\sqrt{2}}=\dfrac{(1-\sqrt{5})\times\sqrt{2}}{\sqrt{2}\times\sqrt{2}}=\dfrac{\sqrt{2}-\sqrt{10}}{2}$ ➡ 2개

③ $\dfrac{1}{3-2\sqrt{2}}=\dfrac{3+2\sqrt{2}}{(3-2\sqrt{2})(3+2\sqrt{2})}$

$$=\frac{3+2\sqrt{2}}{3^2-(2\sqrt{2})^2}=3+2\sqrt{2}$$ ➡ 4개

④ $\dfrac{1}{\sqrt{7}+\sqrt{5}}=\dfrac{\sqrt{7}-\sqrt{5}}{(\sqrt{7}+\sqrt{5})(\sqrt{7}-\sqrt{5})}$

$$=\frac{\sqrt{7}-\sqrt{5}}{(\sqrt{7})^2-(\sqrt{5})^2}=\frac{\sqrt{7}-\sqrt{5}}{2}$$ ➡ 1개

⑤ $\dfrac{\sqrt{3}+\sqrt{2}}{\sqrt{3}-\sqrt{2}}=\dfrac{(\sqrt{3}+\sqrt{2})^2}{(\sqrt{3}-\sqrt{2})(\sqrt{3}+\sqrt{2})}$

$$=\frac{(\sqrt{3})^2+2\times\sqrt{3}\times\sqrt{2}+(\sqrt{2})^2}{(\sqrt{3})^2-(\sqrt{2})^2}$$

$$=3+2\sqrt{6}+2=5+2\sqrt{6}$$ ➡ 4개

⑥ $\dfrac{4}{\sqrt{6}-2}=\dfrac{4(\sqrt{6}+2)}{(\sqrt{6}-2)(\sqrt{6}+2)}=\dfrac{4\sqrt{6}+8}{(\sqrt{6})^2-2^2}$

$$=\frac{4\sqrt{6}+8}{2}=2\sqrt{6}+4$$ ➡ 3개

⑦ $\dfrac{8}{\sqrt{10}+\sqrt{2}}=\dfrac{8(\sqrt{10}-\sqrt{2})}{(\sqrt{10}+\sqrt{2})(\sqrt{10}-\sqrt{2})}$

$$=\frac{8(\sqrt{10}-\sqrt{2})}{(\sqrt{10})^2-(\sqrt{2})^2}$$

$$=\sqrt{10}-\sqrt{2}$$ ➡ 3개

⑧ $\dfrac{2\sqrt{2}+\sqrt{7}}{2\sqrt{2}-\sqrt{7}}=\dfrac{(2\sqrt{2}+\sqrt{7})^2}{(2\sqrt{2}-\sqrt{7})(2\sqrt{2}+\sqrt{7})}$

$$=\frac{(2\sqrt{2})^2+2\times2\sqrt{2}\times\sqrt{7}+(\sqrt{7})^2}{(2\sqrt{2})^2-(\sqrt{7})^2}$$

$$=8+4\sqrt{14}+7=15+4\sqrt{14}$$ ➡ 2개

따라서 선호가 학교에 도착할 때까지 얻은 사탕은
$3+2+4+1+4+3+3+2=22$(개)

5 ① $(3x+5y)(3x-5y)=(3x)^2-(5y)^2$

$$=9x^2-25y^2$$ ➡ 힘

② $(x-5)^2=x^2-2\times x\times5+5^2$

$$=x^2-10x+25$$ ➡ 내

③ $(x-3)(x+1)=x^2+(-3+1)x+(-3)\times1$

$$=x^2-2x-3$$ ➡ 너

④ $(4x+6)(2x+3)$

$$=(4\times2)x^2+(4\times3+6\times2)x+6\times3$$

$$=8x^2+24x+18$$ ➡ 는

⑤ $(2x-5)(y+1)=2xy+2x-5y-5$ ➡ 잘

⑥ $(x+4)(x-4)=x^2-4^2=x^2-16$ ➡ 할

⑦ $(x-2)(x-7)=x^2+(-2-7)x+(-2)\times(-7)$

$$=x^2-9x+14$$ ➡ 수

⑧ $(2x+1)(3x-2)$

$$=(2\times3)x^2+\{2\times(-2)+1\times3\}x+1\times(-2)$$

$$=6x^2-x-2$$ ➡ 있

⑨ $(2x+3)^2=(2x)^2+2\times2x\times3+3^2$

$$=4x^2+12x+9$$ ➡ 어

6 ① $9x^2-12x+4=(3x)^2-2\times3x\times2+2^2=(3x-2)^2$

② $9x^2-4=(3x)^2-2^2=(3x+2)(3x-2)$

③ $9x^2+12x+4=(3x)^2+2\times3x\times2+2^2=(3x+2)^2$

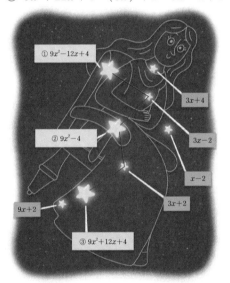

1-1 (1) $x^2+2x+1=x^2+2\times x\times1+1^2$
$$=(x+1)^2$$

(2) $x^2-6xy+9y^2=x^2-2\times x\times3y+(3y)^2$
$$=(x-3y)^2$$

(3) $x^2-9=x^2-3^2=(x+3)(x-3)$

(4) $4x^2-y^2=(2x)^2-y^2=(2x+y)(2x-y)$

1-2 (1) $x^2+4x+4=x^2+2\times x\times2+2^2$
$$=(x+2)^2$$

(2) $x^2-2xy+y^2=x^2-2\times x\times y+y^2$
$$=(x-y)^2$$

(3) $x^2-1=x^2-1^2=(x+1)(x-1)$

(4) $9x^2-y^2=(3x)^2-y^2=(3x+y)(3x-y)$

2-1 ㉠ $x^2-2x+1=(x-1)^2$

㉣ $2x^2-12x+18=2(x^2-6x+9)$
$$=2(x-3)^2$$

따라서 완전제곱식으로 인수분해되는 것은 ㉠, ㉣이다.

2-2 (1) ☐$=\left(\dfrac{6}{2}\right)^2=9$

(2) ☐$=\left(\dfrac{-10}{2}\right)^2=25$

(3) ☐$=\left(\dfrac{-14}{2}\right)^2=49$

(4) ☐$=\left(\dfrac{18}{2}\right)^2=81$

3-1 (2) $2x+4=0$에서 $2x=-4$ ∴ $x=-2$

(3) $3x-5=0$에서 $3x=5$ ∴ $x=\dfrac{5}{3}$

(4) $-4x+2=6$에서 $-4x=4$ ∴ $x=-1$

3-2 (2) $3x-6=0$에서 $3x=6$ ∴ $x=2$

(3) $5x+3=-1$에서 $5x=-4$ ∴ $x=-\dfrac{4}{5}$

(4) $-x+7=3$에서 $-x=-4$ ∴ $x=4$

1일

1. 인수분해 공식 (3)

2-2 (1) 곱이 3인 두 정수 중에서 합이 4인 두 정수는 1, 3
이므로
$$x^2+4x+3=(x+1)(x+3)$$

(2) 곱이 -6인 두 정수 중에서 합이 1인 두 정수는
-2, 3이므로
$$x^2+x-6=(x-2)(x+3)$$

(3) 곱이 -8인 두 정수 중에서 합이 -7인 두 정수는
1, -8이므로
$$x^2-7x-8=(x+1)(x-8)$$

(4) 곱이 -20인 두 정수 중에서 합이 1인 두 정수는
-4, 5이므로
$$x^2+xy-20y^2=(x-4y)(x+5y)$$

정답과 풀이

(5) 곱이 -24인 두 정수 중에서 합이 -10인 두 정수
는 2, -12이므로
$$x^2-10xy-24y^2=(x+2y)(x-12y)$$

2. 인수분해 공식 (4)

개념 원리 확인 · p97

3-1 (1) 1, 1, 3 (2) $2x-3$, -2, -3, -6

(3) $5x-2y$, 5, 5, -2

(4) $2y$, $2x+3y$, -2, -4, 2, 3, 3

3-2 (1) $(x+2)(2x+1)$ (2) $(x+4)(3x-1)$

(3) $(2x-1)(2x+5)$ (4) $(x+y)(3x+4y)$

(5) $(x-y)(2x+7y)$ (6) $(x-5y)(2x+3y)$

3-2 (1) $2x^2+5x+2=(x+2)(2x+1)$

$$\begin{array}{ccc} 1 & \nearrow 2 \rightarrow & 4 \\ 2 & \searrow 1 \rightarrow & \underline{1} \ \big(+ \\ & & 5 \end{array}$$

(2) $3x^2+11x-4=(x+4)(3x-1)$

$$\begin{array}{ccc} 1 & \nearrow 4 \rightarrow & 12 \\ 3 & \searrow -1 \rightarrow & \underline{-1} \ \big(+ \\ & & 11 \end{array}$$

(3) $4x^2+8x-5=(2x-1)(2x+5)$

$$\begin{array}{ccc} 2 & \nearrow -1 \rightarrow & -2 \\ 2 & \searrow 5 \rightarrow & \underline{10} \ \big(+ \\ & & 8 \end{array}$$

(4) $3x^2+7xy+4y^2=(x+y)(3x+4y)$

$$\begin{array}{ccc} 1 & \nearrow 1 \rightarrow & 3 \\ 3 & \searrow 4 \rightarrow & \underline{4} \ \big(+ \\ & & 7 \end{array}$$

(5) $2x^2+5xy-7y^2=(x-y)(2x+7y)$

$$\begin{array}{ccc} 1 & \nearrow -1 \rightarrow & -2 \\ 2 & \searrow 7 \rightarrow & \underline{7} \ \big(+ \\ & & 5 \end{array}$$

(6) $2x^2-7xy-15y^2=(x-5y)(2x+3y)$

$$\begin{array}{ccc} 1 & \nearrow -5 \rightarrow & -10 \\ 2 & \searrow 3 \rightarrow & \underline{3} \ \big(+ \\ & & -7 \end{array}$$

1-1 (1) 2, 5 (2) -4, 5 (3) 2, -7

1-2 (1) $(x+2)(x+4)$ (2) $(x-2)(x-8)$

(3) $(x-2y)(x+9y)$ (4) $(x+3y)(x-4y)$

1-3 $A=5$, $B=2$

1-4 ③   **1-5** ②

2-1 (1) $(x+3)(2x+3)$ (2) $(2x-1)(3x+4)$

(3) $(x+y)(5x-9y)$ (4) $(2x+3y)(5x-7y)$

(5) $2(x-2)(5x-3)$ (6) $2(2x+y)(2x-3y)$

2-2 $A=-13$, $B=-2$

2-3 ①   **2-4** ②

1-2 (1) 곱이 8인 두 정수 중에서 합이 6인 두 정수는 2, 4
이므로
$$x^2+6x+8=(x+2)(x+4)$$

(2) 곱이 16인 두 정수 중에서 합이 -10인 두 정수는
-2, -8이므로
$$x^2-10x+16=(x-2)(x-8)$$

(3) 곱이 -18인 두 정수 중에서 합이 7인 두 정수는
-2, 9이므로
$$x^2+7xy-18y^2=(x-2y)(x+9y)$$

(4) 곱이 -12인 두 정수 중에서 합이 -1인 두 정수는
3, -4이므로
$$x^2-xy-12y^2=(x+3y)(x-4y)$$

1-3 $x^2+Ax+6=(x+B)(x+3)=x^2+(B+3)x+3B$
$6=3B$이므로 $B=2$
$A=B+3$이므로 $A=2+3=5$

1-4 $x^2-6x-40=(x+4)(x-10)$
따라서 두 일차식의 합은
$(x+4)+(x-10)=2x-6$

1-5 $(x+2)(x-6)-9=x^2-4x-12-9$
$\qquad =x^2-4x-21$
$\qquad =(x+3)(x-7)$

2-1 (1) $2x^2+9x+9=(x+3)(2x+3)$

$$\begin{array}{ccc} 1 & \nearrow 3 \rightarrow & 6 \\ 2 & \searrow 3 \rightarrow & \underline{3} \ \big(+ \\ & & 9 \end{array}$$

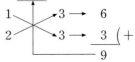

(2) $6x^2+5x-4=(2x-1)(3x+4)$

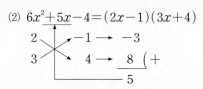

(3) $5x^2-4xy-9y^2=(x+y)(5x-9y)$

$$
\begin{array}{ccc}
1 & \nearrow & 1 \longrightarrow \;\; 5 \\
5 & \searrow & -9 \longrightarrow \underline{-9} \;(+ \\
& & \quad\quad\quad -4
\end{array}
$$

(4) $10x^2+xy-21y^2=(2x+3y)(5x-7y)$

$$
\begin{array}{ccc}
2 & \nearrow & 3 \longrightarrow \;\; 15 \\
5 & \searrow & -7 \longrightarrow \underline{-14} \;(+ \\
& & \quad\quad\quad 1
\end{array}
$$

(5) $10x^2-26x+12=2(5x^2-13x+6)$
$\qquad\qquad\qquad\;\; =2(x-2)(5x-3)$

$5x^2-13x+6=(x-2)(5x-3)$

$$
\begin{array}{ccc}
1 & \nearrow & -2 \longrightarrow -10 \\
5 & \searrow & -3 \longrightarrow \underline{-3} \;(+ \\
& & \quad\quad\quad -13
\end{array}
$$

(6) $8x^2-8xy-6y^2=2(4x^2-4xy-3y^2)$
$\qquad\qquad\qquad\;\; =2(2x+y)(2x-3y)$

$4x^2-4xy-3y^2=(2x+y)(2x-3y)$

$$
\begin{array}{ccc}
2 & \nearrow & 1 \longrightarrow \;\; 2 \\
2 & \searrow & -3 \longrightarrow \underline{-6} \;(+ \\
& & \quad\quad\quad -4
\end{array}
$$

2-2 $8x^2+Ax-6=(8x+3)(x+B)$
$\qquad\qquad\quad =8x^2+(8B+3)x+3B$

$-6=3B$이므로 $B=-2$

$A=8B+3$이므로

$A=8\times(-2)+3=-13$

2-3 $4x^2-13x+10=(x-2)(4x-5)$

따라서 두 일차식의 합은

$(x-2)+(4x-5)=5x-7$

2-4 $2x^2-5x-12=(x-4)(2x+3)$

$6x^2+13x+6=(2x+3)(3x+2)$

따라서 공통인 인수는 $2x+3$이다.

3. 복잡한 식의 인수분해

개념 원리 확인　　　　　　　　　　p101

1-1 (1) $y(2x-5)^2$　(2) $2a(x+2)^2$
　　　(3) $x(x+y)(x-y)$　(4) $3b(a+3)(a-4)$

1-2 (1) $a(x-3)^2$　(2) $2y(x+y)^2$
　　　(3) $y(x+y)(x-y)$　(4) $2a(x-5)(x+6)$

2-1 (1) $(x+1)(x-3)$　(2) $(x+1)(x+3)(x-3)$
　　　(3) $(x+y)(x+4)(x-4)$

2-2 (1) $(2a+b)(a+b)$　(2) $(x+1)(x+2)(x-2)$
　　　(3) $(a+b)(x+y)(x-y)$

1-1 (1) $4x^2y-20xy+25y=y(4x^2-20x+25)$
$\qquad\qquad\qquad\qquad\;\; =y(2x-5)^2$
　　(2) $2ax^2+8ax+8a=2a(x^2+4x+4)$
$\qquad\qquad\qquad\qquad\;\; =2a(x+2)^2$
　　(3) $x^3-xy^2=x(x^2-y^2)$
$\qquad\qquad\qquad =x(x+y)(x-y)$
　　(4) $3a^2b-3ab-36b=3b(a^2-a-12)$
$\qquad\qquad\qquad\qquad\;\; =3b(a+3)(a-4)$

1-2 (1) $ax^2-6ax+9a=a(x^2-6x+9)$
$\qquad\qquad\qquad\qquad =a(x-3)^2$
　　(2) $2x^2y+4xy^2+2y^3=2y(x^2+2xy+y^2)$
$\qquad\qquad\qquad\qquad\qquad =2y(x+y)^2$
　　(3) $x^2y-y^3=y(x^2-y^2)$
$\qquad\qquad\qquad\;\; =y(x+y)(x-y)$
　　(4) $2ax^2+2ax-60a=2a(x^2+x-30)$
$\qquad\qquad\qquad\qquad\;\; =2a(x-5)(x+6)$

2-1 (2) $x^2(x+1)-9(x+1)=(x+1)(x^2-9)$
$\qquad\qquad\qquad\qquad\quad =(x+1)(x+3)(x-3)$
　　(3) $(x+y)x^2-16(x+y)=(x+y)(x^2-16)$
$\qquad\qquad\qquad\qquad\qquad =(x+y)(x+4)(x-4)$

2-2 (2) $x^2(x+1)-4(x+1)=(x+1)(x^2-4)$
$\qquad\qquad\qquad\qquad\quad =(x+1)(x+2)(x-2)$
　　(3) $(a+b)x^2-(a+b)y^2=(a+b)(x^2-y^2)$
$\qquad\qquad\qquad\qquad\qquad =(a+b)(x+y)(x-y)$

4. 인수분해 공식을 이용한 수의 계산

개념 원리 확인
p103

3-1 (1) ㉠ / 12, 12, 1200

(2) ㉡ / 1, 1, 1, 100, 98, 9800

(3) ㉢ / 2, 2, 2, 100, 10000

(4) ㉣ / 4, 4, 50, 2500

3-2 (1) 580 (2) 100 (3) 800 (4) 7200 (5) 6400 (6) 900

3-2 (1) $58 \times 63 - 58 \times 53 = 58 \times (63 - 53)$
$$= 58 \times 10 = 580$$

(2) $25 \times 2.7 + 25 \times 1.3 = 25 \times (2.7 + 1.3)$
$$= 25 \times 4 = 100$$

(3) $45^2 - 35^2 = (45 + 35)(45 - 35)$
$$= 80 \times 10 = 800$$

(4) $10 \times 41^2 - 10 \times 31^2 = 10 \times (41^2 - 31^2)$
$$= 10 \times (41 + 31)(41 - 31)$$
$$= 10 \times 72 \times 10 = 7200$$

(5) $79^2 + 2 \times 79 + 1 = 79^2 + 2 \times 79 \times 1 + 1^2$
$$= (79 + 1)^2 = 80^2 = 6400$$

(6) $32^2 - 4 \times 32 + 2^2 = 32^2 - 2 \times 32 \times 2 + 2^2$
$$= (32 - 2)^2 = 30^2 = 900$$

2일 기초 집중 연습
p104 ~ p105

1-1 (1) $x(y+1)(y-1)$ (2) $x(x+1)(2x+1)$

(3) $2x(3y+4z)(3y-4z)$ (4) $xy(x+3y)^2$

(5) $(x-y)(3x+2)$ (6) $(x-1)(x+2)(x-2)$

1-2 $A=1$, $B=3$

1-3 (1) $(x+y)(x-2y+1)$ (2) $(x+3)(x+1)(x-1)$

1-4 ③

2-1 (1) 640 (2) 250 (3) 9400 (4) 4000 (5) 10000 (6) 25

2-2 ③ **2-3** 10000

2-4 (1) 400 (2) 20

1-1 (1) $xy^2 - x = x(y^2 - 1)$
$$= x(y+1)(y-1)$$

(2) $2x^3 + 3x^2 + x = x(2x^2 + 3x + 1)$
$$= x(x+1)(2x+1)$$

(3) $18xy^2 - 32xz^2 = 2x(9y^2 - 16z^2)$
$$= 2x(3y+4z)(3y-4z)$$

(4) $x^3y + 6x^2y^2 + 9xy^3 = xy(x^2 + 6xy + 9y^2)$
$$= xy(x+3y)^2$$

(6) $x^2(x-1) - 4(x-1) = (x-1)(x^2-4)$
$$= (x-1)(x+2)(x-2)$$

1-2 $(x+1)x^2 - 3x(x+1) = (x+1)(x^2 - 3x)$
$$= x(x+1)(x-3)$$
$$\therefore A = 1, \ B = 3$$

1-3 (2) $x^2(x+3) - (x+3) = (x+3)(x^2-1)$
$$= (x+3)(x+1)(x-1)$$

1-4 $4a^2(x+y) - b^2(x+y) = (x+y)(4a^2 - b^2)$
$$= (x+y)(2a+b)(2a-b)$$

2-1 (1) $64 \times 43 - 64 \times 33 = 64 \times (43 - 33)$
$$= 64 \times 10 = 640$$

(2) $53 \times 2.5 + 47 \times 2.5 = (53 + 47) \times 2.5$
$$= 100 \times 2.5 = 250$$

(3) $97^2 - 3^2 = (97 + 3)(97 - 3)$
$$= 100 \times 94 = 9400$$

(4) $2 \times 105^2 - 2 \times 95^2 = 2 \times (105^2 - 95^2)$
$$= 2 \times (105 + 95)(105 - 95)$$
$$= 2 \times 200 \times 10$$
$$= 4000$$

(5) $95^2 + 2 \times 95 \times 5 + 5^2 = (95 + 5)^2$
$$= 100^2 = 10000$$

(6) $7.3^2 - 2 \times 7.3 \times 2.3 + 2.3^2 = (7.3 - 2.3)^2$
$$= 5^2 = 25$$

2-3 $102^2 - 102 \times 4 + 4 = 102^2 - 2 \times 102 \times 2 + 2^2$
$$= (102 - 2)^2$$
$$= 100^2$$
$$= 10000$$

2-4 (1) $52^2 - 48^2 = (52 + 48)(52 - 48)$
$$= 100 \times 4 = 400$$

(2) $\sqrt{52^2 - 48^2} = \sqrt{400} = \sqrt{20^2} = 20$

3일

5. 이차방정식의 뜻과 해

개념 원리 확인
p107

1-1 $b=2$, $c=-2$

1-2 $b=-6$, $c=1$

2-1 (1) × (2) ○ (3) × (4) ○

2-2 (1) ○ (2) × (3) ○ (4) ○

3-1 표는 풀이 참조 / $x=-2$ 또는 $x=1$

3-2 (1) × (2) ○ (3) ○ (4) ×

1-1 $(x-1)^2+4x=3$에서 $x^2-2x+1+4x=3$
$x^2+2x-2=0$
$\therefore b=2$, $c=-2$

1-2 $3(x-1)^2-2=x^2$에서 $3(x^2-2x+1)-2=x^2$
$3x^2-6x+3-2=x^2$, $2x^2-6x+1=0$
$\therefore b=-6$, $c=1$

2-1 (1) 이차식
(2) $x^2-2x=1$에서 $x^2-2x-1=0$ ➡ 이차방정식
(3) $4+x^2=x^2-3x$에서 $3x+4=0$ ➡ 일차방정식
(4) $(x-1)^2=-2x+3$에서 $x^2-2x+1=-2x+3$
$x^2-2=0$ ➡ 이차방정식

2-2 (2) $2x(x+1)=3+2x^2$에서 $2x^2+2x=3+2x^2$
$2x-3=0$ ➡ 일차방정식
(3) $x+3=-3x^2$에서 $3x^2+x+3=0$ ➡ 이차방정식
(4) $(x+1)^2=3x^2+2x-1$에서
$x^2+2x+1=3x^2+2x-1$
$-2x^2+2=0$ ➡ 이차방정식

3-1

x의 값	좌변	우변	참 / 거짓
-2	$(-2)^2+(-2)-2=0$	0	참
-1	$(-1)^2+(-1)-2=-2$	0	거짓
0	$0^2+0-2=-2$	0	거짓
1	$1^2+1-2=0$	0	참

따라서 이차방정식 $x^2+x-2=0$의 해는
$x=-2$ 또는 $x=1$이다.

3-2 (1) $x^2+x=0$에 $x=1$을 대입하면
$1^2+1=2\neq0$
(2) $6x^2+5x-4=0$에 $x=\dfrac{1}{2}$을 대입하면
$6\times\left(\dfrac{1}{2}\right)^2+5\times\dfrac{1}{2}-4=0$
(3) $(x+3)^2-4=0$에 $x=-1$을 대입하면
$(-1+3)^2-4=0$
(4) $(x-2)(x+1)=0$에 $x=-2$를 대입하면
$(-2-2)\times(-2+1)=4\neq0$

---

6. 인수분해를 이용한 이차방정식의 풀이

개념 원리 확인
p109

4-1 (1) $x=-1$ 또는 $x=2$ (2) $x=0$ 또는 $x=3$
(3) $x=1$ 또는 $x=-\dfrac{3}{2}$

4-2 (1) $x=3$ 또는 $x=-6$ (2) $x=0$ 또는 $x=-4$
(3) $x=-1$ 또는 $x=\dfrac{1}{2}$

5-1 (1) $x=0$ 또는 $x=4$ (2) $x=2$ 또는 $x=-6$
(3) $x=-5$ 또는 $x=\dfrac{1}{2}$

5-2 (1) $x=0$ 또는 $x=-5$ (2) $x=-3$ 또는 $x=5$
(3) $x=\dfrac{5}{2}$ 또는 $x=-\dfrac{1}{3}$

6-1 (1) $x=4$ 또는 $x=-5$ (2) $x=-2$ 또는 $x=3$
(3) $x=-3$ 또는 $x=\dfrac{5}{2}$

6-2 (1) $x=-4$ 또는 $x=5$ (2) $x=2$ 또는 $x=-4$
(3) $x=1$ 또는 $x=-\dfrac{7}{3}$

4-1 (1) $(x+1)(x-2)=0$에서 $x+1=0$ 또는 $x-2=0$
$\therefore x=-1$ 또는 $x=2$
(2) $x(x-3)=0$에서 $x=0$ 또는 $x-3=0$
$\therefore x=0$ 또는 $x=3$
(3) $(x-1)(2x+3)=0$에서
$x-1=0$ 또는 $2x+3=0$
$\therefore x=1$ 또는 $x=-\dfrac{3}{2}$

4-2 (1) $(x-3)(x+6)=0$에서 $x-3=0$ 또는 $x+6=0$

$\therefore x=3$ 또는 $x=-6$

(2) $x(x+4)=0$에서 $x=0$ 또는 $x+4=0$

$\therefore x=0$ 또는 $x=-4$

(3) $(x+1)(2x-1)=0$에서

$x+1=0$ 또는 $2x-1=0$

$\therefore x=-1$ 또는 $x=\dfrac{1}{2}$

5-1 (1) $x^2-4x=0$에서 $x(x-4)=0$

$\therefore x=0$ 또는 $x=4$

(2) $x^2+4x-12=0$에서 $(x-2)(x+6)=0$

$\therefore x=2$ 또는 $x=-6$

(3) $2x^2+9x-5=0$에서 $(x+5)(2x-1)=0$

$\therefore x=-5$ 또는 $x=\dfrac{1}{2}$

5-2 (1) $x^2+5x=0$에서 $x(x+5)=0$

$\therefore x=0$ 또는 $x=-5$

(2) $x^2-2x-15=0$에서 $(x+3)(x-5)=0$

$\therefore x=-3$ 또는 $x=5$

(3) $6x^2-13x-5=0$에서 $(2x-5)(3x+1)=0$

$\therefore x=\dfrac{5}{2}$ 또는 $x=-\dfrac{1}{3}$

6-1 (1) $x(x+1)=20$에서 $x^2+x=20$

$x^2+x-20=0$, $(x-4)(x+5)=0$

$\therefore x=4$ 또는 $x=-5$

(2) $(x+4)(x-3)=2x-6$에서 $x^2+x-12=2x-6$

$x^2-x-6=0$, $(x+2)(x-3)=0$

$\therefore x=-2$ 또는 $x=3$

(3) $2x^2+6x=5(x+3)$에서 $2x^2+6x=5x+15$

$2x^2+x-15=0$, $(x+3)(2x-5)=0$

$\therefore x=-3$ 또는 $x=\dfrac{5}{2}$

6-2 (1) $(x-4)(x+3)=8$에서 $x^2-x-12=8$

$x^2-x-20=0$, $(x+4)(x-5)=0$

$\therefore x=-4$ 또는 $x=5$

(2) $(x+4)(x-4)=-2x-8$에서

$x^2-16=-2x-8$

$x^2+2x-8=0$, $(x-2)(x+4)=0$

$\therefore x=2$ 또는 $x=-4$

(3) $3x^2-x-2=5(1-x)$에서 $3x^2-x-2=5-5x$

$3x^2+4x-7=0$, $(x-1)(3x+7)=0$

$\therefore x=1$ 또는 $x=-\dfrac{7}{3}$

3일 **기초** 집중 **연습**　　　p110~p111

1-1 (1) 4, 1 (2) 6, 9 (3) 2, 2

1-2 (1) ○ (2) × (3) × (4) ○

1-3 (1) 0 (2) $a-1$, 1

2-1 $x=-1$ 또는 $x=0$

2-2 (1) × (2) ○ (3) ○ (4) ○

2-3 -4

3-1 (1) $x=-1$ 또는 $x=-2$ (2) $x=0$ 또는 $x=5$

(3) $x=\dfrac{1}{2}$ 또는 $x=-3$ (4) $x=\dfrac{5}{3}$ 또는 $x=\dfrac{1}{2}$

3-2 ③

4-1 (1) $x=0$ 또는 $x=1$ (2) $x=-4$ 또는 $x=4$

(3) $x=-\dfrac{1}{2}$ 또는 $x=\dfrac{1}{2}$ (4) $x=-2$ 또는 $x=5$

(5) $x=1$ 또는 $x=-\dfrac{5}{2}$ (6) $x=\dfrac{3}{2}$ 또는 $x=\dfrac{2}{3}$

4-2 ④

1-1 (2) $2x^2=(x-3)^2$에서 $2x^2=x^2-6x+9$

$\therefore x^2+6x-9=0$

(3) $(x-1)(3x+2)=x^2$에서 $3x^2-x-2=x^2$

$\therefore 2x^2-x-2=0$

1-2 (1) $x=x^2+2$에서 $-x^2+x-2=0$ ➡ 이차방정식

(2) 이차식

(3) $4+x^2=x^2+5x$에서 $-5x+4=0$ ➡ 일차방정식

(4) $x^3+10x=7x^2+x^3$에서 $-7x^2+10x=0$

➡ 이차방정식

2-1 $x^2+x=0$에

$x=-1$을 대입하면 $(-1)^2+(-1)=0$

$x=0$을 대입하면 $0^2+0=0$

$x=1$을 대입하면 $1^2+1=2\neq0$

따라서 이차방정식 $x^2+x=0$의 해는

$x=-1$ 또는 $x=0$이다.

2-2 (1) $(x+5)^2=0$에 $x=5$를 대입하면

$\quad(5+5)^2=100\neq0$

(2) $x^2+4x=0$에 $x=0$을 대입하면

$\quad0^2+4\times0=0$

(3) $x^2-2x-8=0$에 $x=-2$를 대입하면

$\quad(-2)^2-2\times(-2)-8=0$

(4) $2x^2+x-1=0$에 $x=-1$을 대입하면

$\quad2\times(-1)^2+(-1)-1=0$

2-3 $x^2+ax+3=0$에 $x=1$을 대입하면

$1^2+a\times1+3=0$ $\quad\therefore a=-4$

3-1 (1) $(x+1)(x+2)=0$에서 $x+1=0$ 또는 $x+2=0$

$\quad\therefore x=-1$ 또는 $x=-2$

(2) $x(x-5)=0$에서 $x=0$ 또는 $x-5=0$

$\quad\therefore x=0$ 또는 $x=5$

(3) $(2x-1)(x+3)=0$에서 $2x-1=0$ 또는 $x+3=0$

$\quad\therefore x=\dfrac{1}{2}$ 또는 $x=-3$

(4) $(3x-5)(2x-1)=0$에서

$\quad3x-5=0$ 또는 $2x-1=0$

$\quad\therefore x=\dfrac{5}{3}$ 또는 $x=\dfrac{1}{2}$

3-2 ① $(x-1)(x-2)=0$에서 $x-1=0$ 또는 $x-2=0$

$\quad\therefore x=1$ 또는 $x=2$

② $(2x+1)(x-2)=0$에서 $2x+1=0$ 또는 $x-2=0$

$\quad\therefore x=-\dfrac{1}{2}$ 또는 $x=2$

③ $(x+2)(2x-3)=0$에서 $x+2=0$ 또는 $2x-3=0$

$\quad\therefore x=-2$ 또는 $x=\dfrac{3}{2}$

④ $(2x+3)(x-2)=0$에서 $2x+3=0$ 또는 $x-2=0$

$\quad\therefore x=-\dfrac{3}{2}$ 또는 $x=2$

⑤ $2(x+3)(x-2)=0$에서 $x+3=0$ 또는 $x-2=0$

$\quad\therefore x=-3$ 또는 $x=2$

4-1 (1) $x^2-x=0$에서 $x(x-1)=0$

$\quad\therefore x=0$ 또는 $x=1$

(2) $x^2-16=0$에서 $(x+4)(x-4)=0$

$\quad\therefore x=-4$ 또는 $x=4$

(3) $4x^2-1=0$에서 $(2x+1)(2x-1)=0$

$\quad\therefore x=-\dfrac{1}{2}$ 또는 $x=\dfrac{1}{2}$

(4) $x^2-3x-10=0$에서 $(x+2)(x-5)=0$

$\quad\therefore x=-2$ 또는 $x=5$

(5) $2x^2+3x-5=0$에서 $(x-1)(2x+5)=0$

$\quad\therefore x=1$ 또는 $x=-\dfrac{5}{2}$

(6) $6x^2-13x+6=0$에서 $(2x-3)(3x-2)=0$

$\quad\therefore x=\dfrac{3}{2}$ 또는 $x=\dfrac{2}{3}$

4-2 $(x-1)(x+4)=6$에서 $x^2+3x-4=6$

$x^2+3x-10=0$, $(x-2)(x+5)=0$

$\therefore x=2$ 또는 $x=-5$

4일

7. 이차방정식의 중근

개념 원리 확인			p113

1-1 (1) $x=-1$ (2) $x=\dfrac{1}{2}$ (3) $x=2$ (4) $x=-\dfrac{1}{2}$

1-2 (1) $x=3$ (2) $x=-\dfrac{2}{3}$ (3) $x=-3$ (4) $x=\dfrac{1}{3}$

2-1 (1) 1 (2) 32 　　　**2-2** (1) 4 (2) 8

3-1 (1) 10 (2) 9 　　　**3-2** (1) 6 (2) 7

1-1 (3) $x^2-4x+4=0$에서 $(x-2)^2=0$

$\quad\therefore x=2$

(4) $4x^2+4x+1=0$에서 $(2x+1)^2=0$

$\quad\therefore x=-\dfrac{1}{2}$

1-2 (3) $x^2+6x+9=0$에서 $(x+3)^2=0$

$\quad\therefore x=-3$

(4) $9x^2-6x+1=0$에서 $(3x-1)^2=0$

$\quad\therefore x=\dfrac{1}{3}$

2-1 (1) $k=\left(\dfrac{2}{2}\right)^2=1$

(2) $2k=\left(\dfrac{-16}{2}\right)^2=64$ $\therefore k=32$

2-2 (1) $k=\left(\dfrac{-4}{2}\right)^2=4$

(2) $2k=\left(\dfrac{8}{2}\right)^2=16$ $\therefore k=8$

3-1 (1) $25=\left(\dfrac{k}{2}\right)^2$, $\dfrac{k^2}{4}=25$, $k^2=100$

$\therefore k=10 \ (\because k>0)$

(2) $81=\left(\dfrac{2k}{2}\right)^2$, $k^2=81$ $\therefore k=9 \ (\because k>0)$

3-2 (1) $9=\left(\dfrac{-k}{2}\right)^2$, $\dfrac{k^2}{4}=9$, $k^2=36$

$\therefore k=6 \ (\because k>0)$

(2) $49=\left(\dfrac{-2k}{2}\right)^2$, $k^2=49$

$\therefore k=7 \ (\because k>0)$

---

8. 제곱근을 이용한 이차방정식의 풀이

개념 원리 확인   p115

4-1 (1) $x=\pm\sqrt{3}$ (2) $x=\pm\sqrt{2}$

(3) $x=\pm2\sqrt{3}$ (4) $x=\pm2\sqrt{2}$

4-2 (1) $x=\pm\sqrt{5}$ (2) $x=\pm\sqrt{6}$

(3) $x=\pm3\sqrt{2}$ (4) $x=\pm4\sqrt{2}$

5-1 (1) $x=-1\pm\sqrt{3}$ (2) $x=2\pm\sqrt{5}$

(3) $x=-1$ 또는 $x=-9$

5-2 (1) $x=1\pm\sqrt{2}$ (2) $x=-3\pm\sqrt{6}$

(3) $x=2$ 또는 $x=-10$

6-1 (1) $x=1\pm\sqrt{2}$ (2) $x=-3\pm\sqrt{3}$

(3) $x=4$ 또는 $x=0$

6-2 (1) $x=-3\pm\sqrt{5}$ (2) $x=4\pm\sqrt{3}$

(3) $x=-2$ 또는 $x=-8$

4-1 (2) $2x^2=4$에서 $x^2=2$ $\therefore x=\pm\sqrt{2}$

(3) $x^2-12=0$에서 $x^2=12$

$\therefore x=\pm\sqrt{12}=\pm2\sqrt{3}$

(4) $3x^2-24=0$에서 $3x^2=24$, $x^2=8$

$\therefore x=\pm\sqrt{8}=\pm2\sqrt{2}$

4-2 (2) $2x^2=12$에서 $x^2=6$ $\therefore x=\pm\sqrt{6}$

(3) $x^2-18=0$에서 $x^2=18$

$\therefore x=\pm\sqrt{18}=\pm3\sqrt{2}$

(4) $2x^2-64=0$에서 $2x^2=64$, $x^2=32$

$\therefore x=\pm\sqrt{32}=\pm4\sqrt{2}$

5-1 (1) $(x+1)^2=3$에서 $x+1=\pm\sqrt{3}$

$\therefore x=-1\pm\sqrt{3}$

(2) $(x-2)^2=5$에서 $x-2=\pm\sqrt{5}$

$\therefore x=2\pm\sqrt{5}$

(3) $(x+5)^2=16$에서 $x+5=\pm\sqrt{16}=\pm4$

$x+5=4$ 또는 $x+5=-4$

$\therefore x=-1$ 또는 $x=-9$

5-2 (1) $(x-1)^2=2$에서 $x-1=\pm\sqrt{2}$

$\therefore x=1\pm\sqrt{2}$

(2) $(x+3)^2=6$에서 $x+3=\pm\sqrt{6}$

$\therefore x=-3\pm\sqrt{6}$

(3) $(x+4)^2=36$에서 $x+4=\pm\sqrt{36}=\pm6$

$x+4=6$ 또는 $x+4=-6$

$\therefore x=2$ 또는 $x=-10$

6-1 (1) $2(x-1)^2=4$에서 $(x-1)^2=2$, $x-1=\pm\sqrt{2}$

$\therefore x=1\pm\sqrt{2}$

(2) $2(x+3)^2=6$에서 $(x+3)^2=3$, $x+3=\pm\sqrt{3}$

$\therefore x=-3\pm\sqrt{3}$

(3) $3(x-2)^2=12$에서 $(x-2)^2=4$

$x-2=\pm\sqrt{4}=\pm2$

$x-2=2$ 또는 $x-2=-2$

$\therefore x=4$ 또는 $x=0$

6-2 (1) $2(x+3)^2=10$에서 $(x+3)^2=5$, $x+3=\pm\sqrt{5}$

$\therefore x=-3\pm\sqrt{5}$

(2) $3(x-4)^2=9$에서 $(x-4)^2=3$, $x-4=\pm\sqrt{3}$

$\therefore x=4\pm\sqrt{3}$

(3) $4(x+5)^2=36$에서 $(x+5)^2=9$

$x+5=\pm\sqrt{9}=\pm3$

$x+5=3$ 또는 $x+5=-3$

$\therefore x=-2$ 또는 $x=-8$

1-1 (1) $x=-7$ (2) $x=\dfrac{4}{3}$ (3) $x=-\dfrac{5}{4}$ (4) $x=3$

    (5) $x=6$ (6) $x=-5$ (7) $x=\dfrac{1}{2}$ (8) $x=\dfrac{2}{3}$

    (9) $x=-\dfrac{1}{5}$

2-1 (1) × (2) × (3) ○

2-2 (1) 25 (2) 15

2-3 (1) 8 (2) 5

3-1 (1) $x=\pm2\sqrt{2}$ (2) $x=\pm3$ (3) $x=\pm\sqrt{5}$

    (4) $x=\pm4$ (5) $x=\pm\dfrac{5}{3}$ (6) $x=3\pm\sqrt{5}$

    (7) $x=-4\pm2\sqrt{2}$ (8) $x=1$ 또는 $x=-7$

    (9) $x=11$ 또는 $x=1$

3-2 1

3-3 (1) $x=-1\pm\sqrt{3}$ (2) $x=2\pm\sqrt{5}$

    (3) $x=-2$ 또는 $x=-8$ (4) $x=3$ 또는 $x=-1$

3-4 ④

1-1 (4) $x^2-6x+9=0$에서 $(x-3)^2=0$

       $\therefore x=3$

    (5) $x^2-12x+36=0$에서 $(x-6)^2=0$

       $\therefore x=6$

    (6) $x^2+10x+25=0$에서 $(x+5)^2=0$

       $\therefore x=-5$

    (7) $4x^2-4x+1=0$에서 $(2x-1)^2=0$

       $\therefore x=\dfrac{1}{2}$

    (8) $9x^2-12x+4=0$에서 $(3x-2)^2=0$

       $\therefore x=\dfrac{2}{3}$

    (9) $25x^2+10x+1=0$에서 $(5x+1)^2=0$

       $\therefore x=-\dfrac{1}{5}$

2-1 (1) $x^2-5x-14=0$에서 $(x+2)(x-7)=0$

       $\therefore x=-2$ 또는 $x=7$

    (2) $3x^2+6x-9=0$에서 $3(x^2+2x-3)=0$

       $3(x-1)(x+3)=0$

       $\therefore x=1$ 또는 $x=-3$

    (3) $2x^2-8x+8=0$에서 $2(x^2-4x+4)=0$

       $2(x-2)^2=0$

       $\therefore x=2$

2-2 (1) $k=\left(\dfrac{10}{2}\right)^2=25$

    (2) $k+1=\left(\dfrac{-8}{2}\right)^2=16$ $\therefore k=15$

2-3 (1) $16=\left(\dfrac{k}{2}\right)^2$, $\dfrac{k^2}{4}=16$, $k^2=64$

       $\therefore k=8$ ($\because k>0$)

    (2) $25=\left(\dfrac{-2k}{2}\right)^2$, $k^2=25$

       $\therefore k=5$ ($\because k>0$)

3-1 (1) $x^2=8$에서 $x=\pm\sqrt{8}=\pm2\sqrt{2}$

    (2) $x^2-9=0$에서 $x^2=9$

       $\therefore x=\pm\sqrt{9}=\pm3$

    (3) $3x^2=15$에서 $x^2=5$

       $\therefore x=\pm\sqrt{5}$

    (4) $5x^2-80=0$에서 $5x^2=80$, $x^2=16$

       $\therefore x=\pm\sqrt{16}=\pm4$

    (5) $9x^2-25=0$에서 $9x^2=25$, $x^2=\dfrac{25}{9}$

       $\therefore x=\pm\sqrt{\dfrac{25}{9}}=\pm\dfrac{5}{3}$

    (6) $(x-3)^2=5$에서 $x-3=\pm\sqrt{5}$

       $\therefore x=3\pm\sqrt{5}$

    (7) $(x+4)^2=8$에서 $x+4=\pm\sqrt{8}=\pm2\sqrt{2}$

       $\therefore x=-4\pm2\sqrt{2}$

    (8) $(x+3)^2=16$에서 $x+3=\pm\sqrt{16}=\pm4$

       $x+3=4$ 또는 $x+3=-4$

       $\therefore x=1$ 또는 $x=-7$

    (9) $(x-6)^2=25$에서 $x-6=\pm\sqrt{25}=\pm5$

       $x-6=5$ 또는 $x-6=-5$

       $\therefore x=11$ 또는 $x=1$

3-2 $(x+1)^2=2$에서 $x+1=\pm\sqrt{2}$

     $\therefore x=-1\pm\sqrt{2}$

    따라서 $a=-1$, $b=2$이므로

    $a+b=-1+2=1$

3-3 (1) $2(x+1)^2=6$에서 $(x+1)^2=3$

$x+1=\pm\sqrt{3}$

$\therefore x=-1\pm\sqrt{3}$

(2) $3(x-2)^2=15$에서 $(x-2)^2=5$

$x-2=\pm\sqrt{5}$

$\therefore x=2\pm\sqrt{5}$

(3) $2(x+5)^2=18$에서 $(x+5)^2=9$

$x+5=\pm\sqrt{9}=\pm3$

$x+5=3$ 또는 $x+5=-3$

$\therefore x=-2$ 또는 $x=-8$

(4) $3(x-1)^2=12$에서 $(x-1)^2=4$

$x-1=\pm\sqrt{4}=\pm2$

$x-1=2$ 또는 $x-1=-2$

$\therefore x=3$ 또는 $x=-1$

3-4 $5(x+3)^2=40$에서 $(x+3)^2=8$

$x+3=\pm\sqrt{8}=\pm2\sqrt{2}$

$\therefore x=-3\pm2\sqrt{2}$

1-2 (1) $x^2-12x=1$에서 $x^2-12x+36=1+36$

$\therefore (x-6)^2=37$

(2) $x^2+8x+6=0$에서 $x^2+8x=-6$

$x^2+8x+16=-6+16$

$\therefore (x+4)^2=10$

3-1 (1) $x^2+2x-5=0$에서 $x^2+2x=5$

$x^2+2x+1=5+1$, $(x+1)^2=6$

$x+1=\pm\sqrt{6}$

$\therefore x=-1\pm\sqrt{6}$

(2) $2x^2-20x+8=0$에서 $x^2-10x+4=0$

$x^2-10x=-4$, $x^2-10x+25=-4+25$

$(x-5)^2=21$, $x-5=\pm\sqrt{21}$

$\therefore x=5\pm\sqrt{21}$

3-2 (1) $x^2-4x-8=0$에서 $x^2-4x=8$

$x^2-4x+4=8+4$, $(x-2)^2=12$

$x-2=\pm\sqrt{12}=\pm2\sqrt{3}$

$\therefore x=2\pm2\sqrt{3}$

(2) $3x^2+18x-3=0$에서 $x^2+6x-1=0$

$x^2+6x=1$, $x^2+6x+9=1+9$

$(x+3)^2=10$, $x+3=\pm\sqrt{10}$

$\therefore x=-3\pm\sqrt{10}$

5일

9. 완전제곱식을 이용한 이차방정식의 풀이

개념 원리 확인	p119

1-1 (1) $(x+2)^2=3$ (2) $(x-5)^2=24$

1-2 (1) $(x-6)^2=37$ (2) $(x+4)^2=10$

2-1 9, 9, 3, 11, 3, 11, 3, 11

2-2 49, 49, 7, 51, 7, 51, -7, 51

3-1 (1) $x=-1\pm\sqrt{6}$ (2) $x=5\pm\sqrt{21}$

3-2 (1) $x=2\pm2\sqrt{3}$ (2) $x=-3\pm\sqrt{10}$

1-1 (1) $x^2+4x=-1$에서 $x^2+4x+4=-1+4$

$\therefore (x+2)^2=3$

(2) $x^2-10x+1=0$에서 $x^2-10x=-1$

$x^2-10x+25=-1+25$

$\therefore (x-5)^2=24$

10. 이차방정식의 근의 공식

개념 원리 확인	p121

4-1 (1) ① 1, 1, -5 ② 1, 1, 1, -5, 1, $\dfrac{-1\pm\sqrt{21}}{2}$

(2) ① 2, -7, 4 ② -7, -7, 2, 4, 2, $\dfrac{7\pm\sqrt{17}}{4}$

4-2 (1) ① 1, 5, -4 ② 5, 5, 1, -4, 1, $\dfrac{-5\pm\sqrt{41}}{2}$

(2) ① 3, -5, 1 ② -5, -5, 3, 1, 3, $\dfrac{5\pm\sqrt{13}}{6}$

5-1 (1) $x=\dfrac{3\pm\sqrt{5}}{2}$ (2) $x=-2\pm2\sqrt{3}$ (3) $x=\dfrac{5\pm\sqrt{23}}{2}$

5-2 (1) $x=\dfrac{-1\pm\sqrt{29}}{2}$ (2) $x=-3\pm\sqrt{3}$

(3) $x=\dfrac{-2\pm\sqrt{10}}{3}$

5-1 (1) $x = \dfrac{-(-3) \pm \sqrt{(-3)^2 - 4 \times 1 \times 1}}{2 \times 1}$

$\qquad = \dfrac{3 \pm \sqrt{5}}{2}$

(2) $x = \dfrac{-4 \pm \sqrt{4^2 - 4 \times 1 \times (-8)}}{2 \times 1} = \dfrac{-4 \pm \sqrt{48}}{2}$

$\qquad = \dfrac{-4 \pm 4\sqrt{3}}{2} = -2 \pm 2\sqrt{3}$

(3) $x = \dfrac{-(-10) \pm \sqrt{(-10)^2 - 4 \times 2 \times 1}}{2 \times 2}$

$\qquad = \dfrac{10 \pm \sqrt{92}}{4} = \dfrac{10 \pm 2\sqrt{23}}{4} = \dfrac{5 \pm \sqrt{23}}{2}$

5-2 (1) $x = \dfrac{-1 \pm \sqrt{1^2 - 4 \times 1 \times (-7)}}{2 \times 1}$

$\qquad = \dfrac{-1 \pm \sqrt{29}}{2}$

(2) $x = \dfrac{-6 \pm \sqrt{6^2 - 4 \times 1 \times 6}}{2 \times 1} = \dfrac{-6 \pm \sqrt{12}}{2}$

$\qquad = \dfrac{-6 \pm 2\sqrt{3}}{2} = -3 \pm \sqrt{3}$

(3) $x = \dfrac{-4 \pm \sqrt{4^2 - 4 \times 3 \times (-2)}}{2 \times 3} = \dfrac{-4 \pm \sqrt{40}}{6}$

$\qquad = \dfrac{-4 \pm 2\sqrt{10}}{6} = \dfrac{-2 \pm \sqrt{10}}{3}$

5일 기초 집중 연습   p122 ~ p123

1-1 (1) $p=1$, $q=2$ (2) $p=5$, $q=22$ (3) $p=4$, $q=31$

$\qquad$ (4) $p=-3$, $q=5$ (5) $p=-2$, $q=6$

1-2 ③

1-3 (1) $p=-1$, $q=\dfrac{7}{4}$ (2) $x=1 \pm \dfrac{\sqrt{7}}{2}$

1-4 $A=6$, $B=26$

2-1 (1) $x=\dfrac{1 \pm \sqrt{17}}{2}$ (2) $x=\dfrac{-5 \pm \sqrt{21}}{2}$

$\qquad$ (3) $x=\dfrac{-5 \pm \sqrt{41}}{4}$ (4) $x=\dfrac{-1 \pm \sqrt{10}}{3}$

$\qquad$ (5) $x=\dfrac{1 \pm \sqrt{3}}{2}$ (6) $x=\dfrac{3 \pm \sqrt{15}}{2}$

2-2 ④ $\qquad\qquad$ **2-3** 22

2-4 1

1-1 (1) $x^2 + 2x - 1 = 0$에서 $x^2 + 2x = 1$

$\qquad x^2 + 2x + 1 = 1 + 1$, $(x+1)^2 = 2$

$\qquad \therefore p=1$, $q=2$

(2) $x^2 + 10x + 3 = 0$에서 $x^2 + 10x = -3$

$\qquad x^2 + 10x + 25 = -3 + 25$, $(x+5)^2 = 22$

$\qquad \therefore p=5$, $q=22$

(3) $x^2 + 8x - 15 = 0$에서 $x^2 + 8x = 15$

$\qquad x^2 + 8x + 16 = 15 + 16$, $(x+4)^2 = 31$

$\qquad \therefore p=4$, $q=31$

(4) $2x^2 - 12x + 8 = 0$에서 $x^2 - 6x + 4 = 0$

$\qquad x^2 - 6x = -4$, $x^2 - 6x + 9 = -4 + 9$

$\qquad (x-3)^2 = 5$ $\quad \therefore p=-3$, $q=5$

(5) $3x^2 - 12x - 6 = 0$에서 $x^2 - 4x - 2 = 0$

$\qquad x^2 - 4x = 2$, $x^2 - 4x + 4 = 2 + 4$

$\qquad (x-2)^2 = 6$ $\quad \therefore p=-2$, $q=6$

1-2 ③ $C=-3$

1-3 (1) $4x^2 - 8x - 3 = 0$에서 $x^2 - 2x - \dfrac{3}{4} = 0$

$\qquad x^2 - 2x = \dfrac{3}{4}$, $x^2 - 2x + 1 = \dfrac{3}{4} + 1$

$\qquad (x-1)^2 = \dfrac{7}{4}$ $\quad \therefore p=-1$, $q=\dfrac{7}{4}$

(2) $(x-1)^2 = \dfrac{7}{4}$에서 $x-1 = \pm\sqrt{\dfrac{7}{4}} = \pm\dfrac{\sqrt{7}}{2}$

$\qquad \therefore x = 1 \pm \dfrac{\sqrt{7}}{2}$

1-4 $x^2 - 12x + 10 = 0$에서 $x^2 - 12x = -10$

$\quad x^2 - 12x + 36 = -10 + 36$, $(x-6)^2 = 26$

$\quad x - 6 = \pm\sqrt{26}$ $\quad \therefore x = 6 \pm \sqrt{26}$

$\quad \therefore A=6$, $B=26$

2-1 (1) $x = \dfrac{-(-1) \pm \sqrt{(-1)^2 - 4 \times 1 \times (-4)}}{2 \times 1}$

$\qquad = \dfrac{1 \pm \sqrt{17}}{2}$

(2) $x = \dfrac{-5 \pm \sqrt{5^2 - 4 \times 1 \times 1}}{2 \times 1} = \dfrac{-5 \pm \sqrt{21}}{2}$

(3) $x = \dfrac{-5 \pm \sqrt{5^2 - 4 \times 2 \times (-2)}}{2 \times 2} = \dfrac{-5 \pm \sqrt{41}}{4}$

(4) $x = \dfrac{-2 \pm \sqrt{2^2 - 4 \times 3 \times (-3)}}{2 \times 3} = \dfrac{-2 \pm \sqrt{40}}{6}$

$\qquad = \dfrac{-2 \pm 2\sqrt{10}}{6} = \dfrac{-1 \pm \sqrt{10}}{3}$

정답과 풀이

(5) $x=\dfrac{-(-2)\pm\sqrt{(-2)^2-4\times2\times(-1)}}{2\times2}$

$=\dfrac{2\pm\sqrt{12}}{4}=\dfrac{2\pm2\sqrt{3}}{4}=\dfrac{1\pm\sqrt{3}}{2}$

(6) $x=\dfrac{-(-6)\pm\sqrt{(-6)^2-4\times2\times(-3)}}{2\times2}$

$=\dfrac{6\pm\sqrt{60}}{4}=\dfrac{6\pm2\sqrt{15}}{4}=\dfrac{3\pm\sqrt{15}}{2}$

2-2 ④ -1

2-3 $x=\dfrac{-(-5)\pm\sqrt{(-5)^2-4\times2\times1}}{2\times2}=\dfrac{5\pm\sqrt{17}}{4}$

따라서 $A=5$, $B=17$이므로

$A+B=5+17=22$

2-4 $x=\dfrac{-7\pm\sqrt{7^2-4\times3\times m}}{2\times3}=\dfrac{-7\pm\sqrt{49-12m}}{6}$

따라서 $49-12m=37$이므로 $12m=12$

$\therefore m=1$

누구나 100점 테스트

01 (1) $(x+3)(x-10)$ (2) $(2x-3)(7x+2)$

(3) $y(x+3)(x+6)$ (4) $(x-4)(x+1)$

02 $A=8$, $B=2$ **03** ②   **04** 2500

05 ③   **06** ③

07 (1) $x=3$ 또는 $x=-\dfrac{1}{2}$ (2) $x=6$ 또는 $x=-9$

(3) $x=-\dfrac{1}{2}$ 또는 $x=\dfrac{3}{2}$ (4) $x=-4$

08 11   **09** 2, 4, 4, 2, 6

10 (1) $A=2$, $B=5$ (2) $A=-1$, $B=13$

---

01 (3) $x^2y+9xy+18y=y(x^2+9x+18)$

$=y(x+3)(x+6)$

02 $6x^2+Ax-8=(3x-B)(2x+4)$

$=6x^2+(12-2B)x-4B$

$-8=-4B$이므로 $B=2$

$A=12-2B$이므로 $A=12-2\times2=8$

03 $x^2+4x-12=(x-2)(x+6)$

$2x^2-7x+6=(x-2)(2x-3)$

따라서 공통인 인수는 $x-2$이다.

04 $51^2-102+1=51^2-2\times51\times1+1^2$

$=(51-1)^2$

$=50^2=2500$

05 ① 이차식

② $x^2-1=2x^3$에서 $-2x^3+x^2-1=0$

➡ 이차방정식이 아니다.

③ $(x-5)^2=3x$에서 $x^2-10x+25=3x$

$x^2-13x+25=0$ ➡ 이차방정식

④ $(x+1)(x-1)=x^2-x$에서 $x^2-1=x^2-x$

$x-1=0$ ➡ 일차방정식

⑤ 일차방정식

따라서 이차방정식인 것은 ③이다.

06 ① $x^2-3x-4=0$에 $x=1$을 대입하면

$1^2-3\times1-4=-6\neq0$

② $2x^2+8x+6=0$에 $x=-2$를 대입하면

$2\times(-2)^2+8\times(-2)+6=-2\neq0$

③ $2x^2+x-1=0$에 $x=-1$을 대입하면

$2\times(-1)^2+(-1)-1=0$

④ $x^2-4x-12=0$에 $x=2$를 대입하면

$2^2-4\times2-12=-16\neq0$

⑤ $x(x-1)=2$에 $x=1$을 대입하면

$1\times(1-1)=0\neq2$

07 (2) $x^2+3x-54=0$에서 $(x-6)(x+9)=0$

$\therefore x=6$ 또는 $x=-9$

(3) $10x^2=6x^2+4x+3$에서 $4x^2-4x-3=0$

$(2x+1)(2x-3)=0$

$\therefore x=-\dfrac{1}{2}$ 또는 $x=\dfrac{3}{2}$

(4) $x^2+8x+16=0$에서 $(x+4)^2=0$

$\therefore x=-4$

08 $14+k=\left(\dfrac{-10}{2}\right)^2=25$ $\therefore k=11$

10 (1) $(x-2)^2-4=1$에서 $(x-2)^2=5$
$x-2=\pm\sqrt{5}$ $\therefore x=2\pm\sqrt{5}$
$\therefore A=2,\ B=5$

(2) $x=\dfrac{-1\pm\sqrt{1^2-4\times3\times(-1)}}{2\times3}=\dfrac{-1\pm\sqrt{13}}{6}$
$\therefore A=-1,\ B=13$

특강 | 창의, 융합, 코딩   **p126 ~ p131**

1 $a+b$, $2ab$, a^2-b^2, a, b, $ad+bc$ /
$-p\pm\sqrt{q}$, $\dfrac{-b\pm\sqrt{b^2-4ac}}{2a}$

2 (1) $(2x+3y)(5x+7y)$ (2) $2x+3y$ (3) $14x+20y$

3 야채죽 → 샐러드 → 연어회 → 갈비찜 → 피자 → 잡채
→ 김밥 → 케이크

4 (1) 25, $\dfrac{1}{6}$ (2) 15, $\dfrac{1}{6}$ (3) $\dfrac{200}{3}\pi$

5 KEY

6 풀이 참조

---

2 (2) 가로의 길이가 $5x+7y$이므로 세로의 길이는
$2x+3y$이다.
(3) $2\{(5x+7y)+(2x+3y)\}=2(7x+10y)$
$\qquad\qquad\qquad\qquad\quad =14x+20y$

3 (1) $x^2+2x+1=(x+1)^2$
(2) $6x^2-5x+1=(2x-1)(3x-1)$
(3) $3x^2-4x+1=(x-1)(3x-1)$
(4) $x^2-8x+15=(x-3)(x-5)$
(5) $4x^2-1=(2x+1)(2x-1)$
(6) $x^2-2x-3=(x+1)(x-3)$
(7) $2x^2-9x-5=(x-5)(2x+1)$
(8) $x^2-2x+1=(x-1)^2$

4 (3) $\pi\times25^2\times\dfrac{1}{6}-\pi\times15^2\times\dfrac{1}{6}$
$=\dfrac{1}{6}\pi\times(25^2-15^2)=\dfrac{1}{6}\pi\times(25+15)(25-15)$
$=\dfrac{1}{6}\pi\times40\times10=\dfrac{200}{3}\pi$

5 (1) $x^2+2x=x^2$에서 $2x=0$ (일차방정식)
$x^2-x=-x$에서 $x^2=0$ (이차방정식) ➡ K
(2) (x^2의 계수)$\neq0$이어야 하므로 $2-a\neq0$
$\therefore a\neq2$ ➡ E
(3) $x^2+x-2=0$에 $x=1$을 대입하면
$1^2+1-2=0$ ➡ Y
$x^2-x-2=0$에 $x=1$을 대입하면
$1^2-1-2=-2\neq0$

6 (1) $x^2+x=0$에서 $x(x+1)=0$
$\therefore x=0$ 또는 $x=-1$ ➡ 샤프
(2) $x^2-4x+3=0$에서 $(x-1)(x-3)=0$
$\therefore x=1$ 또는 $x=3$ ➡ 가위
(3) $7x^2-14x+7=0$에서 $7(x^2-2x+1)=0$
$7(x-1)^2=0$
$\therefore x=1$ ➡ 각도기
(4) $4x^2-9=0$에서 $4x^2=9$, $x^2=\dfrac{9}{4}$
$\therefore x=\pm\sqrt{\dfrac{9}{4}}=\pm\dfrac{3}{2}$ ➡ 안경
(5) $3(x-2)^2=21$에서 $(x-2)^2=7$
$x-2=\pm\sqrt{7}$
$\therefore x=2\pm\sqrt{7}$ ➡ 지우개
(6) $3x^2+3x-1=0$에서
$x=\dfrac{-3\pm\sqrt{3^2-4\times3\times(-1)}}{2\times3}$
$=\dfrac{-3\pm\sqrt{21}}{6}$ ➡ 자

4주

이번 주에는 무엇을 공부할까? ❷ | p134 ~ p135

1-1 $x-1$, $x+1$, 3, 24, 23, 24, 25

1-2 (1) $3x+2=17$ (2) $2(x+y)=28$ (3) $40x=240$

2-1 (1) 2, -7 (2) $-\dfrac{1}{5}$, 4

2-2 (1) -8 (2) -6 (3) 5

3-1 (1) ○ (2) × (3) ×

3-2 ㉠, ㉢

4-1 (1) 4 (2) -7

4-2 ④

2-2 (1) $f(-2)=4\times(-2)=-8$

(2) $f(-2)=\dfrac{12}{-2}=-6$

(3) $f(-2)=-2\times(-2)+1=5$

3-2 ㉢ $y=2x^2-x(2x+5)$

$=2x^2-2x^2-5x$

$=-5x$

➡ 일차함수

㉣ $y=-(x+3)+x$

$=-x-3+x$

$=-3$

➡ 일차함수가 아니다.

4-2 $y=2x-5$에

① $x=-3$, $y=-11$을 대입하면

$-11=2\times(-3)-5$

② $x=-1$, $y=-7$을 대입하면

$-7=2\times(-1)-5$

③ $x=1$, $y=-3$을 대입하면

$-3=2\times1-5$

④ $x=3$, $y=-1$을 대입하면

$-1\neq2\times3-5$

⑤ $x=5$, $y=5$를 대입하면

$5=2\times5-5$

따라서 그래프 위의 점이 아닌 것은 ④이다.

1일

1. 복잡한 이차방정식의 풀이

개념 원리 확인 | p137

1-1 1, 2, 3, 3, -3

1-2 (1) $x=3\pm\sqrt{19}$ (2) $x=\dfrac{-5\pm3\sqrt{5}}{2}$

(3) $x=1$ 또는 $x=-2$

2-1 10, -1, -10, 1, 41

2-2 (1) $x=-2$ 또는 $x=-4$ (2) $x=\dfrac{-3\pm\sqrt{37}}{14}$

(3) $x=\dfrac{5\pm\sqrt{13}}{4}$

3-1 1, 1, 4, $-\dfrac{1}{4}$

3-2 (1) $x=-3$ 또는 $x=\dfrac{1}{2}$ (2) $x=\dfrac{-5\pm2\sqrt{10}}{5}$

(3) $x=\dfrac{3\pm\sqrt{6}}{3}$

1-2 (1) $(x+2)(x-5)=3x$에서

$x^2-3x-10=3x$, $x^2-6x-10=0$

$\therefore x=\dfrac{-(-6)\pm\sqrt{(-6)^2-4\times1\times(-10)}}{2\times1}$

$=\dfrac{6\pm\sqrt{76}}{2}=\dfrac{6\pm2\sqrt{19}}{2}$

$=3\pm\sqrt{19}$

(2) $2x^2=(x-1)(x-4)+1$에서

$2x^2=x^2-5x+4+1$, $x^2+5x-5=0$

$\therefore x=\dfrac{-5\pm\sqrt{5^2-4\times1\times(-5)}}{2\times1}$

$=\dfrac{-5\pm\sqrt{45}}{2}=\dfrac{-5\pm3\sqrt{5}}{2}$

(3) $(x-1)(2x+1)=(x-1)^2$에서

$2x^2-x-1=x^2-2x+1$

$x^2+x-2=0$, $(x-1)(x+2)=0$

$\therefore x=1$ 또는 $x=-2$

2-2 (1) $0.1x^2+0.6x+0.8=0$의 양변에 10을 곱하면

$x^2+6x+8=0$, $(x+2)(x+4)=0$

$\therefore x=-2$ 또는 $x=-4$

(2) $0.7x^2+0.3x-0.1=0$의 양변에 10을 곱하면

$$7x^2+3x-1=0$$

$$\therefore x=\frac{-3\pm\sqrt{3^2-4\times7\times(-1)}}{2\times7}=\frac{-3\pm\sqrt{37}}{14}$$

(3) $0.4x^2-x+0.3=0$의 양변에 10을 곱하면

$$4x^2-10x+3=0$$

$$\therefore x=\frac{-(-10)\pm\sqrt{(-10)^2-4\times4\times3}}{2\times4}$$

$$=\frac{10\pm\sqrt{52}}{8}=\frac{10\pm2\sqrt{13}}{8}=\frac{5\pm\sqrt{13}}{4}$$

3-2 (1) $\frac{1}{5}x^2+\frac{1}{2}x-\frac{3}{10}=0$의 양변에 10을 곱하면

$$2x^2+5x-3=0,\ (x+3)(2x-1)=0$$

$$\therefore x=-3\ \text{또는}\ x=\frac{1}{2}$$

(2) $\frac{1}{3}x^2+\frac{2}{3}x-\frac{1}{5}=0$의 양변에 15를 곱하면

$$5x^2+10x-3=0$$

$$\therefore x=\frac{-10\pm\sqrt{10^2-4\times5\times(-3)}}{2\times5}$$

$$=\frac{-10\pm\sqrt{160}}{10}=\frac{-10\pm4\sqrt{10}}{10}$$

$$=\frac{-5\pm2\sqrt{10}}{5}$$

(3) $\frac{1}{2}x^2-x+\frac{1}{6}=0$의 양변에 6을 곱하면

$$3x^2-6x+1=0$$

$$\therefore x=\frac{-(-6)\pm\sqrt{(-6)^2-4\times3\times1}}{2\times3}$$

$$=\frac{6\pm\sqrt{24}}{6}=\frac{6\pm2\sqrt{6}}{6}=\frac{3\pm\sqrt{6}}{3}$$

---

2. 이차방정식의 활용

개념 원리 확인 p139

4-1 11, 12	**4-2** 12, 14
5-1 2초 후 또는 12초 후	**5-2** 2초 후
6-1 10 cm	**6-2** 6 cm

4-1 연속하는 두 자연수를 x, $x+1$이라고 하면

$$x(x+1)=132$$

$$x^2+x=132,\ x^2+x-132=0$$

$$(x-11)(x+12)=0\qquad\therefore x=11\ \text{또는}\ x=-12$$

이때 x는 자연수이므로 $x=11$

따라서 두 자연수는 11, 12이다.

4-2 연속하는 두 짝수를 x, $x+2$라고 하면

$$x(x+2)=168$$

$$x^2+2x=168,\ x^2+2x-168=0$$

$$(x-12)(x+14)=0\qquad\therefore x=12\ \text{또는}\ x=-14$$

이때 x는 자연수이므로 $x=12$

따라서 두 짝수는 12, 14이다.

5-1 물체의 높이가 120 m이므로

$$70x-5x^2=120$$

$$5x^2-70x+120=0,\ x^2-14x+24=0$$

$$(x-2)(x-12)=0\qquad\therefore x=2\ \text{또는}\ x=12$$

따라서 물체의 높이가 120 m가 되는 것은 물체를 쏘아 올린 지 2초 후 또는 12초 후이다.

5-2 농구공이 땅에 떨어지는 것은 높이가 0 m이므로

$$-5x^2+9x+2=0$$

$$5x^2-9x-2=0,\ (x-2)(5x+1)=0$$

$$\therefore x=2\ \text{또는}\ x=-\frac{1}{5}$$

이때 $x>0$이므로 $x=2$

따라서 농구공이 땅에 떨어지는 것은 농구공을 던지고 나서 2초 후이다.

6-1 처음 정사각형의 한 변의 길이를 x cm라고 하면

$$(x+2)(x-3)=84$$

$$x^2-x-6=84,\ x^2-x-90=0$$

$$(x+9)(x-10)=0$$

$$\therefore x=-9\ \text{또는}\ x=10$$

이때 $x>0$이므로 $x=10$

따라서 처음 정사각형의 한 변의 길이는 10 cm이다.

6-2 처음 정사각형의 한 변의 길이를 x cm라고 하면

$$(x+3)(x+6)=3x^2$$

$$x^2+9x+18=3x^2,\ 2x^2-9x-18=0$$

$$(x-6)(2x+3)=0$$

$$\therefore x=6\ \text{또는}\ x=-\frac{3}{2}$$

이때 $x>0$이므로 $x=6$

따라서 처음 정사각형의 한 변의 길이는 6 cm이다.

1-1 (1) $x=1$ 또는 $x=2$ (2) $x=\dfrac{3\pm\sqrt{17}}{2}$

     (3) $x=-2$ 또는 $x=\dfrac{1}{2}$ (4) $x=\dfrac{2\pm\sqrt{34}}{3}$

     (5) $x=-1$ 또는 $x=-2$ (6) $x=\dfrac{1\pm\sqrt{51}}{5}$

1-2 ③

1-3 $A=3,\ B=21$

1-4 (1) $\dfrac{3}{10}$ (2) $2x^2-3x-5=0$ (3) $x=-1$ 또는 $x=\dfrac{5}{2}$

2-1 4, 5

2-2 준호 : 12세, 정인 : 16세

2-3 (1) 1초 후 또는 3초 후   (2) 4초 후

2-4 (1) $16-x$, $12-x$ (2) 4

2-5 (1) 3, $x-6$ (2) $3(x-6)^2=147$

     (3) $x=13$ 또는 $x=-1$ (4) 13 cm

1-1 (1) $(x+1)(x-2)=2x-4$에서

$x^2-x-2=2x-4$

$x^2-3x+2=0,\ (x-1)(x-2)=0$

$\therefore\ x=1$ 또는 $x=2$

(2) $(x+1)^2=(x-1)(2x+1)$에서

$x^2+2x+1=2x^2-x-1$

$x^2-3x-2=0$

$\therefore\ x=\dfrac{-(-3)\pm\sqrt{(-3)^2-4\times1\times(-2)}}{2\times1}$

$\quad=\dfrac{3\pm\sqrt{17}}{2}$

(3) $0.2x^2+0.3x-0.2=0$의 양변에 10을 곱하면

$2x^2+3x-2=0,\ (x+2)(2x-1)=0$

$\therefore\ x=-2$ 또는 $x=\dfrac{1}{2}$

(4) $0.3x^2-0.4x-1=0$의 양변에 10을 곱하면

$3x^2-4x-10=0$

$\therefore\ x=\dfrac{-(-4)\pm\sqrt{(-4)^2-4\times3\times(-10)}}{2\times3}$

$\quad=\dfrac{4\pm\sqrt{136}}{6}=\dfrac{4\pm2\sqrt{34}}{6}$

$\quad=\dfrac{2\pm\sqrt{34}}{3}$

(5) $\dfrac{1}{6}x^2+\dfrac{1}{2}x+\dfrac{1}{3}=0$의 양변에 6을 곱하면

$x^2+3x+2=0,\ (x+1)(x+2)=0$

$\therefore\ x=-1$ 또는 $x=-2$

(6) $\dfrac{1}{2}x^2-\dfrac{1}{5}x=1$의 양변에 10을 곱하면

$5x^2-2x=10,\ 5x^2-2x-10=0$

$\therefore\ x=\dfrac{-(-2)\pm\sqrt{(-2)^2-4\times5\times(-10)}}{2\times5}$

$\quad=\dfrac{2\pm\sqrt{204}}{10}=\dfrac{2\pm2\sqrt{51}}{10}$

$\quad=\dfrac{1\pm\sqrt{51}}{5}$

1-2 $2x(x-1)=(x-2)(3x-1)$에서

$2x^2-2x=3x^2-7x+2$

$x^2-5x+2=0$

$\therefore\ x=\dfrac{-(-5)\pm\sqrt{(-5)^2-4\times1\times2}}{2\times1}$

$\quad=\dfrac{5\pm\sqrt{17}}{2}$

1-3 $\dfrac{1}{4}x^2-\dfrac{1}{2}x-\dfrac{1}{3}=0$의 양변에 12를 곱하면

$3x^2-6x-4=0$

$\therefore\ x=\dfrac{-(-6)\pm\sqrt{(-6)^2-4\times3\times(-4)}}{2\times3}$

$\quad=\dfrac{6\pm\sqrt{84}}{6}=\dfrac{6\pm2\sqrt{21}}{6}$

$\quad=\dfrac{3\pm\sqrt{21}}{3}$

$\therefore\ A=3,\ B=21$

1-4 (2) $0.3=\dfrac{3}{10}$이므로

$\dfrac{1}{5}x^2-0.3x-\dfrac{1}{2}=0$의 양변에 10을 곱하면

$2x^2-3x-5=0$

(3) $2x^2-3x-5=0$에서 $(x+1)(2x-5)=0$

$\therefore\ x=-1$ 또는 $x=\dfrac{5}{2}$

2-1 연속하는 두 자연수를 x, $x+1$이라고 하면

$x^2+(x+1)^2=41$

$x^2+x^2+2x+1=41,\ 2x^2+2x-40=0$

$x^2+x-20=0,\ (x-4)(x+5)=0$

$\therefore\ x=4$ 또는 $x=-5$

이때 x는 자연수이므로 $x=4$

따라서 두 자연수는 4, 5이다.

2-2 준호의 나이를 x세라고 하면 정인이의 나이는 $(x+4)$세이므로

$x(x+4)=192$

$x^2+4x=192,\ x^2+4x-192=0$

$(x-12)(x+16)=0$

$\therefore x=12$ 또는 $x=-16$

이때 x는 자연수이므로 $x=12$

따라서 준호의 나이는 12세, 정인이의 나이는 16세이다.

2-3 (1) 물체의 높이가 15 m이므로

$20x-5x^2=15$

$5x^2-20x+15=0,\ x^2-4x+3=0$

$(x-1)(x-3)=0$

$\therefore x=1$ 또는 $x=3$

따라서 물체의 높이가 15 m가 되는 것은 물체를 쏘아 올린 지 1초 후 또는 3초 후이다.

(2) 물체가 지면에 떨어지는 것은 높이가 0 m이므로

$20x-5x^2=0$

$5x^2-20x=0,\ x^2-4x=0$

$x(x-4)=0$

$\therefore x=0$ 또는 $x=4$

이때 $x>0$이므로 $x=4$

따라서 물체가 지면에 떨어지는 것은 물체를 쏘아 올린 지 4초 후이다.

2-4 (2) 길을 제외한 땅의 넓이가 96 m²이므로

$(16-x)(12-x)=96$

$192-28x+x^2=96,\ x^2-28x+96=0$

$(x-4)(x-24)=0$

$\therefore x=4$ 또는 $x=24$

이때 $0<x<12$이므로 $x=4$

2-5 (3) $3(x-6)^2=147$에서 $(x-6)^2=49$

$x-6=\pm\sqrt{49}=\pm7$

$x-6=7$ 또는 $x-6=-7$

$\therefore x=13$ 또는 $x=-1$

(4) $x>6$이므로 $x=13$

따라서 처음 정사각형 모양의 종이의 한 변의 길이는 13 cm이다.

2일

3. 이차함수의 뜻과 함숫값

개념 원리 확인   p143

1-1 (1) $\times$ (2) $\bigcirc$ (3) $\times$ (4) $\times$

1-2 ㉡, ㉢

2-1 (1) $y=5000-3x$, $\times$ (2) $y=x^2+2x+1$, $\bigcirc$

(3) $y=60x$, $\times$

2-2 (1) $y=300x$, $\times$ (2) $y=\pi x^2$, $\bigcirc$

(3) $y=\dfrac{1}{2}x^2+\dfrac{1}{2}x$, $\bigcirc$

3-1 (1) 2 (2) 2

3-2 (1) -9 (2) -6

1-2 ㉡ $y=-3x(2-x)=-6x+3x^2$ ➡ 이차함수

㉣ $y=x^2-(x+x^2)=x^2-x-x^2=-x$ ➡ 일차함수

따라서 이차함수인 것은 ㉡, ㉢이다.

2-1 (2) $y=(x+1)^2=x^2+2x+1$

(3) (거리)=(속력)×(시간)이므로 $y=60x$

2-2 (3) $y=\dfrac{1}{2}\times x\times(x+1)=\dfrac{1}{2}x(x+1)=\dfrac{1}{2}x^2+\dfrac{1}{2}x$

3-1 (1) $f(1)=1^2+1=2$

(2) $f(-1)=(-1)^2+1=2$

3-2 (1) $f(2)=-2\times2^2+2-3=-9$

(2) $f(-1)=-2\times(-1)^2+(-1)-3=-6$

4. 이차함수 $y=x^2$, $y=-x^2$의 그래프

개념 원리 확인   p145

4-1 (1) 풀이 참조 (2) 풀이 참조

4-2 (1) 풀이 참조 (2) 풀이 참조

5-1 (1) 아래 (2) y축 (3) 감소 (4) 증가

5-2 (1) 위 (2) y축 (3) 증가 (4) 감소 (5) x축

4-1 (1)

x	$\cdots$	-3	-2	-1	0	1	2	3	$\cdots$
y	$\cdots$	9	4	1	0	1	4	9	$\cdots$

(2)

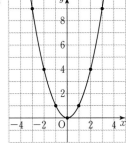

4-2 (1)

x	$\cdots$	-3	-2	-1	0	1	2	3	$\cdots$
y	$\cdots$	-9	-4	-1	0	-1	-4	-9	$\cdots$

(2)

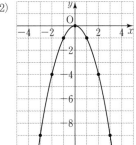

2일 기초 집중 연습   p146 ~ p147

1-1 ①, ④   **1-**2 ②

1-3 ⑤   **2-**1 (1) 11 (2) 1 (3) -1

2-2 1 m   **2-**3 -2

3-1 (1) ○ (2) × (3) × (4) × (5) ○ (6) ○

4-1 (1) × (2) ○ (3) × (4) ○ (5) × (6) ○

1-1   ② $y=(x-1)^2-x^2=x^2-2x+1-x^2=-2x+1$

➡ 일차함수

따라서 이차함수인 것은 ①, ④이다.

1-2   ① $y=\dfrac{4}{3}\pi x^3$

② $y=\dfrac{x(x-3)}{2}=\dfrac{1}{2}x^2-\dfrac{3}{2}x$

③ $y=5x$

④ $y=70x$

⑤ $y=6x$

따라서 이차함수인 것은 ②이다.

1-3   (x^2의 계수)$\neq0$이어야 하므로

$3-k\neq0$ $\therefore k\neq3$

2-1   (1) $f(-1)=4\times(-1)^2-6\times(-1)+1=11$

(2) $f(0)=4\times0^2-6\times0+1=1$

(3) $f\left(\dfrac{1}{2}\right)=4\times\left(\dfrac{1}{2}\right)^2-6\times\left(\dfrac{1}{2}\right)+1=-1$

2-2 $y=-5x^2+10x+1$에 $x=2$를 대입하면

$y=-5\times2^2+10\times2+1=1$

따라서 쏘아 올린 지 2초 후의 물 로켓의 높이는 $1\,\mathrm{m}$ 이다.

2-3 $f(-1)=-2\times(-1)^2+(-1)+3=0$

$f(1)=-2\times1^2+1+3=2$

$\therefore f(-1)-f(1)=0-2=-2$

3-1   (2) y축에 대칭이다.

(3) $y=x^2$에 $x=2$, $y=2$를 대입하면

$2\neq2^2$

(4) 제1, 2사분면을 지난다.

4-1   (1) 원점을 지나고 위로 볼록한 곡선이다.

(3) $y=-x^2$에 $x=2$, $y=-2$를 대입하면

$-2\neq-2^2$

(5) x의 값이 1에서 3까지 증가할 때, y의 값은 감소한 다.

3일

5. 이차함수 $y=ax^2$의 그래프

개념 원리 확인   p149

1-1 그래프는 풀이 참조

(1) 아래로 (2) 0, 0 (3) ㉡ (4) 감소 (5) 증가

1-2 그래프는 풀이 참조

(1) 위로 (2) 0, 0 (3) ㉠ (4) 증가 (5) 감소

2-1 (1) ㉠, ㉣, ㉯ (2) ㉭ (3) ㉠과 ㉢, ㉡과 ㉣

2-2 (1) ㉠, ㉢, ㉯ (2) ㉠ (3) ㉡과 ㉯, ㉢과 ㉤

1-1

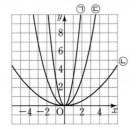

1-2

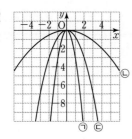

2-1 (1) x^2의 계수가 음수이면 그래프가 위로 볼록하므로
ㄱ, ㄹ, ㅂ이다.

　　(2) x^2의 계수의 절댓값이 클수록 그래프의 폭이 좁으
므로 폭이 가장 좁은 그래프는 ㅁ이다.

2-2 (1) x^2의 계수가 양수이면 그래프가 아래로 볼록하므로
ㄱ, ㄷ, ㅂ이다.

　　(2) x^2의 계수의 절댓값이 작을수록 그래프의 폭이 넓
으므로 폭이 가장 넓은 그래프는 ㄱ이다.

> **6. 이차함수 $y=ax^2+q$의 그래프**

개념 원리 확인　　　　　　　　　　　　p151

3-1 (1) 2　(2) -4　　　　**3-2** (1) 4　(2) -3

4-1 (1) $y=x^2+5$, $(0, 5)$, $x=0$

　　(2) $y=-2x^2-1$, $(0, -1)$, $x=0$

4-2 (1) $y=3x^2-5$, $(0, -5)$, $x=0$

　　(2) $y=-\dfrac{3}{4}x^2+2$, $(0, 2)$, $x=0$

5-1 그래프는 풀이 참조

　　(1) $(0, 1)$, $x=0$　(2) $(0, -2)$, $x=0$

5-2 그래프는 풀이 참조

　　(1) $(0, 2)$, $x=0$　(2) $(0, -1)$, $x=0$

5-1

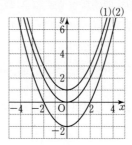

5-2

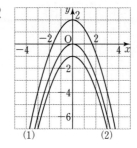

> **3일**　**기초 집중 연습**　　　　　　　p152 ~ p153

1-1 ⑤

1-2 (1) ㄱ, ㄴ, ㅂ　(2) ㄷ, ㄹ, ㅁ　(3) ㄷ　(4) ㄱ, ㄴ, ㅂ
　　(5) ㄷ, ㄹ, ㅁ

1-3 ③

1-4 ⑤

1-5 $-\dfrac{3}{4}$

2-1 (1) 0, -1, $x=0$　(2) 0, 4, $x=0$　(3) 0, $-\dfrac{1}{2}$, $x=0$

2-2 -3

2-3 (1) $x=0$　(2) ○　(3) -4　(4) ○

2-4 ①, ⑤

2-5 -1

1-2 (1) x^2의 계수가 양수이면 그래프가 아래로 볼록하므로
ㄱ, ㄴ, ㅂ이다.

　　(2) x^2의 계수가 음수이면 그래프가 위로 볼록하므로
ㄷ, ㄹ, ㅁ이다.

　　(3) x^2의 계수의 절댓값이 클수록 그래프의 폭이 좁으
므로 폭이 가장 좁은 그래프는 ㄷ이다.

정답과 풀이

(4) $x<0$일 때, x의 값이 증가하면 y의 값은 감소하려면 x^2의 계수가 양수이어야 하므로 ㉠, ㉡, ㉢이다.

(5) $x>0$일 때, x의 값이 증가하면 y의 값은 감소하려면 x^2의 계수가 음수이어야 하므로 ㉢, ㉣, ㉤이다.

1-3 $y=ax^2$의 그래프가 아래로 볼록하고 $y=2x^2$의 그래프보다 폭이 넓으므로
$0<a<2$
따라서 a의 값이 될 수 있는 것은 ③이다.

1-4 ① 꼭짓점의 좌표는 $(0,0)$이다.
② 아래로 볼록한 포물선이다.
③ y축에 대칭이다.
④ 제1, 2사분면을 지난다.

1-5 $y=ax^2$의 그래프가 점 $(2,-3)$을 지나므로
$y=ax^2$에 $x=2$, $y=-3$을 대입하면
$-3=a\times2^2$, $4a=-3$
$\therefore a=-\dfrac{3}{4}$

2-2 평행이동한 그래프의 식은 $y=\dfrac{3}{5}x^2-3$이므로
꼭짓점의 좌표는 $(0,-3)$이다.
따라서 $a=0$, $b=-3$이므로
$a+b=0+(-3)=-3$

2-4 ② 위로 볼록한 포물선이다.
③ 꼭짓점의 좌표는 $(0,5)$이다.
④ 축의 방정식은 $x=0$이다.

2-5 평행이동한 그래프의 식은 $y=-\dfrac{1}{4}x^2+3$이므로
$y=-\dfrac{1}{4}x^2+3$에 $x=-4$, $y=k$를 대입하면
$k=-\dfrac{1}{4}\times(-4)^2+3=-1$

7. 이차함수 $y=a(x-p)^2$의 그래프

개념 원리 확인
p155

1-1 (1) -6 (2) $\dfrac{4}{3}$

1-2 (1) 4 (2) $-\dfrac{2}{9}$

2-1 (1) $y=\dfrac{1}{4}(x-3)^2$, $(3,0)$, $x=3$
(2) $y=-2(x+7)^2$, $(-7,0)$, $x=-7$

2-2 (1) $y=3(x+10)^2$, $(-10,0)$, $x=-10$
(2) $y=-\dfrac{5}{2}(x-5)^2$, $(5,0)$, $x=5$

3-1 그래프는 풀이 참조
(1) $(-2,0)$, $x=-2$ (2) $(1,0)$, $x=1$

3-2 그래프는 풀이 참조
(1) $(-1,0)$, $x=-1$ (2) $(2,0)$, $x=2$

3-1

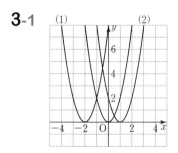

3-2

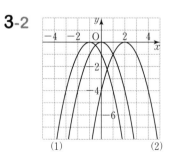

개념 원리 확인   p157

4-1 (1) -1, 3 (2) 5, 2

4-2 (1) -4, -5 (2) 2, -1

5-1 (1) $y=2(x-1)^2+7$, $(1, 7)$, $x=1$

    (2) $y=-\dfrac{2}{3}(x+3)^2+4$, $(-3, 4)$, $x=-3$

5-2 (1) $y=3(x-2)^2-6$, $(2, -6)$, $x=2$

    (2) $y=-\dfrac{1}{2}(x+5)^2-3$, $(-5, -3)$, $x=-5$

6-1 그래프는 풀이 참조

    (1) $(2, 3)$, $x=2$ (2) $(-1, 1)$, $x=-1$

6-2 그래프는 풀이 참조

    (1) $(2, -1)$, $x=2$ (2) $(-1, -3)$, $x=-1$

6-1

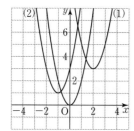

6-2

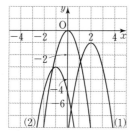

1-1 (1) $(2, 0)$, $x=2$ (2) $(-3, 0)$, $x=-3$

1-2 (1) ○ (2) $(3, 0)$ (3) 3 (4) $x>3$

1-3 ①, ⑤   **1**-4 ④   **1**-5 -9

2-1 (1) $(4, 5)$, $x=4$ (2) $(-2, -4)$, $x=-2$

2-2 (1) ○ (2) $(-1, -2)$ (3) $y=\dfrac{2}{3}x^2$ (4) ○

2-3 ③, ⑤   **2**-4 ③   **2**-5 7

1-3 ① 이차함수 $y=-\dfrac{1}{3}x^2$의 그래프를 x축의 방향으로

    -7만큼 평행이동한 것이다.

    ② $y=-\dfrac{1}{3}(x+7)^2$에 $x=-4$, $y=-3$을 대입하면

    $-3=-\dfrac{1}{3}\times(-4+7)^2$

    ⑤ x^2의 계수의 절댓값이 클수록 그래프의 폭이 좁으

    므로 이차함수 $y=-\dfrac{1}{2}x^2$의 그래프보다 폭이 넓다.

1-4 이차함수 $y=-(x+2)^2$의 그래프는 위로 볼록하고

    꼭짓점의 좌표가 $(-2, 0)$이므로 ④이다.

1-5 평행이동한 그래프의 식은 $y=-(x+4)^2$이므로

    $y=-(x+4)^2$에 $x=-1$, $y=k$를 대입하면

    $k=-(-1+4)^2=-9$

2-3 ③ 축의 방정식은 $x=-\dfrac{1}{2}$이다.

    ⑤ 이차함수 $y=-5x^2$의 그래프를 x축의 방향으로

    $-\dfrac{1}{2}$만큼, y축의 방향으로 -1만큼 평행이동한 것

    이다.

2-4 이차함수 $y=(x-2)^2-3$의 그래프는 아래로 볼록하

    고 꼭짓점의 좌표가 $(2, -3)$이므로 ③이다.

2-5 평행이동한 그래프의 식은 $y=4(x-3)^2-9$이므로

    $y=4(x-3)^2-9$에 $x=5$, $y=k$를 대입하면

    $k=4\times(5-3)^2-9=7$

5일

개념 원리 확인   p161

1-1 8, 8, 16, 16, 8, 16, 8, 4, 9

1-2 2, 2, 1, 1, 2, 1, 3, 1, 1

2-1 (1) $y=-(x-2)^2+1$ (2) $(2, 1)$, $x=2$

    (3) $(0, -3)$ (4) 풀이 참조

2-2 (1) $y=\dfrac{1}{3}(x+3)^2-1$ (2) $(-3, -1)$, $x=-3$

    (3) $(0, 2)$ (4) 풀이 참조

2-1 (1) $y=-x^2+4x-3=-(x^2-4x)-3$
$=-(x^2-4x+4-4)-3$
$=-(x^2-4x+4)+4-3$
$=-(x-2)^2+1$

(3) $y=-x^2+4x-3$에 $x=0$을 대입하면 $y=-3$
따라서 y축과의 교점의 좌표는 $(0,\,-3)$이다.

(4)
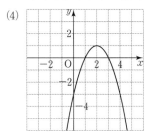

2-2 (1) $y=\dfrac{1}{3}x^2+2x+2=\dfrac{1}{3}(x^2+6x)+2$
$=\dfrac{1}{3}(x^2+6x+9-9)+2$
$=\dfrac{1}{3}(x^2+6x+9)-3+2$
$=\dfrac{1}{3}(x+3)^2-1$

(3) $y=\dfrac{1}{3}x^2+2x+2$에 $x=0$을 대입하면 $y=2$
따라서 y축과의 교점의 좌표는 $(0,\,2)$이다.

(4)
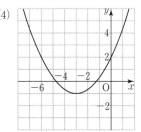

---

10. 이차함수의 식 구하기

개념 원리 확인   p163

3-1 (1) $y=-x^2+2x+3$ (2) $y=-\dfrac{3}{4}x^2-3x+2$

3-2 (1) $y=\dfrac{1}{2}x^2-2x-6$ (2) $y=x^2+8x+10$

4-1 (1) $y=-x^2+4x+3$ (2) $y=3x^2+6x+1$

4-2 (1) $y=x^2-2x-2$ (2) $y=\dfrac{1}{4}x^2+2x+1$

5-1 $y=x^2-6x+7$ **5-2** $y=-\dfrac{1}{2}x^2-x+1$

3-1 (1) 이차함수의 식을 $y=a(x-1)^2+4$로 놓고
$x=2$, $y=3$을 대입하면
$3=a\times(2-1)^2+4$, $a+4=3$
$\therefore a=-1$
$\therefore y=-(x-1)^2+4=-x^2+2x+3$

(2) 이차함수의 식을 $y=a(x+2)^2+5$로 놓고
$x=0$, $y=2$를 대입하면
$2=a\times(0+2)^2+5$, $4a=-3$
$\therefore a=-\dfrac{3}{4}$
$\therefore y=-\dfrac{3}{4}(x+2)^2+5=-\dfrac{3}{4}x^2-3x+2$

3-2 (1) 이차함수의 식을 $y=a(x-2)^2-8$로 놓고
$x=-2$, $y=0$을 대입하면
$0=a\times(-2-2)^2-8$, $16a=8$
$\therefore a=\dfrac{1}{2}$
$\therefore y=\dfrac{1}{2}(x-2)^2-8=\dfrac{1}{2}x^2-2x-6$

(2) 이차함수의 식을 $y=a(x+4)^2-6$으로 놓고
$x=-1$, $y=3$을 대입하면
$3=a\times(-1+4)^2-6$, $9a=9$
$\therefore a=1$
$\therefore y=(x+4)^2-6=x^2+8x+10$

4-1 (1) 이차함수의 식을 $y=a(x-2)^2+q$로 놓고
$x=-1$, $y=-2$를 대입하면
$-2=a\times(-1-2)^2+q$에서
$9a+q=-2$ ······ ㉠
$x=1$, $y=6$을 대입하면
$6=a\times(1-2)^2+q$에서
$a+q=6$ ······ ㉡
㉠, ㉡을 연립하여 풀면 $a=-1$, $q=7$
$\therefore y=-(x-2)^2+7=-x^2+4x+3$

(2) 이차함수의 식을 $y=a(x+1)^2+q$로 놓고
$x=-2$, $y=1$을 대입하면
$1=a\times(-2+1)^2+q$에서
$a+q=1$ ······ ㉠
$x=1$, $y=10$을 대입하면
$10=a\times(1+1)^2+q$에서
$4a+q=10$ ······ ㉡

$\bigcirc$, $\bigcirc$을 연립하여 풀면 $a=3$, $q=-2$

$\therefore y=3(x+1)^2-2=3x^2+6x+1$

4-2 (1) 이차함수의 식을 $y=a(x-1)^2+q$로 놓고

$x=-1$, $y=1$을 대입하면

$1=a\times(-1-1)^2+q$에서

$4a+q=1$ ...... $\bigcirc$

$x=0$, $y=-2$를 대입하면

$-2=a\times(0-1)^2+q$에서

$a+q=-2$ ...... $\bigcirc$

$\bigcirc$, $\bigcirc$을 연립하여 풀면 $a=1$, $q=-3$

$\therefore y=(x-1)^2-3=x^2-2x-2$

(2) 이차함수의 식을 $y=a(x+4)^2+q$로 놓고

$x=-2$, $y=-2$를 대입하면

$-2=a\times(-2+4)^2+q$에서

$4a+q=-2$ ...... $\bigcirc$

$x=0$, $y=1$을 대입하면

$1=a\times(0+4)^2+q$에서

$16a+q=1$ ...... $\bigcirc$

$\bigcirc$, $\bigcirc$을 연립하여 풀면 $a=\dfrac{1}{4}$, $q=-3$

$\therefore y=\dfrac{1}{4}(x+4)^2-3=\dfrac{1}{4}x^2+2x+1$

5-1 꼭짓점의 좌표가 $(3, -2)$이고, 점 $(5, 2)$를 지나므로 이차함수의 식을 $y=a(x-3)^2-2$로 놓고

$x=5$, $y=2$를 대입하면

$2=a\times(5-3)^2-2$, $4a=4$

$\therefore a=1$

$\therefore y=(x-3)^2-2=x^2-6x+7$

5-2 축의 방정식이 $x=-1$이고 두 점 $(0, 1)$, $(2, -3)$을 지나므로 이차함수의 식을 $y=a(x+1)^2+q$로 놓고

$x=0$, $y=1$을 대입하면

$1=a\times(0+1)^2+q$에서

$a+q=1$ ...... $\bigcirc$

$x=2$, $y=-3$을 대입하면

$-3=a\times(2+1)^2+q$에서

$9a+q=-3$ ...... $\bigcirc$

$\bigcirc$, $\bigcirc$을 연립하여 풀면 $a=-\dfrac{1}{2}$, $q=\dfrac{3}{2}$

$\therefore y=-\dfrac{1}{2}(x+1)^2+\dfrac{3}{2}=-\dfrac{1}{2}x^2-x+1$

1-1 (1) $a=3$, $p=2$, $q=-5$ (2) $a=-1$, $p=-4$, $q=21$

1-2 (1) $(1, 3)$, $x=1$ (2) $(-3, -8)$, $x=-3$

1-3 ④, ⑤

1-4 ④

2-1 (1) $y=2x^2-4x+1$ (2) $(0, 1)$

2-2 ①

3-1 (1) $y=-2x^2-4x+2$ (2) $(0, 2)$

3-2 ③

1-1 (1) $y=3x^2-12x+7$

$=3(x^2-4x)+7$

$=3(x^2-4x+4-4)+7$

$=3(x^2-4x+4)-12+7$

$=3(x-2)^2-5$

$\therefore a=3$, $p=2$, $q=-5$

(2) $y=-x^2-8x+5$

$=-(x^2+8x)+5$

$=-(x^2+8x+16-16)+5$

$=-(x^2+8x+16)+16+5$

$=-(x+4)^2+21$

$\therefore a=-1$, $p=-4$, $q=21$

1-2 (1) $y=-5x^2+10x-2$

$=-5(x^2-2x)-2$

$=-5(x^2-2x+1-1)-2$

$=-5(x^2-2x+1)+5-2$

$=-5(x-1)^2+3$

따라서 꼭짓점의 좌표는 $(1, 3)$이고, 축의 방정식은 $x=1$이다.

(2) $y=\dfrac{1}{3}x^2+2x-5$

$=\dfrac{1}{3}(x^2+6x)-5$

$=\dfrac{1}{3}(x^2+6x+9-9)-5$

$=\dfrac{1}{3}(x^2+6x+9)-3-5$

$=\dfrac{1}{3}(x+3)^2-8$

따라서 꼭짓점의 좌표는 $(-3, -8)$이고, 축의 방정식은 $x=-3$이다.

정답과 풀이

1-3 $y=-2x^2+4x+1$
$\quad =-2(x^2-2x)+1$
$\quad =-2(x^2-2x+1-1)+1$
$\quad =-2(x^2-2x+1)+2+1$
$\quad =-2(x-1)^2+3$
④ $y=-2x^2+4x+1$에 $x=0$을 대입하면
$\quad y=-2\times0^2+4\times0+1=1$
따라서 y축과의 교점의 좌표는 $(0,1)$이다.
⑤ $x>1$일 때, x의 값이 증가하면 y의 값은 감소한다.

1-4 $y=-\dfrac{1}{2}x^2+2x+1=-\dfrac{1}{2}(x^2-4x)+1$
$\quad =-\dfrac{1}{2}(x^2-4x+4-4)+1$
$\quad =-\dfrac{1}{2}(x^2-4x+4)+2+1$
$\quad =-\dfrac{1}{2}(x-2)^2+3$
$y=-\dfrac{1}{2}x^2+2x+1$에 $x=0$을 대입하면
$\quad y=-\dfrac{1}{2}\times0^2+2\times0+1=1$
따라서 그래프의 꼭짓점의 좌표는 $(2,3)$이고, y축과의 교점의 좌표는 $(0,1)$이므로 구하는 그래프는 ④이다.

2-1 (1) 이차함수의 식을 $y=a(x-1)^2-1$로 놓고
$\quad x=2,\ y=1$을 대입하면
$\quad 1=a\times(2-1)^2-1,\ a-1=1 \qquad \therefore a=2$
$\quad \therefore y=2(x-1)^2-1=2x^2-4x+1$
(2) $y=2x^2-4x+1$에 $x=0$을 대입하면
$\quad y=2\times0^2-4\times0+1=1$
따라서 y축과의 교점의 좌표는 $(0,1)$이다.

2-2 꼭짓점의 좌표가 $(-1,5)$이고, 점 $(0,2)$를 지나므로 이차함수의 식을 $y=a(x+1)^2+5$로 놓고
$x=0,\ y=2$를 대입하면
$2=a\times(0+1)^2+5,\ a+5=2 \qquad \therefore a=-3$
$\therefore y=-3(x+1)^2+5=-3x^2-6x+2$
따라서 $a=-3,\ b=-6,\ c=2$이므로
$a+b+c=-3+(-6)+2=-7$

3-1 (1) 이차함수의 식을 $y=a(x+1)^2+q$로 놓고
$\quad x=-2,\ y=2$를 대입하면
$\quad 2=a\times(-2+1)^2+q$에서 $a+q=2 \qquad\cdots\cdots$ ㉠

$x=1,\ y=-4$를 대입하면
$-4=a\times(1+1)^2+q$에서 $4a+q=-4 \qquad\cdots\cdots$ ㉡
㉠, ㉡을 연립하여 풀면 $a=-2,\ q=4$
$\therefore y=-2(x+1)^2+4=-2x^2-4x+2$
(2) $y=-2x^2-4x+2$에 $x=0$을 대입하면
$\quad y=-2\times0^2-4\times0+2=2$
따라서 y축과의 교점의 좌표는 $(0,2)$이다.

3-2 축의 방정식이 $x=2$이고 두 점 $(0,1)$, $(1,-2)$를 지나므로 이차함수의 식을 $y=a(x-2)^2+q$로 놓고
$x=0,\ y=1$을 대입하면
$1=a\times(0-2)^2+q$에서 $4a+q=1 \qquad\cdots\cdots$ ㉠
$x=1,\ y=-2$를 대입하면
$-2=a\times(1-2)^2+q$에서 $a+q=-2 \qquad\cdots\cdots$ ㉡
㉠, ㉡을 연립하여 풀면 $a=1,\ q=-3$
$\therefore y=(x-2)^2-3=x^2-4x+1$

누구나 100점 테스트 p166~p167

01 (1) $x=-1$ 또는 $x=-2$ (2) $x=\dfrac{-4\pm\sqrt{10}}{3}$
　(3) $x=\dfrac{-5\pm\sqrt{57}}{4}$ (4) $x=3$ 또는 $x=-\dfrac{5}{2}$

02 (1) 5 (2) 10 cm　**03** ㉠, ㉢　**04** ④

05 ⑤　　**06** 12　　**07** 6　　**08** ①

09 ㉡, ㉢

10 (1) $y=3x^2-6x-1$ (2) $y=-2x^2-8x-2$

---

01 (1) $x(x-3)=2(x^2+1)$에서 $x^2-3x=2x^2+2$
$\quad x^2+3x+2=0,\ (x+1)(x+2)=0$
$\quad \therefore x=-1$ 또는 $x=-2$
(2) $0.3x^2+0.8x+0.2=0$의 양변에 10을 곱하면
$\quad 3x^2+8x+2=0$
$\quad \therefore x=\dfrac{-8\pm\sqrt{8^2-4\times3\times2}}{2\times3}=\dfrac{-8\pm\sqrt{40}}{6}$
$\quad =\dfrac{-8\pm2\sqrt{10}}{6}=\dfrac{-4\pm\sqrt{10}}{3}$
(3) $\dfrac{1}{2}x^2+\dfrac{5}{4}x-1=0$의 양변에 4를 곱하면
$\quad 2x^2+5x-4=0$
$\quad \therefore x=\dfrac{-5\pm\sqrt{5^2-4\times2\times(-4)}}{2\times2}=\dfrac{-5\pm\sqrt{57}}{4}$

(4) $\frac{1}{5}x^2-0.1x-\frac{3}{2}=0$의 양변에 10을 곱하면

$2x^2-x-15=0$, $(x-3)(2x+5)=0$

$\therefore x=3$ 또는 $x=-\frac{5}{2}$

02 (1) 어떤 자연수를 x라고 하면

$3x+1=(x-1)^2$

$3x+1=x^2-2x+1$, $x^2-5x=0$

$x(x-5)=0$　　$\therefore x=0$ 또는 $x=5$

이때 x는 자연수이므로 $x=5$

따라서 어떤 자연수는 5이다.

(2) 가로의 길이를 x cm라고 하면 세로의 길이는

$(x+5)$ cm이므로

$x(x+5)=150$

$x^2+5x=150$, $x^2+5x-150=0$

$(x-10)(x+15)=0$　　$\therefore x=10$ 또는 $x=-15$

이때 $x>0$이므로 $x=10$

따라서 가로의 길이는 10 cm이다.

03 ㉢ $y=x(x+2)=x^2+2x$ ➡ 이차함수

㉥ $y=x^2-(x-1)^2=x^2-(x^2-2x+1)$

　　$=x^2-x^2+2x-1=2x-1$ ➡ 일차함수

따라서 이차함수인 것은 ㉠, ㉢이다.

04 ① y축을 축으로 한다.

② 위로 볼록한 포물선이다.

③ 꼭짓점의 좌표는 $(0, 0)$이다.

⑤ $x<0$일 때, x의 값이 증가하면 y의 값도 증가한다.

05 x^2의 계수의 절댓값이 클수록 그래프의 폭이 좁으므로 폭이 가장 좁은 것은 ⑤이다.

06 평행이동한 그래프의 식은 $y=5x^2+q$

이 그래프가 $y=ax^2+7$의 그래프와 일치하므로

$a=5$, $q=7$

$\therefore a+q=5+7=12$

07 평행이동한 그래프의 식은 $y=\frac{2}{3}(x+2)^2$이므로

$y=\frac{2}{3}(x+2)^2$에 $x=-5$, $y=k$를 대입하면

$k=\frac{2}{3}\times(-5+2)^2=6$

09 $y=-x^2+4x+2$

$=-(x^2-4x)+2$

$=-(x^2-4x+4-4)+2$

$=-(x^2-4x+4)+4+2$

$=-(x-2)^2+6$

㉠ 꼭짓점의 좌표는 $(2, 6)$이다.

㉡ $y=-x^2+4x+2$에 $x=0$을 대입하면

$y=-0^2+4\times0+2=2$

즉 y축과의 교점의 좌표는 $(0, 2)$이다.

㉣ $y=-x^2$의 그래프를 x축의 방향으로 2만큼, y축의 방향으로 6만큼 평행이동한 그래프이다.

따라서 옳은 것은 ㉡, ㉣이다.

10 (1) 꼭짓점의 좌표가 $(1, -4)$이고, 점 $(0, -1)$을 지나므로 이차함수의 식을 $y=a(x-1)^2-4$로 놓고

$x=0$, $y=-1$을 대입하면

$-1=a\times(0-1)^2-4$, $a-4=-1$　　$\therefore a=3$

$\therefore y=3(x-1)^2-4=3x^2-6x-1$

(2) 이차함수의 식을 $y=a(x+2)^2+q$로 놓고

$x=-1$, $y=4$를 대입하면

$4=a\times(-1+2)^2+q$에서 $a+q=4$　　$\cdots\cdots$ ㉠

$x=0$, $y=-2$를 대입하면

$-2=a\times(0+2)^2+q$에서 $4a+q=-2$　　$\cdots\cdots$ ㉡

㉠, ㉡을 연립하여 풀면 $a=-2$, $q=6$

$\therefore y=-2(x+2)^2+6=-2x^2-8x-2$

특강 | 창의, 융합, 코딩 p168 ~ p173

1 아래, 위, 좁아 / q / p / p, q, $x=p$

2 (1) ㉡ (2) ㉤ (3) ㉠ (4) ㉣ (5) ㉢

3 (1) $x-\left(\frac{1}{8}x\right)^2=12$ (2) $x=16$ 또는 $x=48$

　　(3) 16마리 또는 48마리

4 여진 : 속초, 원철 : 전주, 윤수 : 부산, 민하 : 경주

5 (1) $3(x-1)^2+1$ (2) $(1, 1)$ (3) $x=1$ (4) $(0, 4)$

6 (1) 우리의 (2) 인생은 (3) 노력한 만큼 (4) 가치있다.

2 (1) $(7x+8)(x-1)=-9x$에서

$7x^2+x-8=-9x$

$7x^2+10x-8=0$

$(x+2)(7x-4)=0$

$\therefore x=-2$ 또는 $x=\dfrac{4}{7}$

(2) $0.4x^2-x+0.3=0$의 양변에 10을 곱하면

$4x^2-10x+3=0$

$\therefore x=\dfrac{-(-10)\pm\sqrt{(-10)^2-4\times4\times3}}{2\times4}$

$=\dfrac{10\pm\sqrt{52}}{8}=\dfrac{10\pm2\sqrt{13}}{8}$

$=\dfrac{5\pm\sqrt{13}}{4}$

(3) $\dfrac{1}{10}x^2-\dfrac{2}{5}x=\dfrac{3}{4}$의 양변에 20을 곱하면

$2x^2-8x=15,\ 2x^2-8x-15=0$

$\therefore x=\dfrac{-(-8)\pm\sqrt{(-8)^2-4\times2\times(-15)}}{2\times2}$

$=\dfrac{8\pm\sqrt{184}}{4}=\dfrac{8\pm2\sqrt{46}}{4}$

$=\dfrac{4\pm\sqrt{46}}{2}$

(4) $\dfrac{1}{2}x^2-0.3x-\dfrac{1}{5}=0$의 양변에 10을 곱하면

$5x^2-3x-2=0,\ (x-1)(5x+2)=0$

$\therefore x=1$ 또는 $x=-\dfrac{2}{5}$

(5) $0.3x^2-2\left(x-\dfrac{5}{4}\right)=0.1$에서 $0.3x^2-2x+\dfrac{5}{2}=0.1$

양변에 10을 곱하면 $3x^2-20x+25=1$

$3x^2-20x+24=0$

$\therefore x=\dfrac{-(-20)\pm\sqrt{(-20)^2-4\times3\times24}}{2\times3}$

$=\dfrac{20\pm\sqrt{112}}{6}=\dfrac{20\pm4\sqrt{7}}{6}$

$=\dfrac{10\pm2\sqrt{7}}{3}$

3 (2) $x-\left(\dfrac{1}{8}x\right)^2=12$에서 $x-\dfrac{1}{64}x^2=12$

$64x-x^2=768,\ x^2-64x+768=0$

$(x-16)(x-48)=0$

$\therefore x=16$ 또는 $x=48$

4 여진 : ① ┈┈▶ ④ ── ⑥ ── 속초

원철 : ② ──▶ ③ ── ⑤ ┈┈▶ 전주

윤수 : ① ── ③ ┈┈▶ ⑥ ──▶ 부산

민하 : ② ── ④ ┈┈▶ ⑤ ── 경주

5 (1) $y=3x^2-6x+4$

$=3(x^2-2x)+4$

$=3(x^2-2x+1-1)+4$

$=3(x^2-2x+1)-3+4$

$=3(x-1)^2+1$

(4) $y=3x^2-6x+4$에 $x=0$을 대입하면

$y=3\times0^2-6\times0+4=4$

따라서 y축과의 교점의 좌표는 $(0,\ 4)$이다.

6 이차함수의 식을 $y=a(x-1)^2-2$로 놓고

$x=0,\ y=1$을 대입하면

$1=a\times(0-1)^2-2,\ a-2=1$ $\therefore a=3$

$\therefore y=3(x-1)^2-2=3x^2-6x+1$

(4) $y=3x^2-6x+1$에 $x=-1$을 대입하면

$y=3\times(-1)^2-6\times(-1)+1=10$

따라서 점 $(-1,\ 10)$을 지난다.

미래를 바꾸는
긍정의 한 마디

저는 미래가 어떻게 전개될지는 모르지만,
누가 그 미래를 결정하는지는 압니다.

오프라 윈프리(Oprah Winfrey)

오프라 윈프리는 불우한 어린 시절을 겪었지만 좌절하지 않고 열심히 노력하여
세계에서 가장 유명한 TV 토크쇼의 진행자가 되었어요.
오프라 윈프리의 성공기를 오프라이즘(Oprahism)이라 부른다고 해요.
오프라이즘이란 '인생의 성공 여부는
온전히 개인에게 달려있다'라는 뜻이랍니다.

인생의 꽃길은 다른 사람이 아닌, 오직 '나'만이 만들 수 있어요.

정답은
이안에
있어!